D0528473

afgeschreven

Helemaal mijn ding

Van dezelfde auteur:

Niks aan de hand
Geen paniek!

Claire Cook

Helemaal mijn ding

the house of books

Oorspronkelijke titel
Summer blowout
Uitgave
Voice, an imprint of Hyperion, New York

Vertaling
Wytske Roodbergen
Omslagontwerp
marliesvisser.nl
Omslagdia
Getty Images/Lewis Lang
Foto auteur
Diane Dillon
Opmaak binnenwerk
ZetSpiegel, Best

ISBN 978 90 443 2495 2
D/2009/8899/101
NUR 302

www.thehouseofbooks.com

Dankwoord

Lisa Bankoff is niet alleen de beste literaire agente ter wereld, ze heeft ook toegegeven dat ze een lippenstiftjunkie is, net als de hoofdpersoon in dit boek. Dat verzin je toch niet? Helaas is het me niet gelukt om Shu Uemura 265 E het boek in te schrijven, maar toch bedankt. Ook Tina Wexler wil ik bedanken – je was er altijd, met een vriendelijk woord en een heldere kijk op de dingen.

Over dynamische duo's gesproken: Ellen Archer en Pamela Dorman zijn de beste. Ik ben blij voor ze dat Voice zo goed is ontvangen en dat ik met ze mee mag liften. De brainstormlunch in café Nougatine met Ellen, Pam en Sarah Landis, een fantastische redacteur, was voor mij een hoogtepunt: hun advies was net zo goed als het eten. Ik ben mijn briljante uitgever Pam Dorman dankbaar omdat ze met een zwaai met haar toverstaf een beautyboek heeft veranderd in een beautykit.

Alle mensen bij Voice zijn fantastisch. Op een dag solliciteer ik bij jullie naar een echte kantoorbaan, pas maar op. Jane Comins en Jessica Wiener zijn de vriendelijkste, eerlijkste mensen die ik ken en ik heb veel van hen geleerd. Beth Gebhard is een waanzinnige uitgever, en ik prijs me gelukkig dat ze mij met al haar zuidelijke charme steunt. Ik zou een boek kunnen schrijven over hoe geweldig de mensen bij Voice zijn, maar waarschijnlijk zien zij liever dat ik een echt boek schrijf. Daarom hier in alfabetische volgorde de namen van de mensen bij Voice die ik wil bedanken: Anna Campbell, Kathleen Carr, Christine Casaccio, Rachel Durfee, Maha Khalil, Laura Klynstra, Claire McKean, Lindsay Mergens, Karen Minster, Shelly Perron, Alexandra Ramstrum, Mike Rotondo en Sarah Rucker.

Duizend maal dank, Charlotte Phinney, dat je zo vriendelijk en genereus bent geweest om mij voor dit boek in te wijden in de mysterieuze wereld van haar en make-up. Je liet je vrijwillig schaduwen en beantwoordde al mijn vragen – en wat hebben we een plezier gehad.

Ook alle medewerkers van de Pipeline Salon – Tanya, Stacey, Helena, Pam, Maria – enorm bedankt voor jullie inspiratie en ondersteuning. Phoebe en Elaine van Phoebe's Faces, Donna Harlow van Harlow's Hair Design en Donna Crowley van de Charles David Salon: ook jullie bedankt.

Als tijdens mijn promotietour voor *Geen paniek!* dit boek ter sprake kwam, kwamen na afloop van mijn praatje altijd stylistes naar me toe om te zeggen hoe leuk ze het vonden. Vaak hadden ze goede tips voor me. Ik ben vergeten al jullie namen op te schrijven, maar jullie enthousiasme heeft me zeker gestimuleerd bij het schrijven van dit boek, en daar ben ik jullie dankbaar voor. Ik noem Shane uit Ann Arbor, Elaine Shapiro uit Rhode Island, Kathleen Cosgrove van Peacock Style and Color in Norwell.

Veel dank ook aan alle boekverkopers, bibliotheekmedewerkers en mensen uit de mediawereld die mijn boeken hebben besproken en me aanspoorden om vooral te blijven schrijven. Bedankt voor jullie ondersteuning.

Ik wil de getalenteerde Diane Dillon bedanken. Zij is de enige stewardess/schrijver/fotograaf die ik ken, en ze heeft meegedacht met de scènes in het boek die zich afspelen in en rondom vliegtuigen, en tussendoor heeft ze prachtige foto's van mij gemaakt. Je bent een genie!

Ook Ken Harvey enorm bedankt voor het meelezen en voor alle goede raad tijdens het hele schrijfproces.

Dank aan mijn dochter Garet en haar verloofde Geoff, die me alles hebben verteld over wonen in Atlanta. Garet, bedankt dat je Coco, je hond van bijna acht pond, bij je had toen je op visite kwam. Jouw Coco was onze reusachtige, kwaadaardige hond Daisy Mei de baas en wist een plekje in onze harten te veroveren – en in dit boek. Veel dank aan mijn zoon Kaden, die er altijd voor me is met zijn creativiteit, zijn wijsheid en zijn computerkennis. Ook mijn zeven broers en zussen en mijn ene stiefmoeder, mijn tientallen neefjes en nichtjes plus aanhang, en al mijn oude en nieuwe vrienden: bedankt. Dank voor jullie liefde en voor de gesprekken over boeken – laat maar weten in welk personage je je dit keer herkent. Van mij mag het!

En zoals gewoonlijk ben ik mijn man, Jake, het allerdankbaarst. Ook dit keer was hij mijn eerste lezer, mijn wijze raadsman en mijn genadeloze proeflezer.

Tot slot wil ik jullie bedanken, mijn fantastische lezeressen – zonder jullie had ik deze baan uit duizenden nooit kunnen hebben!

I

Ik heb één grote verslaving, en dat is lippenstift. De salon uitlopend pakte ik een NARS-lippenstift met de naam Catfight uit mijn tas – een rijke, semi-matte mauve tint. Een van de aardige bijkomstigheden van mijn beroep is, dat je altijd schoonheidsproducten bij de hand hebt.

Het parkeerterrein stond vol auto's. Toch zag ik hem vrijwel meteen toen ik de deur openduwde. Hij zat achter het stuur van zijn auto en leunde achterover, zijn ogen gesloten. Het viel me mee dat ik hem van deze afstand niet kon horen snurken.

In een mum van tijd was ik bij hem, aan de andere kant van het parkeerterrein. Ik had een grote chocoladebruine schoudertas bij me, die ik met een zwiep opzij gooide om extra kracht te kunnen zetten. Toen nam ik een aanloop en smeet de tas zo hard als ik kon tegen de voorruit.

Mijn ex-man veerde op alsof er op hem geschoten werd en stootte zijn hoofd tegen het zijraam. Op dat moment begreep ik alle bedrogen echtgenotes die uit wraak hun man hadden doodgereden. Of hun penis hadden afgesneden. Ik had hem kunnen vermoorden. Met alle gemak.

Craig staarde me verbijsterd aan. Hij keek bang, en dat beviel me uitstekend. Toen keek hij naar het contactsleuteltje, alsof hij probeerde in te schatten hoe groot de kans was dat hij zou kunnen vluchten. Hij drukte een knopje in, en zoemend schoof het raam vijf centimeter naar beneden. 'Wat was dat in godsnaam?' vroeg hij door de smalle opening.

'Wat was dát in godsnaam? Wat doe jíj hier?'

'Sophia's auto is bij de garage,' antwoordde hij. 'Ze had een lift nodig.'

Als er al een gen bestond voor empathisch vermogen, had mijn ex-man dat niet meegekregen bij zijn geboorte. 'Wat ben jij een zak,' zei ik. 'Nee, erger. Als er iets erger is dan een zak, ben jij dat.' Ik boog voorover en begon de inhoud van mijn tas, die over de hele motorkap van Craigs stomme Lexus verspreid lag, bij elkaar te rapen. Het was niet eens zijn eigen auto. Het was een leasebak. Ik hoopte dat ze hem flink te grazen zouden nemen als hij bij de garage de rekening voor het wegpoetsen van de krassen moest betalen.

Mijn NARS Catfight, die ook op de motorkap terecht was gekomen, blonk me tegemoet. Ik pakte de lippenstift en begon met trage, rustgevende streken mijn lippen te stiften. Er rolde een haarborstel op het trottoir. Ik bukte en pakte hem op. Eenmaal overeind gekomen, wees ik met de puntige kant naar Craig. 'Ik wil dat je van mijn vaders terrein af gaat. En wel meteen.'

Craig schudde zijn hoofd, alsof ik degene was die in moeilijkheden zat. 'Bella, dit terrein is ook van Sophia's vader.'

'Oké,' zei ik. 'Ik haal hem wel even, dan kan hij je persoonlijk vermoorden.'

Dat was de druppel. Mijn vader mocht Craig niet, en dat wist Craig maar al te goed. Dat was al zo voordat hij een van de dochters van mijn vader in de steek liet voor een andere dochter van mijn vader. Craig startte de motor. 'Zeg maar tegen Sophia dat ik verderop in de straat sta te wachten.'

'Natuurlijk,' zei ik. 'Waarom niet?'

Tot dat moment had hij steeds over mijn hoofd gekeken, of naar de zijkant van mijn gezicht. Nu keek hij recht in mijn ogen, al was het minder dan een seconde. Er ging een schok door me heen – ik kon er niets aan doen. Het was waarschijnlijk een vlaag van waanzin. Ik schaamde me voor wat ik voelde, maar tegelijkertijd kreeg ik ook de onbedwingbare neiging om hem tegen te houden. Ik wilde niet dat hij wegreed en legde een hand op de motorkap.

Craig deinsde verschrikt achteruit.

'Hoe gaat het met de kinderen?' vroeg ik.

Hij zette de automaat in Drive. 'Het zijn jouw kinderen niet, Bella,' zei hij. 'Vergeet ze maar.'

In recordtempo overbrugde ik de afstand naar mijn eerste afspraak – vast op onverklaarbare wijze aangedreven door de rook die uit mijn oren kwam. Daar aangekomen, wachtte ik. En wachtte ik. En wachtte ik.

Om de tijd te doden, rommelde ik in mijn make-uptasje. Het was een mooi moment om mijn make-up nog even bij te werken. Pink Afterglow uit de serie Super Lustrous van Revlon leek me zeer geschikt voor een recent gescheiden brunette met groene ogen en een ivoorkleurige huid die net de auto van haar ex-man te lijf was gegaan en wier lippen veel droger waren dan normaal.

De huishoudster kwam binnen. 'Hij zit nog te bellen,' zei ze.

Ogenblikkelijk draaide ik mijn lippenstift naar beneden, deed de dop erop en gooide hem in mijn make-updoos.

'Bedankt,' zei ik. Ik kon de verleiding niet weerstaan en likte zo discreet mogelijk met mijn tong langs mijn onderlip en genoot van het gladde gevoel terwijl ik wist dat de verzachtende bestanddelen hun werk begonnen te doen. Het mooie van een lippenstift is dat hij je nooit in de steek laat – althans niet de eerste vijf minuten – iets wat in het echte leven heel anders is. En als de kleur vervaagt en aan kracht verliest, is er altijd het verrukkelijke vooruitzicht van de eindeloze zoektocht naar een andere, betere kleur die nóg langer blijft zitten.

'Kan ik iets voor u halen?' vroeg ze.

Ik wist dat het niet al te vriendelijk zou zijn om *ja, mijn cliënt* te zeggen, dus schudde ik mijn hoofd. De huishoudster draaide zich om en liep weg, en ik zag dat de naad van haar panty zich in een kronkel aftekende onder haar strakke kaki rok. Onder een zwarte rok zou het niet eens opvallen, maar kaki is genadeloos en de naad verpestte het hele effect. En bovendien: wie droeg er tegenwoordig nog een panty? De extra punten die ze had kunnen verdienen voor de moeite werden in één klap van tafel geveegd door de kronkelnaad. Of door haar billen, die mogelijk verschillend van vorm waren. De huishoudster had blijkbaar geen vriendinnen die in dit huis werkten, want een goede vriendin zou je vertellen dat je pantynaad zichtbaar is – en kronkelt.

Weer keek ik op mijn horloge. Als de gouverneur-die-graag-senator-wilde-worden inderdaad binnen vijf minuten zou verschijnen, kon ik net op tijd zijn voor mijn volgende opdracht. Geen wonder dat ze mij met hem hadden opgezadeld. Sophia, die meestal zijn make-up deed, deed ook altijd de make-up van zijn tegenstander – de senator die in de race was voor zijn herverkiezing. Omdat ze om elf uur samen in de aanloop naar de verkiezingen een brunchdebat hadden in Faneuil Hall, moesten ze gelijktijdig in de make-up gezet worden. Als ze het mij hadden gevraagd, had ik ook die andere man gekozen.

Ik pakte een rond, zwart doosje met Studio Tech foundationpoeder en klapte het open. Het was nog steeds MAC NW 25. Enerzijds omdat ik me verveelde en anderzijds omdat hij in het echt best lichter of donkerder kon zijn dan hij leek op foto's en op tv, pakte ik ook een NW 23 en een NW 30 uit mijn kit. Eigenlijk zou ik het Sophia moeten vragen, maar wij praatten de laatste tijd niet met elkaar omdat de hele situatie bijzonder pijnlijk was.

Ik had een van de fraaie erkers met grote, hoge ramen in beslag genomen om er mijn make-up uit te stallen. En ik had er een fauteuil naartoe gesleept en me er zo goed en zo kwaad als het ging geïnstalleerd. In dit mausoleum was dit de enige manier om een beetje mooi licht te krijgen. De fluwelen draperieën – goudkleurig en kastanjebruin – leken er al sinds de Boston Tea Party in 1773 te hangen, en de donkere, in leer gebonden boeken in de plafondhoge boekenkasten zagen er niet veel nieuwer uit.

Mijn mobieltje trilde en danste rond in mijn tas. Normaliter nam ik geen telefoon aan als ik aan het werk was, maar omdat mijn cliënt er toch nog niet was, stak ik mijn hand in mijn tas en pakte mijn mobieltje. 'Hallo,' fluisterde ik.

'Hij is klaar met bellen,' fluisterde de huishoudster terug.

Ik hield de telefoon van me af en keek ernaar, en bracht hem toen weer naar mijn oor. 'Mooi,' zei ik.

'Wilt u een kop koffie?'

'Nee, dank u,' zei ik. 'Dank u voor het aanbod.'

Mijn maag rommelde. Mario had vanochtend voor iedereen als ontbijt sandwiches meegenomen, maar ik was vergeten er een te pakken toen ik wegging. De kans was groot dat het broodje toch alleen maar op Craigs Lexus zou zijn beland, dus in feite had ik niets gemist.

Het afgelopen uur had ik zo af en toe een blik geworpen op een enorme bibliotheektrap op wieltjes die over een koperen rail hing, die bijna tegen het plafond was bevestigd. Ik liep ernaartoe, zette één voet op de tweede sport, zette af met mijn andere voet en tilde hem op. Ik had het gevoel op een heel hoge scooter te rijden. Toen bedacht ik dat ik misschien een goed boek zou kunnen vinden terwijl ik wachtte. Dat was in elk geval iets. Ik vroeg me af of gouverneur-hoe-heet-ie-ook-weer deze boeken echt gelezen had of dat zijn interieurontwerper ze met zorg voor hem had uitgekozen. Massachusetts had geen speciale gouverneurswoning, dus dit gebouw was vast een veel te duur huurpand.

Ik was al halverwege een boekenwand en maakte net vaart, toen de huishoudster achter mijn rug haar keel schraapte. Waarschijnlijk was het niet elegant om 'Oeps' te zeggen, dus remde ik met mijn ene voet af en klom van de ladder. Ik trok mijn maagdenpalmblauwe topje omlaag, over de broekband van mijn chocoladebruine capribroek. 'Leuk u weer te zien,' zei ik. Niet voor het eerst viel me op dat haar bovenlip een goede waxbeurt kon gebruiken.

'Hij komt bijna,' zei de huishoudster. 'Ik moest tegen u zeggen dat hij binnen vier minuten komt.'

Ik wist niet zeker of het verstandig was om dat soort ontboezemingen te doen in verkiezingstijd, maar ik kende mijn plek en hield wijselijk mijn mond.

'Hij moet eerst zijn eieren nog eten en zijn tanden poetsen. Dan roept hij mij om te zeggen dat ik de auto kan roepen. En dan komt hij.' Ze keek naar het raam, waar mijn spullen al bijna net zo lang stof stonden te verzamelen als de zware gordijnen die ernaast hingen. 'Weet u zeker dat u er helemaal klaar voor bent?'

Er verscheen een mannenhoofd in de zware houten deuropening. Een minuutlang monsterde hij me van top tot teen, op dezelfde griezelige manier waarop sinds het begin der tijden minstens één leraar op elke school in Amerika zijn leerlingen monstert. Ik bekeek hem eens goed. Hij was kleiner en bleker dan de gouverneur – of zoals ik me de gouverneur voorstelde. Hij leek me een NW 15. Zijn lippen waren gebarsten en zijn huid schilferde. Een goede vochthuishouding begint binnen in het lichaam, en deze man zou meer water moeten drinken en visoliecapsules nemen. Dan was er nog hoop. Helaas voor hem was klasse ook iets wat van binnenuit komt, en voor zover ik dat kon inschatten, was voor hem op dat gebied alle hoop vervlogen.

Toen hij uitgekeken was, stak hij zijn handen in zijn broekzakken en zei: 'Dag mooie meisjes. Wat zijn jullie aan het doen?'

De huishoudster frunnikte aan de band van haar kaki rok en probeerde de zaak op haar onderrug recht te trekken. Ze zei: 'Wij wachten op de gouverneur. Hij gaat in de make-up voor zijn interview.'

De man schudde zijn hoofd. 'Make-up,' zei hij. 'Hij liever dan ik.' Hij deed een stap achteruit, helde achterover en riep de gang op: ‘Hé, meiden! Gratis make-up in de bibliotheek. Zijn er belangstellenden?’

Ik keek hem aan met een blik die zijn wimpers zou moeten laten krullen, maar hij merkte het niet. Een broodmagere blondine met een haarkleur die niet paste bij haar huidskleur, wandelde naar binnen. Ze wierp me een verveelde blik toe en liep de bibliotheek weer uit. De man volgde haar. De huishoudster volgde de man.

En daar stond ik in mijn eentje.

Zo is het met make-up artists. Soms behandelen ze je als een rockster. Als de goeroe naar wie iemand al zijn leven lang op zoek is. Iemand die je kan helpen om er anders uit te zien – en die je hele leven zou kunnen transformeren. En soms ben je een voetveeg. Op het moment dat je ergens binnenkomt, heb je geen idee welke van de twee het zal worden. Tot nu toe was vandaag duidelijk geen rocksterrendag.

Ik liep naar een boekenwand, deed mijn ogen dicht en pakte een boek van een plank. Ik had gehoopt op iets spannends, maar ik had een saaie pil over gerechtelijk vervolgbare benadeling gepakt. Over toepasselijk gesproken. Bij gebrek aan een beter idee legde ik het boek op mijn hoofd en schreed als een mannequin, met lange, glijdende passen, door de kamer. Bij gymnastiek op de lagere school hadden we dit moeten oefenen om onze houding te verbeteren. Het was niet eens zo'n slecht idee geweest. Een goede houding kan de illusie van schoonheid creëren, beter zelfs dan make-up.

En hoe fatalistisch het ook mag klinken, zijn veel van de mooiste momenten in het leven niet één grote illusie?

2

Het grappige van wachten is dat je wacht, en wacht, en wacht en dat de tijd dan ineens razendsnel lijkt te gaan, en je zomaar bent waar je wilt zijn.

De huishoudster kwam binnen met de gouverneur in haar kielzog. 'Drie minuten,' zei hij.

'Ik dacht vier,' flapte ik eruit. Zoals gewoonlijk dacht ik niet na voor ik iets zei.

'Ik heb niet veel nodig,' zei hij, en hij liet zich met een plof in de fauteuil vallen. Ik realiseerde me dat er nog steeds een boek op mijn hoofd lag, maar niemand leek het op te merken. Sierlijk boog ik mijn hoofd en ving het boek in mijn handen. Ik gaf het aan de huishoudster, en zij liep er regelrecht mee naar de plank waar ik het vanaf had gepakt. In een vorig leven was ze vast bibliothecaresse geweest.

Ik drapeerde een zwarte kapmantel om de schouders van de gouverneur en deed wat Laura Mercier foundation primer op een driehoekig schuimrubber sponsje. Ik was blij dat mijn eerste ingeving klopte: hij was een MAC NW 25. Ik deed de poederdoos open en wreef met de andere kant van het sponsje heen en weer tot het oppervlak bedekt was en streek toen met lange, vlugge halen over zijn gezicht. Hoewel ik weinig tijd had, besteedde ik extra aandacht aan zijn oren. Mijn reputatie stond op het spel, en voor een make-up artist is niets zo frustrerend als de tv aanzetten en een of andere Pipo met rode of witte oren zien.

Ik pakte mijn MAC Angelrouge. In een vlaag van verstandsverbijstering had MAC besloten deze kleur uit het assortiment te halen. Gelukkig had ik er zoveel van ingekocht dat ik, als ik een beetje zuinig deed, tot het einde der tijden vooruit kon. NARS Orgasm is ook een prachtige rouge, maar ik gunde deze man het genot niet. Angel staat iedereen goed, zelfs politici. Ik depte wat poeder op zijn appelwangen.

'Is dat rouge?' vroeg de huishoudster.

'Nee,' loog ik. 'Het is een bronzer.'

Ze knikte. 'Hij houdt wel van een beetje bruin.'

In de praktijk had ik geleerd dat het bij dit soort mannen belangrijk was om de foundation en de rouge snel aan te brengen, en het dan met los poeder vast te zetten. Als er nog tijd was, kon je altijd nuances aanbrengen. Deze man had veel concealer nodig: hij had grote donkere kringen onder zijn ogen, en de huid aan de zijkant van zijn neus, aan de binnenkant van zijn oog, was verkleurd – om over zijn neusvleugels nog maar te zwijgen. Maar goed, een mens moet keuzes maken.

Toen ik een paar keer met het sponsje met poeder had gedept, ging hij ineens staan. 'Spiegel,' zei hij tegen de huishoudster.

'Hij wil een spiegel,' zei de huishoudster tegen mij.

Ik pakte een spiegel en hield hem omhoog voor de gouverneur-die-senator-wilde-worden. Goedkeurend knikte hij naar zichzelf. Toen hij wegkeek uit de spiegel, merkte hij mij pas voor het eerst op. Hij pakte mijn hand en schudde die. 'Ik hoop dat ik in november op je stem kan rekenen,' zei hij. Toen draaide hij zich om, en wilde weglopen.

De verleiding om hem met de zwarte kapmantel om te laten gaan, was groot. Misschien zou hij er de verkiezingen zelfs mee winnen. Die mantel gaf hem een Superman-achtig allure, vond ik. Maar ik pakte de mantel vast, en trok eraan. Een goede make-up artist doet altijd de kapmantel van haar cliënt af voor hij of zij op tv komt.

De autorit van Back Bay naar het nieuwe congrescentrum in South End was een nachtmerrie. Gelukkig was er genoeg parkeerruimte. Op de eerste verdieping nam ik een kop koffie, en volgde de bordjes met STUDIEKEUZEBEURS.

'Hé, Bella,' zei mijn broer Mario. 'Jij mag gewoon komen aanwaaien als je zin hebt, hoor. Dat is prima.'

'Ja, wij doen de voorbereidingen wel,' viel mijn zus Angela hem bij.

'Aardig van je dat je ook koffie voor ons hebt meegenomen,' zei mijn halfzus Tulia, alsof ik niet kon zien dat zij al een kop koffie naast zich had staan.

Ik nam de tijd om een slok van mijn koffie te nemen. 'Leuk om jullie weer te zien,' zei ik, toen ik mijn koffie had doorgeslikt. 'De meesten van jullie, in elk geval.'

Mijn halfzus Sophia keek de andere kant op. Blijkbaar had zij niet eindeloos op haar kandidaat hoeven wachten, zodat zij hier eerder had kunnen zijn dan ik. Ineens herinnerde ik me dat ik Craig had gezien, die buiten in zijn Lexus zat te wachten omdat Sophia ergens op tijd moest zijn.

Ik deed mijn best om dat akelige beeld te verdringen en rommelde in mijn tas. Ha. Een Dolce Vita lippenstift.

'Hoe is het gegaan?' vroeg Mario.

Ik stiftte vlug mijn lippen en gaf antwoord: 'Klootzak.'

'Wie? Hij of ik?'

Ik lachte. Van al mijn broers en zussen was Mario mijn favoriet. 'Allebei.'

Mario lachte terug. 'Heb je hem geairbrusht?'

'Nee,' zei ik. 'Ik had geen zin om die spuitapparatuur mee te slepen. Ik moest een heel eind verderop in de straat parkeren.'

Mario schudde zijn hoofd. 'Hij ziet er niet uit op HDTV. De volgende keer gebruik je het wel, oké? Ik maak reclame voor ons omdat wij moderne, geavanceerde airbrushmake-up gebruiken. Daarin onderscheiden we ons van anderen.'

Ik rolde met mijn ogen.
Mario keek me veelbetekenend aan.
'Sorry,' zei ik. 'Ik wist niet dat het zo belangrijk was.'
'Goed. Hier ga je wel airbrushen. We hebben maar weinig tijd.'
Gelukkig had ik mijn airbrushspullen al bij me. Mario zou er niet over peinzen om me te ontslaan – ik twijfelde geen moment aan mijn broer – maar hij was er absoluut toe in staat om me terug te sturen naar mijn auto. 'Wat moeten make-up en nagels eigenlijk op een studiekeuzebeurs?'
Mario haalde zijn schouders op. 'Het is een nieuwe rage om verwende rijkeluiskindjes en hun ouders mee naar het hoger onderwijs te lokken. Er is ook een massagesalon. En een waarzegster.'
Ons familiebedrijf was inmiddels veel meer dan de kleine salonketen van onze gemeenschappelijke vader. In Boston en omstreken verzorgden we op locatie het haar en de make-up voor de televisie en voor bruiloften, partijen en begrafenissen. En bij zo'n beetje alle evenementen die zich aandienden. Sinds mijn leven vorig jaar was geïmplodeerd, was ik als make-up artist op pad op de dagen dat ik niet in een van mijn vaders salons werkte – meestal in Salon de Lucio, soms Salon de Paolo of een van de andere. Ik kon het geld goed gebruiken omdat ik single wilde blijven en mezelf opnieuw uitvinden op een fascinerende, stoere en tot op heden nogal onduidelijke manier.

Ik nam nog een slok van mijn koffie en probeerde aan niets denken – ik werd er de laatste tijd behoorlijk goed in. Mario haalde zijn met sproeten bedekte vingers door zijn krullende bruine haar en klapte in zijn handen. 'Oké, allemaal. Even een update. Ze betalen ons voor de hele dag, parkeergeld en producten worden vergoed. Tel je sponsjes en wattenschijfjes en vergeet niet om je parkeerbon aan mij te geven. En ik heb gezegd dat we niet zonder wegwerpmascaraborsteltjes kunnen werken, en dat ik daar geen negenendertig cent per stuk voor ging betalen.' Hij lachte. 'En dus betalen zij.'

'Je bent geweldig, Mario,' zei ik. Mario was verantwoordelijk voor alle klussen op locatie.

'Ik snap niet waarom ik nagels moet doen,' zei Tulia. Tulia was een mislukkeling. Ze kon nog geen papieren tas versieren, laat staan dat ze iemand kon opmaken. Ze kluste altijd bij bij Mario als ze op al haar creditcards de limiet had bereikt. Ik wierp Mario een veelbetekenende blik toe.

Hij sloeg een arm om Tulia's schouders. 'Wees blij dat je van ons bij nagels in de buurt mag komen,' zei hij. 'Jij doet alleen mensen die een lichte kleur willen. De donkere kleuren doet Angela – zij heeft een vaste hand. En vergeet niet...' Mario bladerde door zijn stapel cosmeticavergunningen. 'Als iemand er naar vraagt, ben jij Joanne Dolecheck.'

'Ook goed,' zei Tulia.

Als je je werk buiten een salon deed, viel je technisch gezien buiten de jurisdictie van de cosmeticacommissie van Massachusetts. Maar als je voor iemand als onze vader werkte, deed je altijd extra je best. Dat hoorde nu eenmaal bij ons vak.

Ineens klonk er luide muziek en konden we elkaar nauwelijks nog verstaan – ik vond het prima en keek om me heen. Er stonden rijen en rijen kramen die met tafelkleden bedekt waren, aan de voorkant behangen met slingers met namen van de verschillende universiteiten en hogescholen. Achter de kramen stonden in tweed geklede mensen klaar om folders en aanmeldingsformulieren uit te delen. Ik kneep mijn ogen tot spleetjes en gluurde door mijn wimpers. Bij sommige kramen kon je zelfs flessen water kopen met het logo van de school. Hoe verzonnen ze het...

Mario keek op zijn horloge. 'Plaatsen innemen, allemaal. De deuren gaan om elf uur open.'

Ik trok de uitschuifbare poten uit mijn make-updoos en zette hem naast de voorste van de drie hydraulische stoelen die Mario voor deze make-upsessie had meegebracht. Aan de andere kant van de make-upstoelen zaten Angela en Tulia al klaar op twee klapstoeltjes, en zetten flesjes nagellak en nagellakremover op twee kleine, ronde tafeltjes.

'Laat mij maar lippen doen,' zei Jane. Jane was de enige make-up artist die voor ons werkte en die op geen enkele manier familie van ons was. Heel zelden kwam het voor dat we iemand moesten inhuren met wie mijn vader niet getrouwd was geweest, en die hij niet had verwekt.

'Prima,' zei Sophia. 'Ik vind ogen toch leuker.'

'Ik doe ook ogen,' zei Mario. 'Dat zal wel nodig zijn, denk ik. Voor de zekerheid heb ik een extra klapstoeltje meegenomen, je weet maar nooit.'

'Ik wil jou wel weer eens echt zien werken. Voor de verandering,' zei ik. Ik pakte mijn airbrushpistool en begon het apparaat te installeren. 'Als ik sneller ben dan jullie, help ik jullie wel met lippen.'

Ik had de druk ingesteld op veertig en was bezig gemicroniseerde airbrush cleanser van MAC door het pistool te blazen zodat ik zeker wist dat het niet verstopt was, toen de man van de kraam naast ons ineens zei: 'Moet je dat zien. Het is toch niet te geloven.'

Hij wees. Ik keek. In een uithoek van de balzaal was een sumoring met felgele touwen neergezet. Een sumoworstelaar met een grote witte luier gooide gigantische gevulde sumopakken met huidkleurige torso's en ledematen netjes op een stapel.

'Wauw,' zei ik. 'Ik heb altijd al eens willen sumoworstelen.'

'Ja,' zei de man. 'Ik ook.' Hij pauzeerde. 'Zullen we straks samen gaan?'

'Pardon?' zei ik. 'Nodig je me uit voor een partijtje worstelen?'

'Ik ben je buurman,' zei hij, 'en ik doe gewoon aardig. Dat doen buurmannen.'

Ik draaide me om en keek eens goed naar hem. Hij had grote lichtbruine ogen, een dikke bos haar en volle wenkbrauwen, een goede huid en een brede, asymmetrische lach. Helaas had ik mannen voor de rest van mijn leven afgezworen, anders zou ik hem erg leuk hebben gevonden – misschien zelfs meer dan dat.

Hij stak zijn rechterhand uit. 'Hoi,' zei hij. 'Sean Ryan.'

'Zijn dat je voornaam en je tweede naam, of je voor- en achternaam?' vroeg ik, alsof dat iets uitmaakte. 'Bella,' zei ik toen. 'Bella Shaughnessy.'

'Bella *Shaughnessy*?' zei hij vlak voor de deuren opengingen en het feest losbarstte. 'Wat is dat voor een naam?'

3

Een goede make-up artist raakt nooit in paniek – dat is een regel. Maar wat ik op dat moment voelde, kwam er behoorlijk bij in de buurt: nog nooit had ik zoveel middelbare scholieren en hun ouders bij elkaar gezien. De jongens en het handjevol moedige vaders stormden op de sumoring af en gingen in de rij staan voor de kramen met ultracafeïne drankjes. De meisjes en hun moeders stevenden linea recta op de massagemensen af – of op ons. De in tweed geklede mensen bij de kramen van de verschillende scholen sloegen hun armen over elkaar en wachtten rustig af, in de stellige overtuiging dat de bezoekers straks wel bij hen zouden komen.

Angela en Tulia begonnen met nagels. Angela had de fase van met nagellakremover werken al snel gehad, en streek donkere nagellak direct op de gescheurde, afgekloven nagels van een duidelijk zeer gestrest middelbareschoolmeisje.

'Vooruit, Bella,' riep Mario vanaf de plek waar hij stond om de nagelmensen in te delen in rijen voor lichte of donkere nagellak. 'Begin maar alvast, dan kunnen Sophia en Jane door met de ogen en lippen.'

Nog één keer keek ik naar de eindeloze zee van gezichten, toen pakte ik mijn airbrushpistool. Airbrushmake-up was het summum. Het was snel. Het was accuraat. Het voelde geweldig als je werd opgemaakt en het bleef net zo lang zitten tot jij vond dat het tijd was om het eraf te halen. Je kon er zelfs pubers met een slechte huid mee omtoveren in porseleinen poppen.

Maar steeds het pistool schoonmaken tussen twee verfbeurten

was een ramp. 'Hé Mario,' riep ik. 'Kun je voor ons ook rijen maken?'

De vrouw vlak voor me schraapte haar keel. Ze leek me een NW 30. 'Excuseer,' zei ze. Ze wachtte tot ik keek, en keek toen demonstratief op haar horloge. 'Hoe lang denkt u dat het nog duurt?'

'Zo lang als nodig is,' zei ik. 'Nog andere vragen?'

Daar had ze niet van terug. Als ik in mijn werkzame leven iets heb geleerd, is het wel dat mensen zo over je heen lopen als je ze hun gang laat gaan.

Eindelijk kwam Mario naar me toe. 'Wat bedoel je?' vroeg hij.

Ik wees met mijn pistool in de richting van de rij en begon zachter te praten. 'Ik bedacht net dat we veel sneller kunnen werken als jij ze van licht naar donker indeelt. Dan kan ik steeds donkere druppels foundation toevoegen en hoef ik niet telkens helemaal opnieuw te beginnen en na elke klant het hele pistool schoon te maken.'

'Wil je dat ik de donkere mensen achteraan in de rij zet? Ben je gek geworden?'

Ik sloeg mijn armen over elkaar. 'Het lijkt me efficiënt werken.'

Mario legde zijn beide handen op mijn schouders en kneep er in. 'Bella, dat kun je niet maken. Dat is rassendiscriminatie, en daar doe ik niet aan.'

'Au, je doet me pijn. Het gaat niet om ras, maar om kleur. Bij de nagels doe je het ook, dat zien mensen als voorbeeld. En als het ze niet bevalt, gaan ze maar naar de massages. Ze hoeven hier niets te betalen, dus moeten ze niet zeuren. Jij kunt het gewoon niet hebben als iemand anders een goed idee heeft.'

Nogmaals schraapte de vrouw vooraan in de rij haar keel en keek op haar horloge.

'Bella,' zei Mario. 'Dit is Boston. Zoiets kan hier gewoon niet. Punt uit. En nu aan het werk, anders pak ik je het pistool af en doe ik het zelf.'

Tulia had het vandaag niet gemakkelijk. 'Pardon,' hoorde ik haar tegen een meisje zeggen, 'stond jij eerst niet in mijn rij?'

Het meisje wees naar Angela. 'Ik wil haar,' zei ze. 'Het is niet persoonlijk, maar je hebt de nagels van mijn vriendin verpest.'

'Vast,' zei Tulia. 'Wie is er aan de beurt?'

Een paar gezichten geleden had ik mijn derde zak sponsjes opengemaakt. Er zaten er twaalf in een pak, wat betekende dat ik al meer dan vijfentwintig keer foundation had aangebracht. Voordat ik de primer en de airbrush gebruikte, deed ik concealer op een sponsje en smeerde dat op de huid. Bij de gouverneur had ik deze stap overgeslagen, maar bij deze kinderen was dat onmogelijk: ze zaten onder de pukkels en ze hadden kringen onder hun ogen van het harde studeren – of het vele feestvieren. De moeders waren er nog erger aan toe omdat ze zich altijd zorgen maakten. De hoeveelheid sponsjes was voor mij een maatstaf. Aan het eind van de dag wilde ik kunnen zien hoe erg de schade was.

Ik werkte zo efficiënt dat ik een opstopping veroorzaakte bij ogen en lippen. Daarom nam ik een minuut pauze en keek naar de kraam van mijn buurman. Die Sean Ryan had ook een behoorlijke rij voor zijn kraam. Hij deelde dozen uit, knikte er vriendelijk bij en maakte grappen met de ouders en kinderen aan wie hij de dozen gaf. Ik leunde voorover om het beter te kunnen zien. Niet hem, maar de dozen. Hij draaide zich om en keek me aan. Vlug keek ik de andere kant op.

Ik had een luchtdrukpistool met een bakje voor de foundation bovenop. Als ik na een heel donker gezicht een licht gezicht moest doen, goot ik het bakje leeg, zette het pistool aan en goot er wat cleanser in. Daarna begon ik van voor af aan met de volgende klant. Als het volgende gezicht maar een paar tinten donkerder was dan het vorige, deed ik op het gevoel druppels foundation in het bakje voor de nieuwe teint. Met mijn vinger over het uiteinde van het pistool hield ik de lucht tegen, waardoor het in het pistool ging borrelen – door de bubbels vermengden de kleuren zich.

'Hoi,' zei ik tegen het volgende meisje in de rij. 'Wat heb jij een mooi gezichtje.' Het was niet helemaal waar, maar misschien zou ze nog uitgroeien tot een prachtige vrouw. Schoonheid is deels asymmetrie in het gezicht, deels originaliteit en deels houding. Wie kon er op die leeftijd niet een complimentje gebruiken? Iedereen is daar gevoelig voor.

'Dank u wel,' zei ze. Ze straalde, en ik was blij dat ik had overdreven. Ik deed een grote scheut NW 35 in het bakje om de NW 25 die er in zat, iets donkerder te maken, precies goed voor dit meisje. Ik legde mijn vinger over het uiteinde van het pistool.

'Wauw! Iemand met talent pik ik er zo uit,' zei Sean Ryan, die ineens naast me stond. 'En jij bent geweldig!'

Ik draaide me om. In het bakje begon het te borrelen en al snel borrelde het over. Iedereen die toevallig bij mij in de buurt stond, kreeg een regen van foundation over zich heen en alle vrouwen en meisjes zaten onder de foundation polkadots.

'Bella!' schreeuwde Jane. Zelfs de lippenstift die ze in haar hand had, was bespikkeld met polkadots.

'Shit!' riep het meisje dat voor me stond. 'Dit is mijn lievelingsshirt.'

'Let op je woorden,' zei haar moeder. Voorzichtig raakte ze met één vinger een spat make-up van de mouw aan op haar witte jasje. 'Hopelijk ben je hiervoor verzekerd, jongedame,' zei ze tegen mij.

Met de rug van mijn hand veegde ik wat klodders van mijn wang. Toen draaide ik me om en keek naar Sean Ryan. Ook hij zat onder.

'Het spijt me,' zei hij. Hij kneep zijn ogen wat dicht en hief zijn handen op in een verontschuldigend gebaar – of wachtte hij op een wonder?

Mario begon voor de zwaarst getroffenen stomerijafspraken te regelen en deelde aan de anderen doekjes uit. Ik pakte er twee en gaf er een aan Sean Ryan.

'Bedankt,' zei hij. Hij veegde met het doekje over zijn handen, leunde toen voorover en begroef zijn gezicht in zijn handen. 'Een maat van me neemt de honneurs voor mij waar, en ik heb een kwartier pauze,' mompelde hij. 'Ik vroeg me af of jij ook tijd hebt.'

Hij was best lief en grappig, dat moest ik toegeven. Nu nog, tenminste. Want zo ging het altijd: in het begin waren ze aardig voor je en voor je het wist, stond je leven op zijn kop, was je hart gebroken en vlogen de scherven in het rond.

Ik wachtte tot hij opkeek. 'Ziet het eruit alsof ik pauze kan nemen?' vroeg ik, en ik ging verder met het volgende gezicht.

Vier uur en zeven pakken driehoekige sponsjes later had ik zo genoeg van het airbrushen, dat ik het pistool bijna op mezelf richtte. Wat alles nog erger maakte, was dat niemand zijn best deed met opruimen en zich snel uit de voeten maakte, het zware werk aan mij overlatend. Omdat ik als laatste was gearriveerd, moest ik blijven en Mario helpen met alles inpakken en wegbrengen.

Mario ging iemand persoonlijk de rekening brengen – volgens hem zou de klant dan sneller betalen. Ik krulde me op in een van de hydraulische stoelen en sloot mijn ogen. Als hij terug was, konden we de laatste dingen afronden.

'Was het zo vermoeiend?' De stem van Sean Ryan drong van verre tot me door.

Ik opende mijn ogen en deed ze weer dicht. 'Volgens mij heb jij voor vandaag genoeg schade aangericht,' mompelde ik.

'Ik heb al gezegd dat het me speet. Is het veilig om naar je toe te komen? Heb je je wapens weggelegd?'

'Leuk,' zei ik, mijn ogen gesloten houdend. Mijn kijk op mannen was tegenwoordig helder en overzichtelijk: Gezien, Gedaan, Meegemaakt, Wie Heeft Ze Nodig.

Na een poos deed ik mijn ogen open, uit nieuwsgierigheid. Sean Ryan stond nog steeds naar me te kijken. Onze ogen ontmoetten elkaar en ik voelde een schokje dat niet te rijmen was met mijn visie. Ik besloot het te negeren.

In plaats daarvan focuste ik op twee spatjes foundation op zijn rechterwenkbrauw. Het was niet zijn kleur. Onder zijn arm hield hij – als een voetbal – een van zijn dozen geklemd.

'Wat zijn dat eigenlijk?' vroeg ik. 'Ze gingen als warme broodjes.' Ik zette mijn voeten met een zwaai op de grond en kwam omhoog. Hij lachte zijn scheve lach. 'Het is een kit. Een hulpmiddel bij het invullen van aanmeldingsformulieren.' Hij stak zijn hand uit en reikte me een kit aan.

Ik sloeg mijn armen over elkaar. 'Hoe bedoel je? Wat voor kit?'

'Je kent het wel: kaartjes met openingszinnen voor essays, een vragenlijst om je sterkste punten mee te bepalen, zodat je die kunt gebruiken om jezelf te verkopen aan de universiteit van je dromen, inspirerende verhalen van jongelui die het allemaal ook hebben meegemaakt en die nu helemaal gelukkig zijn op de universiteit van hun keuze, een briefje voor je ouders dat ze moeten oprotten, proefverpakkingen van producten met veel cafeïne en een elektrische prikstok. Een oude vriend van me is studiekeuzebegeleider. Het was zijn idee. Ik heb hem geholpen bij het samenstellen van de kit en nu probeer ik uit of de kit werkt.'

Ik keek hem aan. 'Een elektrische prikstok?'

Weer hield hij me de kit voor. 'Kijk er maar in. Over zo'n apparaat zou ik geen grappen maken.'

'Oké,' zei ik, en voegde eraan toe: 'Mooi doosje.' Het was abstract en erg hip. Er stond geen foto van een modelstudent op de voorkant, maar een schedel met gekruiste beenderen eronder en eromheen met grote rode letters de tekst SURVIVAL KIT VOOR STUDENTEN IN SPE.

'Dank je,' zei hij. 'De respons is geweldig.'

Toen ik zag dat Mario onze kant op liep, kwam ik moeizaam overeind en zei: 'Nou ja, veel succes ermee.'

Sean Ryan stak zijn hand in zijn binnenzak, pakte een kaartje en reikte het me aan. 'Weet je, ik heb eens zitten denken. Jij zou een make-upkit kunnen maken.'

'Aha,' zei ik. 'Nu begrijp ik het. Is dit een piramidespel?'

'Wat bedoel je?'

'Je weet wel, dat je pas geld verdient als je genoeg andere kitmakers inbrengt.'

Hij schudde zijn hoofd en wilde het kaartje weer in zijn jaszak doen. 'Laat maar,' zei hij en keek omhoog. 'Wat is jouw probleem eigenlijk?'

'Hoeveel tijd heb je?'

Mario kwam terug en begon tafels in te klappen. Ik deed een stap in zijn richting. 'Weet je,' zei ik. 'Zoek maar iemand anders om je kitlijn op uit te proberen. Het is niets persoonlijks, maar ik heb het gehad met mannen.'

Hij knikte bedachtzaam, alsof wat ik zei heel normaal was. Alsof hij nooit iets wat ik zou kunnen zeggen, vreemd zou vinden – of shockerend. 'Sinds wanneer?' vroeg hij.

'Sinds. Mijn. Halfzus. Het. Doet Met. Mijn. Man.'

Hij leek te schrikken – zijn ogen gingen wijd open. 'Oeps. Daar kan ik me iets bij voorstellen. Jemig.'

'Tja. Nou ja.'

Weer hield hij het kaartje op. 'Hier. Pak nou maar aan. Voor als je van gedachten verandert.'

Ik keek naar hem. Hij hield zijn hoofd scheef en keek naar mij. Ook ik hield mijn hoofd scheef. Plotseling kreeg ik de neiging om mijn haar naar achter te gooien, met mijn tong langs mijn onderlip te likken om die te laten glanzen en iets flirterigs te zeggen. In plaats daarvan zette ik mijn hoofd recht en deed een stap achteruit.

‘Over de kit,’ zei hij. Hij boog voorover en stopte zijn kaartje in mijn doosje.

Ik zuchtte diep. ‘Straks ben je een maniak met moordneigingen.’

Hij lachte. ‘Misschien. Maar je weet maar nooit. Misschien ben ik gewoon een erg aardige vent.’

4

Ik was bijna klaar met Esther Williams. Haar officiële naam was Esther Williamson, maar omdat ze de korte versie chiquer vond klinken, had ze die aangenomen toen ze 'de laatste clown met wie ik getrouwd was' had gedumpt. Ze had brede schouders en smalle heupen en vertelde aan iedereen die het maar wilde horen dat ze de beroemde zwemster uit de film was. Het had haar veel afspraakjes opgeleverd.

Esther Williams was dik in de tachtig. Ze kwam minstens één keer per week in Salon de Lucio om haar haar te laten wassen en föhnen – dit was zo ouderwets dat we er zelfs geen vaste prijs meer voor hadden. Omdat ze vaste klant was en elke week bij ons kwam voor een manicure en om de week voor een pedicure, en omdat ze altijd als ze kwam haar make-up liet doen – inclusief valse wimpers – hadden we een speciale prijs voor haar. Toch moest minstens één van die clowns haar veel geld hebben nagelaten.

Ze betaalde ook minder omdat Salon de Lucio het paradepaardje van onze salons was. Er zat alleen een overdekte passage tussen de salon en het huis waar mijn vader woonde. En omdat mijn vader vond dat we meer moesten berekenen naarmate hij verder moest reizen om in de desbetreffende salon te komen, waren de prijzen in Salon de Lucio het laagst. Zelfs Mario kon hem dat idee niet uit zijn hoofd praten.

Esther kwam vandaag voor haar maandelijkse haarkleuring. Ze genoot ervan om vier uur lang met Clairol Professional 37D Iced Brown in haar haar te zitten, iets wat ik bij geen enkele andere klant zou tolereren. Ze had haar draagbare dvd-speler en yogamatje bij zich, en toen ik de haarkleuring had aangebracht, ging ze naar de kinderspeelhoek.

In de speelhoek achter in de salon waren mijn broers en zussen en ik opgegroeid. Een verhoogd plateau met als afscheiding een lage nepstenen muur – in Toscaanse stijl – en een gietijzeren minipoortje, dat was alles. Mijn avocadogroene speelgoedoventje van vroeger stond er nog steeds.

Esther Williams rolde haar matje uit op het bijpassende avocadogroene tapijt, zette haar dvd-speler op het muurtje en begon oefeningen te doen met een dvd – soms deed ze yoga, soms Tai Chi, soms Solo Salsa met Sizzle. Daarna bekeek ze een Esther Williamsfilm, *Million Dollar Mermaid* of *Dangerous When Wet*. Daarna bladerde ze door een tijdschrift, of deed een dutje. En als er kinderen kwamen, speelden die gewoon om haar heen. Ze zat niemand in de weg.

Vier uur was lang om een haarkleur in te laten werken. Maar liefst acht keer zo lang als de Clairol instructies voor professionals voorschreven. Maar Esther had redenen om dat te willen. Een jaar of drie, vier geleden had ik net met een kwastje haar haarkleuring aangebracht. Ik had het haar met een plastic kapje bedekt zodat het warmer zou worden, waardoor de kleur intenser werd. Ik was bezig plukken katoen onder de elastische band te proppen om eventuele druppels op te vangen, toen Esther een vreemd geluid maakte.

'Ik voel me niet goed,' zei ze. Ze drukte één hand tegen haar schouder, alsof ze trouw zweerde aan de vlag.

Ze zag er niet goed uit. Ze ademde moeizaam, was trillerig en in paniek. Ik belde het alarmnummer, ging naast haar zitten en hield haar hand vast tot de ambulance kwam.

Terwijl we zaten te wachten, overwoog ik of ik de haarkleuring zou uitspoelen. Ik wilde haar dood niet op mijn geweten hebben, maar aan de andere kant was Esther Williams een taaie.

Mocht ze dit overleven, dan zou ze me zeker vermoorden als haar haar begon uit te vallen.

Ik durfde het risico niet te nemen en liep mee toen ze naar de ambulance werd gebracht, en daarna ging ik weer aan het werk. Vier uur later stopte er een surveillanceauto voor de deur, waar een agent uitstapte. Hij bracht Esther naar de salon, wachtte terwijl ik haar haar uitspoelde en föhnde en reed haar toen naar huis. Ze was nog nooit zo tevreden geweest over haar haarkleur, en daarom lieten we sindsdien haar haarkleuring exact vier uur inwerken.

Ik rolde de laatste roze roller uit Esthers haar en begon het met een fijne kam te touperen. Toen ik het volume had dat zij mooi vond, spoot ik er zoveel haarlak op dat haar haar minstens een week in model zou blijven.

'Je bent prachtig,' zei ik, toen ik klaar was.

'Alsof we dat nog niet wisten,' zei ze. 'Oké. En geef me nu een paar ogen.'

Ik deed wat ze zei en gaf haar mooie *smokey eyes*. Almay Color cream eyeshadow in Mocha Shimmer, Bobbi Brown long-wear gel eyeliner in Black Ink en NYC wimpers. Hoewel het plakwimpers waren, deed ik er wat extra lijm op. Ik wilde zeker weten dat ze zouden blijven zitten tot de volgende keer. Daaroverheen deed ik een flinke laag Maybelline Great Lash mascara in Very Black, en ten slotte stiftte ik haar lippen met Passionate van Max Factor Lipfinity.

'En nu moet je Lucky halen,' zei Esther Williams.

Mijn vader had vanaf het moment dat hij deze salon had geopend, vijfendertig jaar geleden, zijn naam veranderd in Lucio. Maar voor vrijwel iedereen in Marshbury, Massachusetts, was hij Lucky Larry Shaughnessy gebleven.

'Het spijt me,' loog ik, zoals hij me had geleerd. 'Hij bereidt zich voor op de stafvergadering.' In werkelijkheid sloop hij op zijn tenen door het huis en verborg hij zich voor Esther Williams.

'Een knappe kerel, die vader van jou. Een hartstochtelijk type.

Wat ik je zeg. Wat doet hij toch altijd bij die stafvergadering? Hij zou de zaak voor een miljoen kunnen verkopen en met pensioen gaan. Een nieuw leven beginnen.'

Alleen al het parkeerterrein was meer dan een miljoen dollar waard. Mijn vaders hooggelegen ranch, compleet met Italiaanse zuilen, een dubbele fontein en de salon die hij er had aangebouwd, keek uit over de haven van Marshbury. Het was vrijwel het enige pand aan het water dat niet was afgebroken omdat er appartementsgebouwen moesten komen met winkels op straatniveau. Het huis en de salon waren de oudste van alle gebouwen aan het water, en toch leken ze met de jaren steeds minder op hun plek te zijn.

'Tja,' zei ik. 'Maar wie moet hij dan commanderen?'

'Mij.' Esther Willams zette haar bril op en leunde voorover om beter in de spiegel te kunnen kijken. 'Ik zeg het steeds tegen hem. Voor hij doodgaat, moet hij een keer een oudere vrouw geprobeerd hebben.'

De wekelijkse vergadering op vrijdag was onze versie van het zondagse familiediner. Zodra de salondeuren dichtgingen en iedereen aanwezig was, bestelde mijn vader pizza's. Dat gaf ons ongeveer twintig minuten om zaken te bespreken voor de pizza's kwamen.

Ook als je geen familie was, bleef je in elk geval voor een stuk pizza. Soms kwamen haarstylistes die vrij waren iets vroeger, zodat ze konden experimenteren. Vandaag waren er twee nieuwe haarstylistes die al bijna een uur lang nieuwe kapsels bij elkaar uitprobeerden. Ze zagen er allebei uit alsof ze zo door gingen naar een galafeest.

'*Woilà,*' zei een van hen, terwijl ze de laatste losse krul van de ander vastzette met een schuifspeldje.

Mario en ik keken elkaar aan. '*Woilà?*' mimeden we tegelijkertijd naar elkaar.

Mijn vader kwam binnen door de deur naar de overdekte passage. Hij droeg een lange witte tuniek op een spijkerbroek met wijd uitlopende pijpen – voor een man een nogal gewaagde look, en helemaal voor een man van over de zeventig, maar mijn vader kon het hebben. Hij bladerde door de stapel post en haalde er alle brieven van makelaars en projectontwikkelaars uit. 'Vastgoedhaaien,' zei hij. 'Dat zijn het. Vraatzuchtige vastgoedhaaien.' Hij verfrommelde de brieven ongeopend en gooide ze in de prullenmand achter de balie van de receptie.

De andere post legde hij op de balie. Toen begon hij ritmisch met zijn vingers te knippen, de vingers van de ene, en die van de andere hand afwisselend, zoals de beatniks in de jaren zestig als ze naar een mooi gedicht luisterden. 'Hoor, hoor,' zei mijn vader. 'De zitting is geopend, hier is de rechter.'

Voor ons was dit het signaal om onze stoelen in een kring om hem heen te zetten. Ik zette die van mij zo ver mogelijk van die van Sophia. Mijn vader hield op met vingerknippen en begon aan zijn *cornicello* te frunniken, die aan een dikke gouden ketting om zijn nek hing. Hij was van felrood koraal, gevat in een gouden kroontje, en had de vorm van een hoorn. Als we echte Italianen zouden zijn, zou ik weten of *cornicello* in het Italiaans inderdaad 'hoorn' betekende.

Voor zover mijn kennis reikte, had je pedofielen, bibliofielen en francofielen. Mijn vader was uniek: op hem na kende ik geen andere italofiel. Het had ook te maken met de branche waarin hij werkte: een Italiaanse haarsalon had iets chics, en dat gold niet voor een Ierse salon. Ik bedoel, wat kon je vragen voor een knipbeurt in Salon de Seamus? Helemaal als je in het deel van Massachusetts woonde dat iedereen kende als 'de Ierse Rivièra'. Het was een feit dat mijn vader op zijn allereerste huwelijksreis met zijn allereerste vrouw naar Toscane was gegaan, waar ze een huis hadden gehuurd. Die Italië-ervaring van Lucky Larry Shaughnessy en Mary Margaret O'Neill had diepe indruk op hem gemaakt en was de inspiratiebron geweest voor de voornamen van al zijn toekomstige kinderen.

'Is er nieuws over de bruiloft?' vroeg Angela aan Mario.

Mario draaide zich om en keek naar Todd. Todd was Mario's echtgenoot, onze boekhouder/businessmanager en, net als Mario, een van Andrews twee vaders. Hij was ook een neef van mij en de aanstaande bruidegom. Je kon veel zeggen over onze familie, maar niet dat hij saai en ongecompliceerd was.

Allebei schudden ze hun hoofd. 'Ze worden knettergek van Amy's ouders,' zei Mario. 'Ze wilden een eenvoudige bruiloft, maar het wordt met de dag grootser. Blijkbaar houden ze in Atlanta wel van een feestje. Ik kan nog steeds niet geloven dat ze het in het Margaret Mitchell House doen.'

'Gaan jullie *Gone With The Wind* kijken?' vroeg een van de haarstylistes.

'Ja,' zei ik. 'Vlak voor de inzegening.'

'Hoe zat het ook alweer?' vroeg mijn vader. 'Zijn de ouders van de bruid van de verkeerde kant?'

'Natuurlijk,' zei Mario, hoewel ze in werkelijkheid alleen maar uit het zuiden afkomstig waren. 'Donald Trump heeft gebeld. Hij wil zijn haar terug.'

In onze familie gebeuren de vreemdste dingen. Mijn vaders haar was daarvan een voorbeeld. Zijn haar was veel donkerder dan dat van Donald, en hij stylede het altijd zorgvuldig. Iedere ochtend begon hij met een handvol mousse voor volume en daarna plakte hij het haar streng voor streng strak over zijn hoofd. Als finishing touch spoot hij er een product op dat beloofde 'de kale plek onmiddellijk te bedekken'. Het moest zo zijn dat zijn glanzende bruine ogen en de swing in zijn loopje de aandacht afleidden van het nephaar op zijn hoofd, want hoe kon het anders dat hij drie ex-vrouwen had?

'Gaat mama naar de bruiloft?' vroeg Angela.

Ik hield mijn adem in. Dat deed ik altijd als er in het bijzijn van mijn vader over mijn moeder werd gepraat.

'Zij is oma. Natuurlijk is ze erbij,' zei Mario. 'Dat lijkt me logisch.'

Mijn vader pakte zijn *cornicello*. Hij was er heilig van overtuigd dat het een amulet was die hem beschermde tegen het Boze Oog. 'Oké, genoeg gekletst,' zei hij. 'Wij moeten zaken bespreken.'

Tulia duwde de voordeur open. Haar drie kinderen kwamen de salon binnen rennen en sloegen hun armen om hun opa's knieën en knuffelden hem. Mack droeg een rood T-shirtje bij zijn zwembroek en hield een rode trein in zijn hand. Maggie en haar pop hadden allebei een blauwe zomerjurk aan, en Myles was net zo geel als het wagentje dat hij achter zich aantrok. Ik leunde voorover en fluisterde tegen Mario: 'Denk je dat ze haar kinderen altijd op kleur kleedt?'

'Zou kunnen. Het verbaast me dat pa dat bij ons niet heeft gedaan. Hij is net zo'n controlfreak. Als ik ooit in therapie ga, begin ik met: "Iedereen mocht vroeger een primaire kleur zijn, behalve ik. Daar is het mee begonnen."'

Todd lachte en wisselde met Mario een getrouwde-stellen-blik uit die ik me kon herinneren uit een grijs verleden. 'Een geweldige titel voor je memoires,' zei Todd. *'Toen ik een secundaire kleur was: een shockerend verhaal over kindermisbruik.'*

Tulia's moeder kwam vlak na Tulia binnen en liep direct naar een stoel. 'Sorry,' zei Tulia. 'Mike moest overwerken en ik was vergeten dat het mama's week voor de vergadering was.'

'Geen probleem,' zei mijn vader. 'Straks werken ze bij ons.' Hij trok de kinderen van zijn benen, en ze renden naar de speelhoek.

Eigenlijk zouden we mensen, als ze ons voor het eerst als groep meemaken, een diagram moeten geven met de onderlinge relaties. En waarschijnlijk zouden ze het dan nog niet begrijpen. Zo is dat nu eenmaal in grote, chaotische families. Ik zeg altijd dat ze aantekeningen moeten maken en dat ik ze aan het eind zal overhoren.

Wat het extra lastig maakte, was dat we allemaal erg op elkaar leken. Alle kinderen van mijn vader hadden dik, bruin haar en een lichte huid, grote ogen en, in de meeste gevallen, een brede lach. Ook zijn ex-vrouwen leken op elkaar – op hun haar na, dat varieerde van grijs tot goud en alle kleuren daartussenin.

Als ik probeer mijn familie aan mensen uit te leggen, noem ik de ex-vrouwen van mijn vader vaak voor het gemak A, B en C. Mary, de moeder van Angela, Mario en van mij, is A. Tulia's moeder, Didi, is B. En Linda, de moeder van Sophia, C. Dan was het makkelijker om uit te leggen dat de overgang van B naar C niet ongemerkt voorbij was gegaan – er was gevochten en er was aan haren getrokken – en dat Didi en Linda daarom in verschillende salons werkten en om de week de vrijdagvergadering bijwoonden. Mijn moeder was er nooit bij. Zij woonde een paar steden verderop. Zodra ze was weggegaan bij mijn vader, vlak nadat ze erachter was gekomen dat hij rotzooide met Didi, zijn aanstaande tweede vrouw, was ze met een opleiding tot sociaal werkster begonnen.

Mijn vader zag er de laatste tijd bijzonder goed uit. Waarschijnlijk was zijn vierde aanstaande ex-vrouw in aantocht. Ik hoopte dat ze wel voor ons zou blijven werken – mits ze in staat was een redelijke coupe te knippen.

'Waar waren we?' vroeg mijn vader.

'Nog nergens,' zei ik.

'Angela,' zei mijn vader. 'Sophia. Ik bedoel Bella. Je bent een mooi meisje, maar je moet leren dat je soms je grote *bocca* moet houden.'

'Dat betekent mond,' zei Mario.

Ik gaf hem een por in zijn zij met mijn elleboog.

'Hoe staat het met de poen, Toddy?' vroeg mijn vader.

'Niet slecht, Lucky, niet slecht,' zei Todd. Waar het de politieke incorrectheid en de irritante bijnamen van zijn schoonvader betrof, had hij in korte tijd veel bijgeleerd. 'De meeste klanten maken meteen een nieuwe afspraak bij het verlaten van de salon.

Qua productverkoop moeten we meer actie ondernemen, denk ik.'

'Mensen hebben het geld er niet voor over,' zei Angela. 'Project Runway heeft ons genekt. Overtuig mensen er maar van dat Aveda haarspray de investering waard is, als ze op tv reclame zien voor een bus Finesse Très Two van twee dollar.'

'Ik weet niet,' zei ik. 'Het verhaal heeft twee kanten. Great Lash van Maybelline is de beste mascara, dat weet iedereen. Toch spuit ik de roller goudkleurig voor ik hem in mijn make-updoos doe, zodat klanten denken dat ik alleen de duurste producten gebruik.'

'Doe je dat echt?' vroeg Mario. 'Dat wist ik niet. Wat een goed idee.'

Ik nam een verleidelijke pose aan en zei: 'Ik heb nog veel meer goede ideeën, jochie.'

'Ja, vast,' zei Angela.

'Bella weet alles,' zei Tulia. 'Heeft ze jullie dat nog niet verteld?'

'Dat zal best,' zei Angela. 'Vorige week heeft ze een hele massa mensen tegelijk geairbrusht.'

Ik vroeg me af of in alle grote families die als roedel leefden, leden zich tegen hun eigen bloed keerden. In die van ons in elk geval wel. Ik had eerder met dit bijltje gehakt en hapte niet. Angela zou vanzelf iemand anders gaan lastigvallen. Ik had mijn grote *bocca* vast dichtgehouden, als ik niet vanuit mijn ooghoek Sohpia had zien zitten. Ik wilde de zelfingenomen grijns wel van haar gezicht krabben.

'Oké,' zei ik. 'Genoeg. Ik ben door iemand benaderd die me vroeg of ik geen make-upkit wilde maken.' Ik zocht naar woorden om het toe te lichten. 'Om te verkopen.'

'Bedoel je die man op de beurs die je wilde versieren?' vroeg Mario.

'Als iemand een kit maakt, is het mijn Tulia,' zei Tulia's moeder, Didi.

‘Hij probeerde me niet te versieren,’ zei ik. ‘Hij vond dat ik talent had.’

‘Ja, vast,’ zei Angela.

‘Het is geen slecht idee,’ zei Todd. ‘We kunnen vast proefmonsters lospraten bij wat bedrijven. Waarom zouden ze die niet geven, het is gratis reclame voor hun bedrijf. Wie weet willen ze ervoor betalen.’

‘We zouden er gratis recepten bij kunnen doen,’ zei Angela. ‘Spa cuisine, zoiets.’

Mijn vader knipte driftig met zijn vingers. ‘Ik vind het een prachtidee,’ zei hij. ‘De beautykit van Salon de Lucio. Met zachte, romantische kleuren, en als verpakking een soort toga. Als ze het doosje opendoen, zal het zijn alsof ze zijn gestorven en hun ogen weer openen in Italië.’

Ik schraapte mijn keel. ‘Pardon?’ zei ik.

‘Sophia doet iets over make-up van beroemdheden – zij doet al onze beroemde klanten,’ waagde mijn broer Mario het te zeggen. De verrader.

‘Badzout en massageolie,’ zei Tulia. ‘En die geweldige gel die warm wordt als je hem tussen je handpalmen wrijft.’

Ik sprong op. Niemand besteedde ook maar enige aandacht aan mij, het was alsof niemand me hoorde. ‘Hallo-o,’ zei ik.

‘Ik heb een fantastisch recept voor citroenmayonaise,’ zei Angela.

‘Stop!’ schreeuwde ik. ‘Stop, stop, stop, stop.’

Iedereen zweeg.

‘Ik ben het spuugzat dat iedereen altijd alles van me afpakt,’ hoorde ik mezelf zeggen. ‘Het is míjn beautykit. Het is míjn leven. Het is míjn...’ – ik keek Sophia recht aan – ... ‘man,’ zei ik.

Toen rende ik de salon uit.

5

Toen ik de auto van Craig op het parkeerterrein van de salon zag staan, was ik in één klap al mijn ellende vergeten.

Craig zag me aankomen en startte de motor.

Ik bukte en pakte een steen van de grond.

Om maar zo snel mogelijk weg te komen, scheurde mijn ex-man met piepende banden door de bocht. Dat kon niet goed zijn voor zijn geleasede remblokjes en zijn geleasede bandjes.

'Ga iemand anders lastigvallen,' riep ik hem achterna. De pestkop in mij was definitief gewekt, en tot mijn grote schaamte moest ik toegeven dat ik plezier beleefde aan mijn flauwe pesterijtjes. Ik smeet de steen achter de wegrijdende auto aan, en voldaan stelde ik vast dat ik de nummerplaat op de achterkant had geraakt. Mijn handen afvegend liep ik naar mijn auto. De tekst achter het raam van de salon lachte me toe: DOLDWAZE DAGEN – ZOMERUITVERKOOP. Ha. Hoezo, doldwaas?

'Het zijn jouw kinderen niet, Bella,' zei ik in mijn achteruitkijkspiegel. 'Vergeet ze maar.'

Ik reed van het parkeerterrein af en sloeg rechtsaf. Craigs woorden galmden nog na in mijn hoofd. Sinds hij ze had uitgesproken, had ik ze continu in mezelf herhaald – als een slecht soort mantra.

Hij had me diep gekwetst. Sophia kon me niet meer raken, die had ik al afgeschreven. En nu had ik Craig afgeschreven. Maar de kinderen zou ik nooit kunnen vergeten, dat stond voor mij als een paal boven water. Bijna tien jaar lang had ik elke woensdagavond en elke veertien dagen een weekend met Craigs kinderen doorgebracht. En bij toerbeurt de feestdagen en schoolvakanties, en altijd de halve zomer. Ze hadden me aangestoken met griepvirussen en verkoudheden en ik had hen geholpen met hun huiswerk. En als Craig en ik op vakantie gingen, gingen zijn kinderen mee. We hadden besloten om samen geen kinderen te nemen – vooral omdat Craig er al twee had. En eigenlijk was dat de enige reden. We vonden het geen pas geven, zo makkelijk als vaders soms doorschoven naar het volgende setje kinderen – alsof het om een nieuwe kofferset ging.

Dat had mijn vader gelukkig nooit gedaan. Steeds als hij een nieuw gezin had gekregen, had hij iedereen meegenomen. Op mijn moeder na. Zij was de enige die zijn aanbod had afgewezen en zelf een nieuw leven was begonnen. Maar ik – idioot die ik was – ik was altijd meegegaan in Craigs opvattingen. Zozeer zelfs, dat ik mezelf ervan had weten te overtuigen dat Luke en Lizzie ook mijn kinderen waren.

Ha. Zodra hun vader mij had gedumpt, waren ze me vergeten. Luke zat in het laatste jaar van zijn studie en Lizzie zou als eerstejaars beginnen. Ik had haar kunnen helpen met het uitkiezen van spulletjes voor haar kamer in de studentenflat. Ik had een veel betere smaak dan haar echte moeder. Ik had mee kunnen gaan als ze kleren ging kopen. En make-up. Lizzie's haar was nu vast een takkenbos. Wie weet wie het tegenwoordig knipte...

Toen drong het tot me door. Natuurlijk. Sophia knipte nu Lizzie's haar. Ik zette de richtingaanwijzer aan en parkeerde aan de kant van de weg. Sophia knipte nu Lizzie's haar.

Ik bleef aan de kant van de weg staan. Een hele poos. Vijf seconden, vijf minuten, vijf uur, ik had geen idee en ik nam de moeite niet om op de klok te kijken. Het maakte niets meer uit. Niemand zou mij missen.

Ik wist dat ik mezelf bij de haren moest pakken. Dit zielige gedoe was niets voor mij. Ik was sterk. Ik was zelfverzekerd.

Mijn hele leven had ik al van me laten horen, bij wijze van spreken. Ik was zo sterk als een leeuw. Zelfs toen de man die tien jaar mijn echtgenoot was geweest iets minder dan een jaar geleden zijn koffers pakte en zei dat hij ruimte nodig had, had ik nauwelijks problemen gehad.

Ik was opgelucht geweest dat ik het niet had hoeven zeggen. Al een poos waren we bezig uit elkaar te groeien, en we slingerden elkaar vaak de lelijkste dingen naar het hoofd – we vonden elkaar gewoon niet meer leuk. Dat Lizzie bijna klaar was met de middelbare school speelde ook mee. Craigs kinderen bestonden al toen wij een relatie begonnen, en ze waren altijd onderdeel geweest van onze relatie. Nu brak het moment aan waarop we zouden ontdekken wat onze relatie zonder hen inhield – als er nog sprake was van een relatie.

Terugkijkend kon je zeggen dat het vreemd was geweest dat Sophia meer tijd met mij had willen doorbrengen in plaats van minder. Je zou verwachten dat ik de laatste persoon was die ze in de buurt wilde hebben, toen ze eenmaal haar zinnen op mijn man had gezet. Maar in de maanden voor- en nadat Craig uit huis was gegaan, kwam ze vaak langs en belde ze regelmatig. Vaak, zelfs. Misschien vond ze het fijn om, nu ze zich nog niet met hem in het openbaar kon vertonen, tijd door te brengen met degene die officieel nog met hem getrouwd was.

Natuurlijk was ik erachter gekomen. Op een middag, toen Craig bijna een maand weg was, was ik aan het winkelen met Sophia. Ik zat in de auto te wachten, terwijl zij iets oppikte bij de stomerij. Toen haar mobieltje ging, nam ik zonder na te denken op en zei hallo.

Het was Craig. Natuurlijk verwachtte hij mijn stem niet. De stem van Sophia en die van mij hadden altijd erg op elkaar geleken, en zonder argwaan te hebben, had hij gevraagd: 'Zien we elkaar vanavond?'

'Wat mij betreft niet,' zei ik. En ik hing op.

'Hoe kon je dat doen!' riep ik tegen Sophia, toen ze weer in de auto zat.

'Wat?' zei ze.

'Craig belde.' Mijn hart ging tekeer in mijn borst. Ik voelde het bloed suizen in mijn oren en ik vroeg me af of Sophia het ook merkte.

Ze boog over de leuning en hing de kleerhangers over de stang aan de achterkant van haar stoel, onder de hoofdsteun. Ze draaide zich om en legde zonder me aan te kijken haar handen op het stuur. 'Dat bestaat niet,' zei ze. 'Het moet iemand anders geweest zijn.'

Ik keek recht voor me uit. Toen pakte ik een lippenstift uit mijn tas – een glanzende druivenpaarse kleur genaamd Damage, en stiftte met vlugge, rusteloze bewegingen mijn lippen. 'Hij zei het zelf,' loog ik. 'Hij zei dat jullie al twaalf keer met elkaar naar bed zijn geweest.'

'Dat is niet waar. Hoogstens een keer of –'

'Ha,' zei ik. Ik smakte met mijn lippen om de kleur te verdelen. 'Zie je wel?'

Ze hadden gezworen dat er nooit iets was gebeurd voordat Craig en ik uit elkaar waren. Alsjeblieft, zeg. En trouwens, wat maakte het uit? Een zus is een zus, ook al is het een halfzus. En jouw man is verboden terrein voor iedereen die van je houdt, ook als die man hard op weg is om je ex-man te worden. Ik had altijd gedacht dat dat een basisregel was en dat iedereen zich daaraan zou houden.

Mario had me de naam van een advocaat gegeven, en ik had meteen de volgende dag een afspraak gemaakt. In de staat Massachusetts heb je het recht om te scheiden als aangetoond kan worden dat het huwelijk onherstelbaar beschadigd is. In ons huwelijk waren er geen kinderen, en tijdens het huwelijk hadden we nauwelijks eigendom vergaard. De scheiding was een peulenschil. Na een wachttijd van honderdtwintig dagen en nog een maand of vier wachten, had ik mijn scheidingspapieren in handen. Een eitje.

Ik draaide de autoramen open en ademde diep in. Ik had gehoopt dat ik me daardoor beter zou voelen, maar niets was minder waar. Zuurstof werd zwaar overgewaardeerd. Ik drukte op de hendel waarmee de achterklep opengging. Ik deed het portier open en sprong uit de auto. Er schoot een auto rakelings langs me heen, en de vent achter het stuur toeterde fanatiek. Ik stak mijn middelvinger naar hem op.

Ik deed de achterklep open, pakte mijn survival kit voor studenten in spe en klapte hem open. Het begon al donker te worden en ik rommelde net zo lang in de kit tot ik het visitekaartje van Sean Ryan vond.

Het moest afgelopen zijn met mijn afwachtende houding. Die passiviteit had lang genoeg geduurd, en ik had me lang genoeg gekoesterd in mijn rol als slachtoffer. Het plan om een make-upkit te maken leek me een uitstekend idee om een flinke stap voorwaarts te maken – vooral omdat ik op dat moment geen enkel alternatief kon bedenken.

‘Hoi,’ klonk de stem van Ryan. Op zijn visitekaartje had ik gezien dat Sean zijn voornaam was en Ryan zijn achternaam. Maar het was te laat om daar nog aan te wennen. In gedachten was ik hem al Sean Ryan gaan noemen.

‘Hoi,’ zei ik. Ik voelde me opgelucht. Zo voelde ik me altijd als iets zo makkelijk gaat, dat je zeker weet dat je het juiste doet.

‘Je hoort mijn stem, maar ik kom niet aan de telefoon omdat ik óf aan het hanggliden ben in Argentinië, óf omdat ik geen zin heb om op te nemen. Spreek dus een bericht in.’

Ik legde neer zonder een bericht achter te laten. Die moeite kon ik me net zo goed besparen. Sean Ryan was een man. Mannen waren klootzakken. En daarom was Sean Ryan per definitie ook een klootzak. Zijn ware aard zou zich vanzelf openbaren.

Het enige wat ik van hem wilde, was dat hij me zou vertellen hoe ik mijn eigen kit kon maken. Of hij een ordinaire oplichter was, zou ik snel genoeg ontdekken.

Ik stond nog steeds langs de weg geparkeerd. Ik leunde achterover tegen mijn auto, een rode Volkswagen Kever cabrio met een zwarte kap. Met mijn donkerbruine haar en mijn groene ogen zie ik er geweldig uit in deze auto. Ik vind dat mensen daar vaak niet genoeg bij stil staan. Als je een auto koopt, kun je beter een auto kopen in een kleur die bij je past. Er is niets zo triest als de aanblik van een vrouw die onder andere omstandigheden best aantrekkelijk zou zijn in een grauwgrijze auto die alle kleur uit haar gezicht trekt.

Hoewel op dit moment zelfs mijn ideale auto me niet kon opbeuren, stapte ik weer in en bleef net zo lang zitten tot alle auto's die me tegemoet kwamen rijden hun koplampen aan hadden. Toen bleef ik net zo lang zitten tot ik geen voorbijflitsende koplamp meer kon zien.

Ik begon verder te rijden en reed door de heuvelachtige straten van Marshbury. Ik reed zo langzaam dat ik in de huiskamers binnen kon kijken als ik voorbijreed. Het was niet te geloven hoe nonchalant mensen omsprongen met hun gordijnen, vitrages en luxaflex. Ze lieten hun huizen open staan alsof het grote vissenkommen waren. Ik passeerde mensen die tv keken, mensen die zaten te eten, en zag zelfs een stel dat stond te vrijen voor het raam op de eerste verdieping. Ze gingen behoorlijk tekeer. Waarschijnlijk kenden ze elkaar nog maar pas. Nu dachten ze vast dat dit helemaal het einde was, maar dat was slechts een kwestie van tijd. Voor je het wist, zouden ook zij 's avonds laat door de straten rijden, net als ik.

Oké. Voordat ik zou veranderen in een obsessieve gluurder, moest ik bedenken wat ik kon doen. Ik wilde niet naar huis. Iedereen had vast bezorgde berichtjes achtergelaten op mijn antwoordapparaat. Mario in elk geval. En waarschijnlijk Angela

– en mijn vader. Misschien een van de haarstylistes. En wie weet zelfs Tulia, hoewel die altijd behoorlijk vol was van zichzelf. Het gebeurde niet vaak dat ik in het openbaar instortte en mijn zelfbeheersing verloor. Ik was niet iemand die een kamer uit rende. Ik was iemand die ervoor zorgde dat de ander zich uit de voeten maakte.

Toen we elkaar net kenden, had ik het leuk gevonden om over Craig en mij na te denken als complementaire kleuren. Ik was oranje en hij was blauw, of misschien was ik rood en hij groen. In elk geval versterkten wij elkaar, net als complementaire kleuren, en haalden we het beste in elkaar naar boven. Omdat ik altijd een nogal uitgesproken mening had, oogde Craig nog relaxter. Craig dacht na voordat hij iets zei of deed. Ik reageerde en handelde impulsief. De eerste jaren zorgden onze onderlinge verschillen zowel voor opwinding als voor evenwicht. Maar toen we uit elkaar begonnen te groeien, was het alsof we zelfs dezelfde taal niet meer spraken. Hoe meer hij zich wilde loskoppelen, des te krampachtiger ik wilde vechten voor de relatie. Hoe meer ik pushte, des te meer hij zich terugtrok. We waren nog precies dezelfde mensen als eerst, maar nu leken onze kleuren bij elkaar te vloeken.

Ik moest ergens heen rijden voordat de benzine op was. Ik probeerde te bedenken welke vriend of vriendin op een vrijdagavond thuis zou kunnen zijn – probeerde iemand te verzinnen die ook niets te doen had. De meeste vrienden van Craig en mij waren stelletjes. Ik was altijd een onafhankelijke vrouw geweest en had me gevleid gevoeld dat Craig overal en altijd met me mee wilde. Ik had een uitgebreide familie waarmee ik veel dingen deed, en vanzelfsprekend bracht ook Craig veel tijd met mijn dierbaren door. Mijn vriendinnen had ik daarom behoorlijk verwaarloosd tijdens mijn huwelijk en tot nu toe had ik geen energie gehad om te bedenken hoe ik die vriendschappen nieuw leven in kon blazen. Kun je het maken om op een dag op de stoep te staan met ‘hoi, daar ben ik weer’?

Ik was al bijna halverwege toen ik merkte dat ik op weg was naar mijn moeders huis. Ik hield zielsveel van mijn moeder, maar toch was dit om veel redenen wel een erg trieste manier om een vrijdagavond door te brengen. Ook omdat medeleven niet mijn moeders sterkste punt was.

Ik draaide van de weg af die naar het met hekken afgezette woningencomplex leidde. In de twee jaar dat mijn moeder hier woonde, had ik nog nooit een bewaker in het hokje gezien, en wat de zin van deze quasi-beveiliging was, ontging me volledig. Misschien waren er nog steeds plannen om een bewaker in te huren, zoals ik al tijden van plan was mijn leven op te pakken. Misschien zou ik er net weer aan toe zijn om te gaan daten als zij de ideale kandidaat hadden gevonden.

De gebouwen leken aan de buitenkant allemaal op elkaar en ik vergat altijd of mijn moeder nu in gebouw B woonde, of in C. Ik parkeerde op het parkeerterrein voor gebouw C zodat ik niet ver zou hoeven lopen als ik verkeerd had gegokt. Zodra ik uitstapte, herinnerde ik me dat ze in gebouw B woonde. Ik wist het zeker. Ik zou het op mijn hand schrijven zodat ik het de volgende keer niet kon vergeten.

In de kleine lobby drukte ik op de bel waar *M. O'Neill* bij stond, en wachtte. Mijn maag rommelde. Ik drukte nog een keer. Geweldig. Zelfs mijn moeder had een leven. Ik ging op de grond zitten en belde haar op haar mobieltje.

'Hallo daar,' klonk haar stem na de vierde rinkel. 'Ik ben de wereld aan het redden of ik vermaak me zo uitstekend dat ik geen tijd heb om de telefoon op te nemen. Als je wilt, kun je na de piep een bericht inspreken.'

Ik legde neer. Waar moest dat heen met de telefoonwereld van tegenwoordig? Was ik de enige die nog de standaard ingestelde begroetingsboodschap had? Ik deed wat Chapstick Medicated Classic op mijn droge lippen. Toen staarde ik een seconde lang naar mijn telefoon en belde mijn eigen voicemail. Ik toetste mijn pincode in en drukte op drie om mijn persoonlijke instellingen te veranderen en drukte op één om mijn begroeting te veranderen. Hoewel het me behoorlijk wat moeite kostte en ik bijna uitgeput was van alle inspanning, lukte het me een nieuw bericht in te spreken.

'Hoi. Ik ben er even niet. Ik ben met mijn sexy nieuwe vriendje aan het naaktzwemmen op Corsica, of ik lig in bed met de broer van mijn ex-man. Maar als je zin hebt, kun je een bericht inspreken.'

Toen controleerde ik of er berichten waren. Dan hoefde ik dat later niet meer te doen.

Er had niemand gebeld of iets ingesproken.

6

Ik werd wakker van het geluid van mijn telefoon. Ik had enorm diep geslapen, alles was zwart en donker. Toen ik overeind kwam om mijn telefoon te pakken, rolde ik over een lege ijsbeker. Er lekte een plasje chocolade uit de platgedrukte verpakking op mijn kussensloop. Met mijn vinger trok ik er een cirkel in en likte hem af. Dat ik zoveel ijs had overgelaten, was geen goed teken – het ging duidelijk bergafwaarts met me. Wat was er geworden van mijn normen en waarden?

'Wat,' blafte ik in de hoorn, toen ik de telefoon had gevonden.

'Hé,' hoorde ik. Het was Mario. 'Je hoeft je niet op mij af te reageren. Ik bel alleen om te zeggen dat je een bruiloft hebt en dat je wordt verwacht. Jij doet het haar en de make-up voor de bruid en haar familie. Bruid, moeder van de bruid, ceremoniemeesteres, drie bruidsmeisjes. De bruiloft is om twee uur, dus zorg dat je op tijd bent.'

Ik schopte de deken van me af. 'Een beetje medeleven zou aardig zijn,' zei ik.

Mario zweeg. Als Mario zweeg, was er iets niet in de haak. 'Sophia was erg overstuur,' zei hij uiteindelijk. 'Ik maak me zorgen om haar.'

'Pardon?' zei ik.

'Je hebt je behoorlijk misdragen, zusje. Vind je zelf niet?'

Ik deed mijn ogen dicht. 'Mijn hemel,' zei ik. 'Is dan werkelijk iedereen op haar hand? Alle anderen ook?'

'Iedereen doet zijn best het verhaal van alle kanten te begrijpen, Bella. Craig en jij waren al uit elkaar toen zij een relatie kregen.'

'Hou toch op. Dat zeggen ze altijd.' Moeizaam kwam ik uit bed en liep naar het koffiezetapparaat. 'Wie weet hoe lang het al gaande was. Waarom zou Craig anders bij me zijn weggegaan?'

'Het maakt allemaal niet uit. Je bent beter af zonder die man. Craig is een idioot.'

Natuurlijk waren uitgerekend nu de koffiefilters op. Ik trok een stuk papier van de rol keukenpapier en probeerde er een filter van te vouwen. 'Nou en,' zei ik. 'Hij was wel míjn idioot.'

Ik pakte de koffie uit het keukenkastje en schudde die in het keukenpapier, goot er kraanwater bij en zette het apparaat aan.

Toen deed ik de ijskast open en pakte een tube Sephora Fresh Gloss uit de deur, een lipgloss met een frisse pepermuntgeur die goed paste bij mijn tandpasta. Het verbaasde me altijd weer dat maar zo weinig vrouwen wisten dat ze hun lipgloss het beste in de ijskast konden bewaren. Dan smolt hij niet in de zomer, en ging hij veel langer mee.

De koele sensatie op mijn lippen was heerlijk, en ik begon me weer een beetje mens te voelen. Een fijne oppepper in mijn leven dat momenteel niet bepaald soepel liep.

Ik ruilde de lipgloss in voor een pak yoghurt en vond ergens een redelijk schone lepel.

'Liefde is iets wat je overkomt, Bella,' zei Mario in de telefoon die ik nog steeds tegen mijn oor gedrukt hield.

'Liefde is iets wat je overkomt? Wat is dat voor kolder?'

Ik nam een hap yoghurt en spuugde hem meteen uit in de gootsteen en spoelde mijn mond. Veel te laat keek ik naar de uiterste gebruiksdatum, waar een prijssticker overheen was geplakt. Waarom was alles altijd zo ingewikkeld?

'Bella?'

Ik schonk een kop koffie in en nam een grote slok om de zure yoghurtsmaak weg te krijgen. 'Ja, ik ben er nog. Het is in de Harborside Inn, hè? Hoe heet de bruid?'

'Ja, in de Harborside Inn. Ze hebben de bruidssuite. Hoe ze

heten, weet ik niet precies. De vader van de bruid kwam langs in de salon. Twee keer. Toen hij zijn naam voor het eerst zei, klonk het als Silocybin, en de tweede keer verstond ik Silly Sirene. Maar hij heeft alles vooruit betaald – cash – dus we gaan ons best voor hem doen.'

'Silly Sirene?'

Als de bruid niet snel ophield met haar neurotische gefriemel, bestond er een levensgroot gevaar dat ze zich aan mijn krultang zou branden. Voor haar was dat misschien de enige optie om een heet bruidje te zijn. Ze had fijn babyhaar en een mond als een vissenbek, en steeds als ze grimassen trok met haar gezicht, werden alle pezen en spieren in haar hals zichtbaar.

'Dat doet ze altijd,' zei een van haar bruidsmeisjes. 'Je had haar moeten zien vlak voor haar verlovingsfeest.'

Ik had de make-up van de ceremoniemeesteres al geairbrusht, en ook haar haar had ik gedaan. Ze was precies een oudere versie van de bruid – alleen dan zonder de neurotische trekjes – en de drie bruidsmeisjes. De meisjes liepen zenuwachtig door de bruidssuite en gooiden overal dingen neer terwijl ze zich in knielange, maagdenpalmblauwe tafzijden ballonjurken met geplooid lijfje en empiretaille hesen. Het model van de jurk stond ze geen van allen: door de verhoogde taille leken hun lichamen gigantisch, en de ballonrok was een ramp voor hun heupen.

Normaliter zou ik nu de moeder van de bruid gedaan hebben. Maar omdat zij weggekropen zat in een hoekje en, toen ik haar kant op liep, gebaarde dat ik weg moest gaan, besloot ik eerst de bruid op te maken en dan opnieuw een poging met de moeder te wagen.

Alsof de hele toestand nog niet krankzinnig genoeg was, begonnen er twee schreeuwende kinderen in korte broeken en gestreepte poloshirts rond te rennen, en sprong er een driftig keffend hondje rond mijn voeten dat naar mijn enkels hapte. Het hondje had ook een maagdenpalmenblauw tafzijden ballonjurkje aan, iets korter dan knielang – waarschijnlijk om te voorkomen dat het kleine keffertje erop zou plassen – dat op de rug met een schitterende broche was vastgezet.

'Is dit een huisdiervriendelijk hotel?' vroeg ik. Vroeger hadden wij nooit huisdieren gehad, en ik begreep nog steeds niet wat voor zin het had om een huisdier te hebben.

'Stel je niet aan, Precious. Wat zit je weer te bedelen om aandacht,' zei de bruid tussen twee aanvallen door. 'De volgende keer neem ik een pekipoe, zeker weten.'

Precious negeerde haar volkomen en bleef naar de lucht rond mijn enkels happen. De bruid pakte haar op en gooide haar op een van de bedden. Het was geen wonder dat het beest geen manieren had.

De vader van de bruid had op de gang lopen ijsberen toen ik uit de lift was gestapt en naar de bruidssuite was gelopen. Hij was lang en zag er ouderwets uit, met golvend grijs haar dat stijf stond van de brillantine. Hij had een wonderlijk accent en had zichzelf voorgesteld als meneer zus en zo, zonder me een hand te geven. Mario had gelijk. Het zou best Silocybin kunnen zijn, of Silly Sirene. Of zelfs Silver Sighting.

Nu duwde hij de deur van de bruidssuite open, wendde zijn blik af, liep net ver genoeg de suite in zodat hij de bruid een mobieltje kon geven, draaide zich toen om en liep de kamer weer uit. Waarschijnlijk was dat maar goed ook, want twee van de bruidsmeisjes waren druk bezig hun beha te ruilen.

'Dit is ongelooflijk,' zei een van hen. 'Met jouw maatje B kan ik mijn C-cup omhoog duwen.'

'En met jouw maatje C,' zei de andere, 'lijkt mijn A-cup ten minste nog ergens op.'

Ik stond op het punt om Maidenform te bellen en ze te strikken voor een nieuwe reclamespot, toen de bruid het mobieltje dichtklapte. Nu begon ze echt in paniek te raken, en haar aanvallen werden heviger. Als het me niet lukte om haar onder controle te krijgen, zou ik nooit meer van dit huwelijksfeest af komen.

'Haal eens een fles wijn voor me,' fluisterde ik tegen het enige bruidsmeisje dat haar eigen beha nog aan had. 'En een glas. Vlug een beetje.'

Ik zette de tv aan en zocht Food Network op. Zelfs de kleine wilde boefjes en het kleine kefhondje vielen stil. Met zijn allen zaten we een paar minuten tv te kijken, en ik probeerde iets te leren over blancheren, een techniek die ik nooit goed had begrepen.

'Dat was John,' zei de bruid tussen twee aanvallen door. 'De bruidegom. Hij kon me niet op mijn mobiel bereiken. Ik denk dat hij nog op trillen staat.'

'Sst,' zei ik. 'Wacht even.' Precious kwam naar me toe, kefte wat tegen me en cirkelde rond mijn enkels. Toen plaste ze op het kleed. Wat haar jurkje betrof, had ik gelijk gehad: dat was nog kurkdroog.

De kleine wilde boefjes gilden. Ze renden naar ons toe om de vlek beter te kunnen bekijken. Precious sprong weer op het bed en niemand gooide haar er vanaf. De moeder van de bruid gooide een handdoek over de vlek en ging erop staan, waardoor de kleine wilde boefjes nog harder begonnen te gillen.

Het bruidsmeisje kwam terug uit de bar met een geopende fles witte wijn. Ze schonk een glas in en de bruid sloeg het in één teug achterover.

'Ze moeten terug naar Braintree,' zei ze toen ze klaar was. 'Hebben ze eindelijk de smokingjasjes geregeld, en dan vergeten ze er de broeken bij te doen.'

'O jee,' zei ik. 'Daar hou ik wel van. Een *Risky Business*-achtige bruiloft. Je weet wel, smokingjasjes met van die lange slippen en dan daaronder allemaal gespierde naakte mannenbenen.'

De bruid begon te giechelen. Ik pakte een pluk haar en ging verder met krullen – ik was bezig met de krultang pijpenkrullen in haar fijne haar te maken.

‘Misschien kunnen we kilts voor ze regelen, en een doedelzak,’ zei het bruidsmeisje met de C-cup. Het bruidsmeisje met de fles wijn reikte haar de fles aan, en ze nam een grote slok. Toen gaf ze de fles terug.

‘Op weg naar de winkel gaan ze even langs de dokter. John denkt dat hij keelontsteking heeft en wil dat de dokter ernaar kijkt.’

‘Hij is een hypochonder,’ zei het meisje met de A-cup.

‘Raad eens wie er een baby krijgen?’ zei het bruidsmeisje dat haar eigen beha nog aan had. ‘Allison en Mark.’

‘Zijn die weer bij elkaar?’

‘Voor één nacht in elk geval. Niet tegen haar zeggen dat ik het heb verteld.’

Zonder noemenswaardige problemen lukte het me de laatste krul vast te zetten. De wijn begon nu echt te werken. Ik hoefde alleen de moeder van de bruid nog te doen. Toen ze zag dat ik me klaarmaakte om met haar te beginnen, stond ze op en liep naar de badkamer.

‘Wat is haar probleem?’ vroeg ik aan de ceremoniemeesteres.

Deze haalde haar schouders op. ‘Ze heeft haar eigen bruiloft nog steeds niet verwerkt. Volgens haar heeft iemand van de make-up haar toen beledigd.’

De deur van de badkamer ging open. ‘Ze zei het echt, ik weet het zeker,’ zei de moeder van de bruid. ‘Ze zei: “Ik doe geen oude ogen.”’

‘Dat is niet waar,’ zei de ceremoniemeesteres. ‘Ze zei tegen dat andere meisje: “Doe jij haar maar, jij bent beter met oude ogen.”’

‘Dat komt op hetzelfde neer,’ zei de moeder van de bruid.

Ik klopte op het krukje voor me. ‘Ga zitten,’ zei ik. ‘Ik ga je ogen zo jong opmaken dat de barkeeper straks naar je identiteitskaart vraagt.’

Zoals veel vrouwen van haar leeftijd, was de moeder van de bruid het slachtoffer geworden van serieuze over-epilatie. Ik gaf haar een paar druppels Visine, bracht een primer aan, stipte wat concealer rond haar ogen en neus, en airbrushte haar gezicht. Toen kleurde ik haar wenkbrauwen in met een speciaal gebogen borsteltje met lichtbruin wenkbrauwpoeder, en drukte haar op het hart dat ze nooit, maar dan ook nooit meer wenkbrauwpotlood mocht gebruiken.

Ik gaf haar mijn wimperkrultang en liet haar dat zelf doen. Voor die wijsheid had ik duur leergeld betaald. Op een dag was ik bezig geweest de wimpers van een klant te krullen, toen die klant plotseling moest niezen. Ik rilde nog als ik eraan dacht wat voor schade die tang had aangericht. Maar met mooi gekrulde wimpers komen de ogen veel beter uit – en dat geldt voor ogen van alle leeftijden. De moeder van de bruid had er dus alle belang bij te leren omgaan met de wimperkrultang.

Toen gaf ik haar smokey eyes en deed donkerder bruin op het deel van haar oogleden dat iets was gaan hangen, om dat te camoufleren. Toen bracht ik witte matte oogschaduw aan onder de wenkbrauwen. Als je voorzichtig bent en niet te veel gebruikt, kan een beetje matte oogschaduw je blik echt meer open maken, waardoor je er een stuk jonger uitziet. Ik plakte subtiele valse wimpers op haar oogleden en deed er veel zwartbruine Intense XXL mascara van Maybelline op. Als finishing touch stiftte ik haar lippen rood met Red Hot Mama.

‘Ik wil dat je dit meisje straks iets extra’s geeft,’ zei de moeder van de bruid toen de vader weer binnenkwam. Hij stak zijn hand in zijn zak en gaf me een belachelijk hoge fooi – dusdanig hoog dat ik besloot me niet beledigd te voelen.

Toen zat mijn werk erop. Meestal was dit het moment waarop de fotograaf kwam om foto’s te nemen van de gasten die in vol ornaat net doen alsof ze op weg zijn naar de bruiloft. Vandaag bleef me die poppenkast gelukkig bespaard. Waarschijnlijk was er afgesproken dat de fotograaf meteen door zou gaan naar de bruiloft. Ik begon mijn spullen in te pakken. De ceremoniemeesteres legde haar telefoon weg. Ze kwam naar ons toe lopen en keek uit het raam. Toen fluisterde ze iets tegen haar vader en wierp een handkus in de richting van de kleine wilde boefjes, die nog steeds braaf op de bank zaten.

De bruid pakte Precious op en stopte haar onder haar ene arm. Een van de bruidsmeisjes hield haar de fles wijn voor. De bruid pakte hem met haar vrije hand en nam nog een grote slok. De moeder van de bruid lachte zichzelf toe in de spiegel boven het bed en maakte aanstalten om naar de deur te lopen. De bruidsmeisjes liepen meteen achter haar aan.

De vader van de bruid stak zijn hand weer in zijn zak en toverde nog een stapel bankbiljetten tevoorschijn. Hij pakte er een paar grote biljetten af en gaf die aan mij.

Hij mompelde iets wat klonk als: 'Het duurt vast niet lang meer voor de oppas komt.' Maar voor hetzelfde geld was het iets als: 'Doe de kast dicht en loop een rondje met de hond.'

Wat hij precies had gezegd, deed er ook niet toe. Het enige wat er toe deed, was het feit dat ik plotseling moederziel alleen was met de kleine wilde boefjes.

7

'Je moet een maatschappelijk werkster bellen,' zei mijn moeder. 'Wacht even, ik zoek het nummer van de kinderbescherming voor je op.'

Ik zat te bellen in de badkamer en stak mijn hoofd even om de deur om naar de kinderen te kijken. Als ze rustig waren, zagen ze er eigenlijk schattig uit. Ze zaten allebei op hun duim te zuigen terwijl ze geïnteresseerd toekeken hoe je een eenvoudige mokkapudding moest maken. Op dit kwaliteitsbeeldscherm was het fascinerend om te zien hoe de chocolade in het pannetje langzaam smolt – au bain marie, had ik inmiddels geleerd. Het was handig om te weten dat je altijd eerst het vuur moest uitzetten voordat je de vanille toevoegde. Toen Craigs kinderen ongeveer zo oud waren als deze twee knulletjes, hadden ze koken geweldig gevonden.

'Bella,' klonk mijn moeders stem in mijn oor. 'Ben je daar nog?'

'O, sorry,' zei ik. 'Ik weet het niet. Als ik ga bellen, willen ze vast hun geld terug.'

'Heb je geld aangenomen om op te passen?'

'Eh, ja,' zei ik. 'Ik kon niet anders.'

'Bella,' zei mijn moeder. 'Heb je wel of niet twee in de steek gelaten kinderen bij je?'

Mijn moeder kon zich soms echt gedragen als een maatschappelijk werkster. 'Laat maar zitten,' zei ik. 'Heb jij nog nieuws? Waar was je gisteravond?'

'Ik was uit met een vriend,' zei mijn moeder. 'Nou, geef eens antwoord. Hebben we te maken met een crisissituatie of niet?'

Ik liep naar het bargedeelte. Er stond een mooie, grote fruitschaal en ik pakte er een glanzende appel vanaf. 'Niet,' zei ik.

'Goed. Wacht, ik krijg nog een telefoontje. Ik bel je straks terug, oké? Ik hou van je.'

'Ik ook van jou,' zei ik tegen de ingesprektoon. Ik klapte mijn mobieltje dicht en ging op de rand van het bed zitten. Terwijl ik mijn appel at, keek ik naar buiten. Vanuit de bruidssuite had je een fantastisch uitzicht over de haven van Marshbury, en het was alsof iedereen die een boot had vandaag uitvoer om te genieten van de perfecte augustusdag.

Toen ik mijn appel op had, keek ik naar de wekkerradio naast de bank. De bruid zou nu wel zo'n beetje de kerk in lopen. Met een beetje geluk was de wijn nog niet uitgewerkt, en kon ze zonder toevallen en zonder al te grote problemen 'ja, ik wil' zeggen. Ik vroeg me af of de bruidegom echt keelontsteking had. En ik vroeg me af of hij een broek zou dragen.

De verleiding om mezelf te verliezen in mijn eigen herinneringen was groot – en dan met name in de flarden herinneringen die ik nog had aan mijn eígen bruiloft. Omdat dat wel het laatste was waar ik zin in had, haalde ik diep adem en zette die gedachten van me af. Ik keek weer uit het raam in de hoop een glimp op te vangen van de oppas, ook al had ik geen idee hoe hij of zij eruit zou zien.

Ik vermoedde dat er een reclameblok in het kookprogramma was, want de kleine wilde boefjes begonnen weer door de kamer te rennen en op het bed te springen. Ze gilden zo hard ze konden. Toch bonkte er niemand op de deur en belde er niemand aan om te klagen. De bruidssuite moest zo goed als geluidsdicht zijn. Misschien was dat iets om te benadrukken in een advertentie.

Toen ik hoofdpijn begon te krijgen van het geschreeuw, maakte ik een vlugge rekensom en kwam tot de conclusie dat ik lang genoeg was gebleven voor het geld dat ze me hadden gegeven.

'Zeg, jongens,' zei ik. 'Wat denken jullie ervan? Ik maak jullie een beetje op en dan gaan we eropuit, oké?'

De kleine wilde boefjes zaten in hun veiligheidsgordels op de achterbank van mijn Volkswagen Kever. Omdat ik wist dat ze daar officieel te jong voor waren en volgens de wet in kinderzitjes moesten zitten, reed ik heel langzaam.

Ik bekeek ze in de achteruitkijkspiegel. In hun gestreepte poloshirtjes zagen ze er niet uit alsof ze naar een bruiloftsreceptie gingen, maar door de feestelijke make-up had het geheel wel iets vrolijks. Toen ik ze had geairbrusht, hadden ze allebei ontzettend moeten lachen, vooral de jongste. De rest van de make-up had ik rustig gehouden – ik had een hekel aan die enge opgeschilderde minimensjes die je vaak bij schoonheidswedstrijden zag, en zo zagen mijn boefjes er niet uit.

Aan het eind van Front Street sloeg ik linksaf. Helaas wist ik niet waar de receptie was. In een stad die groter was dan Marshbury kon dat een serieus probleem zijn, maar in Marshbury had je maar drie mogelijkheden, en ik twijfelde er niet aan of we ze zouden vinden. Tenzij ze natuurlijk iets buiten de stad hadden gehuurd, maar ik verbood mezelf aan die mogelijkheid te denken.

Weer keek ik in mijn achteruitkijkspiegel naar de kleine wilde boefjes. 'Hoe is het daar achterin?' vroeg ik met een typische stem – dezelfde stem die zelfs mensen die beter zouden moeten weten gebruiken als ze tegen kinderen praten.

Niemand gaf antwoord. 'Daar ben ik blij om,' zei ik met dezelfde stem.

Ik nam een scherpe bocht naar rechts en reed naar het clubhuis van de zeilvereniging bij de haven. Ik reed het parkeerterrein op, en meteen door tot vlak voor de receptieruimte die je kon huren voor feesten en partijen. Daar zette ik de automaat in de parkeerstand, pakte mijn sleutels en stapte uit. Met één hand steunend op de autodeur ging ik op mijn tenen staan, en ik tuurde door het raam naar binnen. Er was niets te zien.

'Ik durf er vijf dollar om te verwedden dat we ze de volgende keer vinden,' zei ik, terwijl ik in de auto stapte.

'Tien,' zei een van de kleine wilde jochies.

'Nee maar!' zei ik. 'Je kunt praten!'

Beide kinderen begonnen weer uit volle borst te blèren, en ik wilde dat ik niets had gezegd. Ik draaide mijn raam een beetje open zodat er wat lawaai kon ontsnappen. Even overwoog ik het opvouwbare dak van de auto open te doen – het was er een prachtige dag voor – maar ik besloot het niet te doen omdat ik bang was dat ik een kind kwijt zou raken als we over een verkeersdrempel reden. Ik wilde wel van de kleine wilde jochies af, maar het geld wilde ik graag houden. En voor beschadigde kinderen zouden de ouders vast een geldelijke vergoeding eisen.

We reden terug naar de hoofdweg en sloegen linksaf, Inner Harbor Lane in. Het parkeerterrein van de Olde Marshbury Taverne was helemaal vol. 'Bingo,' zei ik.

'Ik win,' zei een van de kleine wilde jochies achter mijn stoel.

Ik reed zo ver ik kon door naar de hoofdingang en parkeerde de auto. Het raam een stukje openlatend voor de nodige luchtcirculatie, deed ik de auto voorzichtig op slot. Het was vast illegaal om je kinderen alleen op te sluiten in de auto, maar mocht er een rechtszaak van komen, dan zou ik ter verdediging aanvoeren dat het net zo illegaal was om ze alleen achter te laten op de verkeerde bruiloft.

'Ik ben zo terug,' zei ik.

Vrijwel de eerste persoon die ik tegen het lijf liep, was de ceremoniemeesteres. 'Het spijt me,' zei ik. 'Maar de oppas is niet komen opdagen...'

Ze keek over haar schouder. Een ogenblik lang dacht ik dat ze er als een haas vandoor wilde gaan, maar ze draaide zich weer om en zei: 'Nog twee uur. Wat wil je ervoor hebben?'

Voor je gevoel van eigenwaarde was het niet goed om op zaterdagavond op te passen – dat wist zelfs een stumper als ik. 'Sorry,' zei ik.

Hoofdschuddend liep ze achter me aan naar buiten, naar mijn auto. Zodra de kinderen haar zagen, zetten ze weer een keel op.

De ceremoniemeesteres bedankte me niet. Volgens mij zag ze niet eens hoe geweldig ik haar onhandelbare kroost had opgemaakt – helemaal gratis en voor niets. Ze dook bij de kinderen op de achterbank en maakte de veiligheidsgordels los en sleurde ze vervolgens mee naar de receptie.

'Graag gedaan,' riep ik haar achterna.

De deur van de Olde Marshbury Taverne ging open en de vader van de bruid verscheen. Hij hield Precious met gestrekte armen voor zich uit en tussen één hand en de hond hield hij een stapel bankbiljetten geklemd. Hij liep regelrecht op me af en mompelde iets over de gezondheidsinspectie. Of misschien was het de Bond voor de Sexy.

En hij overhandigde me Precious – ze had nog steeds haar maagdenpalmblauwe tafzijden jurkje aan, vastgezet met de broche. 'Jouw haar,' zei hij.

Of misschien was het: 'Hou maar.'

Precious stond rechtop op een van mijn make-upkits. Ik had een kit op de passagiersstoel van mijn Kever gelegd zodat ze er op kon staan en naar buiten kon kijken. Omdat we ons allebei verveelden, bood ik haar een slok water uit mijn waterfles aan. Ze dronk zonder een druppel te morsen. Ik wist niet dat je honden kon leren om uit een fles te drinken. Nadat ik uitgebreid had gekeken of er geen auto's waren – ik had geen riem voor haar en wilde geen enkel risico nemen – maakten we een ommetje over het parkeerterrein zodat zij kon plassen. Misschien verbeeldde ik het me, maar volgens mij was ze me erg dankbaar voor de wandeling – heel even had ik zelfs het gevoel dat er een soort band tussen ons begon te ontstaan.

Toen bedacht ik dat ze waarschijnlijk wilde doen wat ik ook altijd als eerste deed als ik thuiskwam na een bruiloft: me ontdoen van die stomme, ongemakkelijke jurk. Dus boog ik voorover om de broche los te maken. Ze gromde tegen me.

'Ho, zeg,' zei ik. 'Je hoeft niet zo lelijk te doen. Het was maar een idee.'

Daarna zaten we elkaar een poos aan te kijken. Ik had geen idee wat voor soort hond ze was, ook omdat ik over het algemeen vrij weinig van honden weet. Ze leek op een soort vliegende eekhoorn, op de oortjes na, want haar oren waren net de oren van een vliegende hond. Ik vroeg me af wat ze van mij zou vinden. Misschien vond zij dat ik net zulke oren had als een vliegende hond.

Ik keek op mijn horloge en besloot dat anderhalf uur oppassen op Precious lang genoeg was om het laatste pak bankbiljetten dat ik had gekregen, te verdienen. Vervolgens besloot ik dat er twee manieren waren om naar de situatie te kijken. De ene was dat mij de laatste tijd zorgwekkend veel dingen zomaar leken te overkomen – en dat voor iemand die graag zelf de touwtjes in handen hield. De andere was dat ik dan misschien geen man had, en geen leven, maar dat ik vandaag in elk geval goed geld had verdiend.

Met mijn hand over de bodem van mijn schoudertas voelend, vond ik mijn mobieltje. Ik zette hem aan en keek op het schermpje. 'Wauw,' zei ik hardop. 'Twee hele berichten.'

Omdat ik vond dat Precious oprecht geïnteresseerd mijn kant op keek, hield ik de telefoon tegen haar oor zodat ze mee kon luisteren.

Het eerste bericht was van mijn moeder. 'Ik vroeg me af hoe het is met die semi-in-de-steek-gelaten kinderen van je,' zei ze. Ze klonk walgelijk opgewekt en vrolijk.

Ik vroeg me af wat ze ervan zou vinden als ik haar zou vertellen dat ik tegenwoordig ook een semi-in-de-steek-gelaten hond had. Ze zou me ongetwijfeld het telefoonnummer van een andere hulpinstantie geven. Mijn moeder had voor alles een telefoonnummer.

'Ik zit de rest van het weekend helemaal vol, schat. Maar als je wilt, kunnen we voor dinsdagavond iets afspreken.'

Ik schudde mijn hoofd tegen Precious. 'Het is toch niet te geloven dat dit mijn móéder is?' fluisterde ik. 'Mam, hoe kun je nou geen tijd hebben voor je eigen dochter?'

'En Bella,' vervolgde de stem van mijn moeder, 'ik denk dat je de boodschap op je voicemail moet veranderen. Ik weet dat je grappig probeert te zijn, maar je klinkt alleen maar boos en verbitterd.'

'Ik bén ook boos en verbitterd,' zei ik tegen Precious. Ik merkte dat ik het best fijn vond om iemand te hebben om tegen te praten.

'Ik spreek je snel. Dag schat, ik hou van je.'

'Leuk bericht,' klonk ineens de stem van Sean Ryan. 'Ik probeer het later nog eens.'

'O mijn god,' zei ik tegen Precious. 'Dat was Sean Ryan.'

Mijn telefoon ging. Ik keek er naar. Daarna keek ik naar Precious en ik zweer dat ze tegen me knikte.

Ik drukte op het groene knopje en zei: 'Hallo.'

'Hoi,' zei Sean Ryan. 'Met Sean.'

'Sean,' herhaalde ik langzaam, alsof ik mijn best moest doen om te bedenken wie hij was. 'O ja. De man van de studiekeuzebeurs. Hoe kom je aan mijn nummer?'

'Eh, nummerherkenning misschien?'

Een mens kon tegenwoordig ook geen geheimen meer hebben. Het leek me het beste om mijn mond te houden.

'Misschien had ik eerst moeten luisteren naar wat je had ingesproken, maar ik heb meteen op 'terugbellen' gedrukt.'

Precious sprong op mijn schoot en klom tegen me op, tot haar voorpootjes op mijn schouders lagen. Ze likte over mijn wang en ik grinnikte.

'Vind je me zo vermakelijk?' vroeg Sean Ryan.

'Nee,' zei ik. 'Dat was iemand anders.'

Daar had hij niet van terug.

'Moet je horen,' zei ik. 'Ik wilde je wat vragen over die kits. Mag ik je vandaag of morgen trakteren op een kop koffie? In een openbaar restaurant?'

'Zeker,' zei hij. 'Als er maar voldoende licht is.'

'Oké,' zei ik. 'Waar woon je? In welke stad?'

'Marshbury.'

'Ik ook,' zei ik. Met kleine steden is het zo dat je denkt dat je iedereen die er woont, kent, terwijl dat natuurlijk volstrekte onzin is.

'Goed,' zei hij. 'Wat dacht je van Starbucks over tien minuten?'

'Is dat niet een beetje snel?'

Hij lachte. 'Ja. Maar ik denk niet dat ik nog een telefoongesprek met jou zou overleven. Heeft niemand je ooit verteld dat het moeilijk is om met jou te praten?'

'Nee, nog nooit,' zei ik. Ik keek naar Precious en rolde met mijn ogen.

8

'Wat is dát?' vroeg Sean Ryan.

'Een hond,' zei ik. Ik had Precious in mijn schoudertas gestopt zodat ik haar Starbucks binnen kon smokkelen, en nu stak ze net haar kopje uit de rits. Ik vreesde dat ik er met die hond-in-tas-look uit zag als een overjarige Paris Hilton – nogal een eng idee, als je erover nadacht – maar ik had niets anders kunnen verzinnen. Het was vast beter geweest als ik haar eerst naar de Olde Marshbury Taverne had teruggebracht, maar ik wilde het geld niet teruggeven – nog geen cent.

Dus had ik bedacht dat ik haar gewoon mee zou nemen zodat de tijd sneller zou verstrijken. Met Sean Ryan over kits praten kon nooit langer duren dan een half uur. Eenmaal op het parkeerterrein had ik nog geprobeerd om haar achter te laten in de auto maar ze had me zo droevig aangekeken, dat ik het niet over mijn hart had kunnen verkrijgen.

'Wat voor soort hond, bedoel ik,' zei Sean Ryan.

'Geen idee,' zei ik.

Sean Ryan schudde zijn hoofd en lachte zijn scheve lachje. 'Komt u verder,' zei hij en hield de deur naar Starbucks voor me open.

'Dank je,' zei ik.

'Pardon, juffrouw?' zei een man in een wit overhemd ongeveer twee seconden later. 'Honden zijn hier niet toegestaan. Gezondheidsinspectie, weet u wel.'

'Weet u zeker dat u niet Bond van de Sexy bedoelt?' Het was eruit voor ik erover had nagedacht.

'Wat?' zeiden Sean Ryan en de man in het witte overhemd tegelijk.

'Laat maar zitten,' zei ik. 'Oké, ik wacht buiten wel. Kun je een grote mokka latte met magere melk en extra slagroom voor me halen?' vroeg ik Sean Ryan, en ik voegde eraan toe: 'Ik heb geld.'

'Dat mag ik hopen,' zei hij.

We besloten met onze bekers koffie naar het strand te gaan. Het was laag water en de mensen begonnen net naar huis te gaan voor het avondeten. Precious had het geweldig naar haar zin. Ze rende ver voor ons uit en kwam dan als een speer terug om te kijken of we er nog wel waren. Zo af en toe stopte ze even om in het zand te graven of op haar rug te rollen, het liefst in een hoop viezig zeewier. Officieel moesten we haar hier aan de riem doen – overal stonden grote borden om ons daaraan te herinneren – maar als er iemand iets van zou zeggen, dan kon ik haar altijd in mijn schoudertas doen.

'Je hebt gelijk,' zei Sean Ryan. 'Ze lijkt op een vliegende eekhoorn. Volgens mij is ze half terriër en half chihuahua. Waarschijnlijk weegt ze zo'n acht pond, schoon aan de haak.'

'De droom van iedereen met anorexia,' zei ik. 'Oké, laten we het over kits hebben.'

Sean Ryan ging zitten en klopte met zijn vlakke hand op het zand naast hem. Ik ging een meter bij hem vandaan zitten. Hij strekte zijn arm uit en trok een lijn in het zand, en ik lachte. Precious rende naar ons toe en begon een gat te graven.

Plotseling zat mijn mond vol zand. Terwijl ik het uitspuugde, pakte Sean Ryan Precious op, keerde haar om, en zette haar weer op het strand. Nu spatte het zand de andere kant op.

'Dank je wel,' zei ik. Toen ik mijn tanden op elkaar zette, knarste het zand tussen mijn kiezen. Ik dronk de rest van mijn koffie op en hoopte dat het dan beter zou gaan. 'Vertel me eerst eens hoe je marketingtester van een studiekeuzebegeleiderskit wordt,' zei ik.

Hij drukte zijn koffiebeker in het zand zodat die niet om zou vallen en leunde achterover op zijn ellebogen. 'Oké. Toen ik in Vermont woonde, was de studiekeuzebegeleider een vriend van me. En toen hij met het idee van die kit kwam, heeft hij weer contact met mij gezocht.'

'Heb je in Vermont gewoond?'

'Ja, in Burlington. Een geweldige plek om te wonen. Tot je gaat scheiden. Elke vrijdagavond loop je iedereen die je probeert te vermijden in Church Street tegen het lijf. We hadden geen kinderen. Nou ja, om een lang verhaal kort te maken: ik kon niet wachten om weer vrij te zijn. Opnieuw beginnen, een schone lei, dat idee.'

Over vroeger praten was altijd deprimerend. Blablabla. Het was jammer dat je je vroegere leven niet gewoon af kon schudden en doorgaan met het volgende. Geen uitleg, geen verklaringen, geen verhalen uit de oude doos. Niet na hoeven denken over wat er mis ging en hoe verschrikkelijk pijnlijk en gênant het allemaal was. Daar nooit meer aan te hoeven denken. Je oude leven loslaten en je vol goede moed in het volgende storten.

Sean Ryan schraapte zijn keel en ik schrok op uit mijn overpeinzingen. 'Hoe lang is dat geleden?' vroeg ik.

Hij drukte zich op en nam een slok koffie. 'Nu ongeveer vijf jaar.'

'Heb je ooit een steen naar haar auto gegooid?'

Sean Ryan spuugde en proestte vrijwel tegelijkertijd, en de koffie spoot als een waaier in het rond en maakte vlekken op onze kleren. 'Shit zeg,' zei hij. Hij wreef met beide handen over zijn mond. 'Hebben ze je ooit verteld dat je gevaarlijk bent?'

Hij pakte een zakdoek uit zijn binnenzak en reikte mij die aan.

'Het was maar een vraag,' zei ik. Ik veegde de delen van mijn gezicht die nat aanvoelden droog en gaf hem zijn zakdoek terug.

Hij strekte zijn arm en veegde een druppel koffie van mijn onderarm. Zou het zomaar zo kunnen zijn dat een man met een zakdoek iets sexy's heeft? Ik kreeg in elk geval plotseling de bijna onbedwingbare neiging om voorover te leunen en hem te kussen. Er gaat niets boven een zoen op het strand.

Vlug trok ik mijn arm terug, zijn zakdoek wapperde als een witte vlag in de wind.

Sean Ryan haalde zijn schouders op en begon de druppels koffie op zijn eigen armen weg te vegen. Hij zei: 'Tot mijn spijt moet ik bekennen dat ik niet het steengooiende type ben, helaas.'

'Wat ben je toch een heilig boontje,' zei ik.

'Oké,' zei hij. 'Antivries. In haar koffie. Ik heb er een paar keer aan gedacht.'

'En je hebt het niet echt gedaan?'

'Dan zat ik nu in de gevangenis, denk je niet?'

'Misschien ben je wel echt goed en heb je een manier gevonden om het te verhullen,' zei ik.

'Heb je echt een steen naar de auto van je ex-man gegooid?'

Ik knikte.

'Wanneer?'

'Eeuwen geleden,' zei ik. 'Nou ja, eigenlijk was het gisteren. Maar toen was ik een heel ander mens. Ik ben sindsdien veel aardiger geworden.'

Sean Ryan strekte zijn arm uit en wilde de koffievlekken op Precious' vacht opdeppen. Precious hapte naar de zakdoek en klemde hem tussen haar tanden en schudde haar kopje hard heen en weer. Sean Ryan ging op handen en knieën zitten, en er ontstond een touwtrekgevecht tussen man en hond.

Precious liet de zakdoek los en krabde zich achter haar ene oor. Sean Ryan en ik pakten onze lege koffiebekers voordat ze over het strand zouden vliegen. 'Zodoende, dus,' zei hij. 'Nu moet je me het hele verhaal vertellen over je halfzus en je man.'

'Oké,' zei ik. 'Hij is nu mijn ex-man.'

'Dat is een wel heel beknopte versie.'

Ik zweeg.

Hij haalde zijn schouders op. 'Oké. Kits. Wat weet jij over make-up wat niemand anders weet? Ik weet niets van het onderwerp af, helaas. Zie jij bijvoorbeeld wat je moet doen om iemand er veel beter uit te laten zien? Meteen als je iemand voor het eerst ziet?'

'O ja. Altijd. Inmiddels is het zo'n automatisme geworden dat ik het niet meer kan uitschakelen. Gezichten van mensen zijn voor mij net hompen klei – als ik een beeldhouwer was, zou ik precies weten wat ik ermee zou doen.'

Sean Ryan knikte. 'Dat is goed. Oké. Als ik je zou vragen om voor volgende week zaterdag een kit samen te stellen waarmee je mensen zoveel mogelijk leert over make-up en alles wat daarbij komt kijken, wat zou je er dan in doen?'

'Een spiegel, misschien. En wat proefmonsters. En make-upborsteltjes en wegwerpsponsjes. O, en instructies over hoe je make-up het best kunt aanbrengen – veel mensen weten niet hoe dat moet en weten niet dat je de producten voor het beste resultaat in een bepaalde volgorde moet aanbrengen. En een diagram van een gezicht waar ik op kan schrijven wat je waar moet aanbrengen. En een lijst met merken en kleuren die geschikt voor hen zijn.'

'Geweldig,' zei Sean Ryan. 'En hoe zou de kit eruitzien?'

'Geen idee. Wel funky. Misschien iets met netstof die je per strekkende meter kunt kopen, en die met een strik om de kit heen gewikkeld, met een make-upkwast in de knoop bovenop, zoiets. Of misschien een clutch, je weet wel, zo'n enveloptasje. Of een boodschappentas. Volgens mij weet ik wat ik wil zodra ik het zie.'

Precious begon over het strand te rennen. 'Daar twijfel ik niet aan,' zei Sean Ryan. Zich opduwend kwam hij overeind en reikte mij zijn hand.

Ik pakte zijn hand en hij trok me overeind. Hij had een aangename, stevige handdruk, zijn hand was alleen een beetje droog. Ahava maakte een fijne handcrème speciaal voor mannen, maar niets werkte beter tegen droge handen dan de oude getrouwe Bag Balm. Verder leek zijn huid me in prima conditie. Ogen mochten dan de spiegel van de ziel zijn, de huid is de spiegel van de gezondheid. En Sean Ryans huid glansde als die van iemand die goed voor zichzelf zorgt, zowel aan de binnenkant als van buiten. Misschien zou iets daarvan op mij overstralen als ik zijn hand maar lang genoeg vasthield.

'En nu?' vroeg ik.

'En nu ga jij een partij kits maken. Over een week heb ik een studiekeuzebeurs op Rhode Island, en als je wilt, mag je de helft van mijn tafel gebruiken.'

'Bedankt,' zei ik. 'Welke helft?'

Hij liet mijn hand los. Eerder had ik de pijpen van mijn zwarte broek opgerold omdat het warm was, nu rolde ik ze weer naar beneden. Ik had ongeveer vijf miljoen zwarte broeken en op dit moment was ik erg blij dat ik geen broek aanhad waarvan de kont slobberig werd als je er lang op had gezeten.

'Welke helft?'

Ik glimlachte. 'Ik wil rechts staan. Als ik in de salons werk, wil ik ook altijd de stoel hebben die rechts van de anderen staat.'

'Zijn er nog meer merkwaardige dingen die ik over jou zou moeten weten?'

Ik bukte en raapte een stuk drijfhout op, dat ik zo ver ik kon de zee in gooide. Precious rende er achteraan, haar broche glinsterde in het licht van de ondergaande zon. Dit hele hondengedoe beviel me eigenlijk wel. 'Ik drink nooit terwijl ik eet,' zei ik.

'Alcohol, bedoel je?'

Ik schudde mijn hoofd en bukte om een zanddollar op te rapen. Vandaag was echt een goede dag voor geldzaken. 'Nee, helemaal geen drank.'

Sean Ryan pakte ook een zanddollar en gaf hem aan mij. 'Heb je daar een speciale reden voor? Heeft het te maken met geloof? Bijgeloof, misschien?'

'Nee hoor, helemaal niet. Toen we klein waren, was er altijd wel iemand die zijn drinken omgooide. Daarom mocht dat op een dag niet meer aan tafel. En nu kan ik het simpelweg niet meer.'

'Ben je niet bang dat je uitdroogt?'

'Nee, ik drink gewoon veel tussen de maaltijden door.'

Sean Ryan knikte. 'O-ké,' zei hij plagerig traag.

'Kom op, zeg,' zei ik. 'Zo gek is dat niet. Ik weet zeker dat jij ook allemaal rare gewoonten hebt.'

'Nee hoor,' zei hij. 'Ik ben volkomen normaal.'

Ik schudde mijn hoofd. 'Daar geloof ik helemaal niets van.'

'Eens kijken. Ik wil wel altijd aan de rechterkant slapen. Telt dat ook?' Hij keek naar mij. Ik keek naar hem.

Plotseling was het alsof mijn libido op een wegversperring stuitte. Misschien was ik hormonaal bipolair. Ik begreep donders goed waar hij op aanstuurde en besloot op dat moment bij de volgende halte uit te stappen – om maar in vervoerstermen te blijven spreken. Alleen al de gedachte weer van voor af aan te moeten beginnen en alles opnieuw te moeten onderzoeken en uitproberen met een nieuwe man maakte dat ik me uitgeput voelde.

Ik rende naar Precious toe, pakte haar op en hield haar in mijn armen.

'Heb ik iets verkeerds gezegd?' riep Sean Ryan me achterna.

Ik draaide me om en riep: 'Het kan me niet schelen aan welke kant van het bed je slaapt. Wij gaan toch nooit met elkaar naar bed. Begrijp je?'

Een stel dat voor ons op het strand liep, keek achterom en zeer geïnteresseerd onze kant op. Sean Ryan zwaaide naar ze en begon te rennen.

Toen hij me had ingehaald, zei hij: 'Even voor alle duidelijkheid: ik vroeg je niet of je met me naar bed wilde.'

'Ja, vast,' zei ik.

‘Ik zou het niet eens willen,’ zei hij.

‘O nee? Nou, je wordt bedankt.’ Er moest een manier zijn om dit gesprek weer op een normaal onderwerp te krijgen, maar ik kon niet bedenken hoe.

Sean Ryan hield zijn handen voor Precious uitgestoken. Ze aarzelde geen moment en sprong in zijn armen. Nu leek ze echt net een vliegende eekhoorn. Hij hield haar tegen zijn schouder en begon op haar rug te kloppen alsof ze een baby was die een boertje moest laten.

‘Moet je horen,’ zei hij. ‘Ik heb al eens een relatie gehad met een vrouw die net gescheiden was en dat hoef ik echt niet nog eens mee te maken. Ik stel dus voor dat jij met een andere man je reboundrelatie hebt en zijn leven zolang ruïneert. In de tussentijd kunnen wij gewoon vrienden zijn.’

Verontwaardigd zette ik mijn handen in mijn zij. ‘Jij hebt geen idee hoe lang ik al gescheiden ben. En wie ben jij om te beweren dat ik een reboundrelatie nodig heb? Je kent me nog maar net.’

Hij hield op met Precious op haar rug te kloppen en schudde zijn hoofd. ‘Heb je zin om ergens iets te gaan eten?’

‘Nu?’

‘Ja, nu. Je weet wel, avondeten, dineren, de maaltijd die je ’s avonds gebruikt . Je hoeft er niets bij te drinken, dat beloof ik.’

‘Hoe laat is het?’ vroeg ik. Plotseling durfde ik nauwelijks op mijn horloge te kijken.

‘Geen idee. Vast iets na zessen.’

Ik griste Precious uit Sean Ryans armen en maakte aanstalten om te gaan rennen. ‘Herinner jij je nog hoe lang trouwrecepties duren? Ik moet nu weg!’

9

'Een knappe kerel, die broer van jou,' zei Esther Williams toen Mario passeerde. Ik had haar al opgemaakt voor ik de rollers uit haar haar haalde – nu alleen nog wat haarlak en dan kon ze er minstens een week tegenaan.

'Sorry Esther,' zei ik. 'Hij is al getrouwd – met Todd.'

'Kan dat tegenwoordig?'

'Natuurlijk kan dat. In elk geval wel in Massachusetts, zoals je weet.'

'Eigenlijk is het schandalig. Het zijn verdomme de beste partners die een vrouw zich wensen kan – de seks daargelaten, natuurlijk. Ze dansen als de beste, weten zich te kleden en sommigen kunnen zelfs koken. Jarenlang werkte het uitstekend, en waarom iedereen er nu ineens een probleem van maakt, begrijp ik niet. Het is al lastig genoeg om een huwbare man te vinden zonder dat de homoseksuele mannen ze in willen pikken.'

'De verf niet vergeten,' zei Vicky achter mijn rug. Ik keek over mijn schouder en zocht haar blik in de spiegel.

'Goed zo, Vicky,' zei ik.

Vicky was een van de in hun ontwikkeling gestoorde jongeren die mijn vader inhuurde via het reïntegratiebureau. Niemand wist of hij dat deed om indruk te maken op mijn moeder – voor het geval zij er iets over mocht horen – of omdat het hem persoonlijk belastingvoordeel opleverde. Hoe het ook zij – het waren stuk voor stuk geweldige mensen om in de buurt te hebben. Tussen twee klanten door veegden ze het haar op, en ze stoften de producten in de schappen af met een plumeau. Ze hadden altijd een begeleider bij zich, een man of vrouw die in de wachtruimte tijdschriften ging zitten lezen. Als je het mij vraagt, waren de in hun ontwikkeling gestoorde jongvolwassenen productiever dan hun begeleiders.

Vicky was onze lieveling. Ze had lang blond haar, een lelieblanke huid, een fraaie cupidoboog – en Downsyndroom. Haar hele leven was ze zo intensief begeleid geweest, dat ze nu zichzelf voortdurend coachte. Het allermooiste was als ze naar de wc ging. 'Gewoon er in en er uit,' hoorden we haar tegen de gesloten deur zeggen. 'Niet rondlummelen. En je handen wassen – met zeep.'

'Lief doen. De hond niet knijpen,' zei ze nu. Precious had een rij pakjes opgevouwen aluminiumfolie over haar hele rug en het was Vicky's taak om ervoor te zorgen dat de hond er niet bij kon komen.

Plotseling zag Mario de foliepakketjes. 'Jemig, Bella, waar ben jij mee bezig? Honden zijn niet eens toegestaan in de salon.'

'Pa zei dat het goed was,' zei ik, hoewel onze vader natuurlijk van niets wist. 'Zeg maar tegen Todd dat het ons geen cent kost. Ik had nog verf over van mijn laatste highlightklant.'

'En wat is hiervan precies de bedoeling?' vroeg Mario. Esther Williams zette haar bril op en bekeek Mario eens goed, terwijl ik een gigantische bus TIGI Bed Head Hard Hairspray op en neer schudde.

'Dat weet ik nog niet,' zei ik. 'Ze heeft van dat stugge terriërhaar en haar vacht is muisgrijs. Met een paar highlights ziet ze er volgens mij veel frisser uit – dan kan ik eens wat andere setjes voor haar kopen. Het is me eindelijk gelukt haar uit dat bruidsmeisjesjurkje te krijgen. Geen eenvoudige missie, neem dat maar van mij aan.'

Precious en ik hadden bijna de hele zondag en maandag geprobeerd de familie van Silly Sirene op te sporen, maar die leek van de aardbodem te zijn verdwenen. De contracten die ze bij de

Olde Taverne en de unitariërskerk waar ze waren getrouwd hadden ingevuld en ondertekend, waren zo goed als onleesbaar.

Mario gespte zijn BlackBerry van zijn riem, klapte het leren hoesje open en begon met zijn duimen toetsen in te drukken. 'Dankzij jou kunnen we straks wel sluiten. Je weet wat er gebeurt als ze weten dat wij hier illegaal dierproeven doen,' zei hij. 'In deze staat bestaat een wet die de aanwezigheid van dieren in salons verbiedt, weet je nog?'

'Stel je niet zo aan,' zei ik. 'Wat ben je toch een dramanicht. Ik las laatst ergens dat Massachusetts nog een strenge puriteinse wet heeft die vervoer van ijs, bijen en Iers mos verbiedt op zondagen. Ik bedoel maar, het is maar waar je je druk om maakt.'

'Zeg,' zei Esther Williams. 'Hebben jullie al iets gehoord over die nieuwe salon aan de overkant? Naast die tandartsenpraktijk, onder dat appartementencomplex? Op tangoles hoorde ik van iemand dat iedereen die er werkt homo is.'

'Het heet The Best Little Hairhouse in Marshbury,' zei Mario.

'Dat meen je niet,' zei ik.

Mario knikte. 'Jij bent toch niet van plan om ons te verrraden, Esther? Ontrouw is geen goede eigenschap voor een dame.'

Esther knipperde schalks met haar nieuwe wimpers. 'Dan kun je me maar beter goed in de gaten houden, jongeman.'

'Met alle plezier,' zei Mario, en hij richtte zich weer tot mij. 'Ik zou me maar niet te veel aan die hond hechten, Bella. Op een dag komen ze hem halen, daar kun je gif op innemen.'

Ik keek naar Precious. Ze zat helemaal stil en gaf Vicky een poot. Ik kon bijna niet wachten tot ik klaar was met Esther en de folie op Precious' rug kon verwijderen voordat haar vacht beschadigd raakte. Gelukkig was ze zo klein dat ik haar in een wasbak kon wassen en uitspoelen. Misschien kon ik beter het aanrecht achter in de zaak gebruiken in plaats van een van de wasbakken die we gebruikten als we het haar van klanten wasten. Zolang Mario er was, zou ik dat in elk geval doen. En ik zou een goede conditioner gebruiken, misschien All Soft Conditioner for Dry and Brittle Hair van Redken. En daarna wat John Frieda SOS Magic Anti-Frizz Gloss Serum op de highlights, waar ze niet bij kon om het af te likken.

'Alsjeblieft, zeg,' zei ik. 'Ik hecht me niet eens aan haar. Ik heb maar voor een week eten voor haar gekocht. En trouwens, het is geen hij, maar een zíj.'

Mario keek op van zijn BlackBerry. 'Als je maar weet dat je haar vanavond niet mee kunt nemen.'

Ik begon haarlak op Esthers haar te spuiten, en ze wuifde met haar hand heen en weer voor haar gezicht. 'Vanavond?' vroeg ik.

'Twee senaatskandidaten en een live-debat in *Beantown*? Weet je nog? Om zeven uur? Het zou handig zijn als je zo af en toe in je agenda keek. Probeer het eens, zou ik zeggen.'

'*Beantown* is niet mijn werk. Het is...' Ik wilde haar naam niet eens uitspreken, dus deed ik dat niet.

'Sophia kan ze niet allebei doen, Bella. En omdat hun mensen niet willen dat ze voorafgaand aan het debat in dezelfde ruimte zitten, wordt er een tweede artiestenfoyer ingericht.'

'Geen denken aan. Je stuurt maar iemand anders.'

'Toe nou, Bella. Ik heb je nodig. Je hebt de gouverneur al eerder geschminkt en daar zijn geen klachten over gekomen.'

Met een schok realiseerde ik me dat ik nog steeds lak op het haar van Esther Williams stond te spuiten. Met deze coupe kon ze minstens een maand mee, al raasde er een orkaan over. Ik zette de spuitbus neer en haalde mijn vingers door mijn eigen haar terwijl ik probeerde een excuus te verzinnen om onder de opdracht uit te komen. Ik had geen inspiratie. 'Oké, ik doe het. Als ik maar niet in dezelfde kamer hoef te werken als je-weet-wel-wie. En dit keer doe ik de goede kandidaat.'

'Kom op, Bella. Sophia doet al jaren zijn make-up, dat weet je best.'

'Je kent mijn voorwaarden.'

Mario grijnsde. 'Goed. Ik zal zien wat ik kan doen.'

Ik maakte het klittenband van Esther Williams' kapmantel los en trok hem weg. Mario pakte haar elleboog en ondersteunde haar terwijl ze overeind kwam, en zij hield haar hoofd scheef zodat ze hem recht aan kon kijken. Precious sprong met grote sprongen op me af. Ik bukte en pakte haar met een scheppende beweging op.

'Goed, ik doe het,' zei ik. 'Maar alleen als Todd en jij kunnen oppassen.'

'Bella, het is een hónd. Die kun je wel een paar uur alleen laten.'

Ik begon de foliepakjes op Precious' rug open te vouwen. 'Daarover valt niet te onderhandelen,' zei ik.

Ik was woest. Dat was Sophia wel toevertrouwd: ergens als eerste aankomen en er dan een rotzooi van maken en overal spullen neersmijten en de hele make-upruimte in beslag nemen. De kamer was ongeveer zo groot als een manshoge kleerkast en stond in verbinding met de artiestenfoyer van de publieke omroep die *Beantown* produceerde. Over de hele lengte van de langste muur van de kamer was een rechthoekige make-upwand gemaakt met een hele batterij heel behoorlijke lampen erboven. Er stond een hydraulische stoel, en in de hoek stond een extra stoel om spullen op te zetten. Alles voor Sophia.

Ik werd geparkeerd in de geïmproviseerde artiestenfoyer aan het eind van de gang. En dat was nog niet eens alles: de noodvoorziening was in het herentoilet – of bijna in het herentoilet. Het was meer een kleine kamer die doorgang gaf tot het herentoilet, bijna half zo groot als de echte make-upruimte, en aan de ene kant was een muur met schools aandoende kluisjes en aan de andere kant een lage balie met een vieze spiegel erboven. Slechte verlichting. Geen televisie. Geen koffiezetapparaat. Hier zou ik met Mario nog eens een hartig woordje over spreken, dat was duidelijk.

Ik liep terug door de gang om een stoel te halen. In mijn tijdelijke onderkomen ontbrak het zelfs aan de meest basale voorzieningen. Als Sophia niet triomfantelijk in de hydraulische stoel had gezeten, had ik die in beslag genomen en meegesleept naar mijn hol. Maar ik had geen puf om haar er eerst uit te werken. Ik nam de stoel in de hoek.

'Heb je hulp nodig?' vroeg ze.

'Niet van jou,' antwoordde ik.

Inwendig kokend droeg ik de stoel terug naar mijn vertrekken en wachtte. En wachtte. En wachtte nog langer. Eindelijk verscheen de senator-die-herkozen-wilde-worden met zijn mensen op de gang. De deur van mijn atelier liet ik open. Logisch – als ik hem dicht zou doen, bestond er het gevaar dat ik zou stikken.

Mijn hoofd door de deuropening stekend, schonk ik ze mijn allercharmantste glimlach. 'Hallo,' zei ik. 'Hier is speciaal voor u een make-upkamer ingericht.'

De senator-die-herkozen-wilde-worden liep mijn deur straal voorbij, en ook zijn mensen liepen gewoon door. Een van hen – misschien zijn bodyguard – wierp een blik in mijn richting. Ik kon moeilijk bepalen of hij dat deed omdat ik zo onweerstaanbaar aantrekkelijk was, of omdat ik een potentiële bedreiging vormde voor de senator.

Ik leunde tegen de deurpost en zag hoe ze verdwenen in de richting van de echte artiestenfoyer, de echte make-upruimte en Sophia. Sophia kreeg altijd alles. Het was niet eerlijk. En het allerergste was, dat dat waarschijnlijk mijn eigen schuld was. Ik wist vrijwel zeker dat het mijn schuld was dat Sophia was geworden wie ze was.

Ik was twaalf toen Sophia geboren werd – de ideale leeftijd om op te passen, precies die gouden jaren waarin je als puber geld kunt verdienen als babysit. Als ik jonger was geweest, was ik zelf nog te veel kind geweest om op een ander kind te kunnen passen en een paar jaar later had ik het waarschijnlijk te druk gehad met achter de jongens aan zitten.

Ik was geobsedeerd door haar. Ik verschoonde haar luiers, deed haar in bad, gaf haar te eten, kleedde haar aan als een pop en wandelde met haar in een buggy door de wijk. Haar biologische moeder, mijn vaders nieuwe vrouw, negeerde ik en ik zag mezelf zo'n beetje als Sophia's echte moeder – of in elk geval als haar minimama.

Als ik thuiskwam uit school en mijn vaders huis binnen liep, begonnen Sophia's ogen te stralen. Elke dag weer. In die tijd was scheiden nog niet zo normaal als tegenwoordig, en bovendien had mijn moeder wel heel drastische maatregelen genomen door zelf weg te gaan en haar gezin moederloos achter te laten. Ze had een huisje gekocht in een naburige stad zodat ze dichter bij de universiteit woonde – dat het huis in een mindere buurt lag, nam ze voor lief.

Meestal brachten Mario, Angela en ik bij haar de nacht door. Angela en ik sliepen dicht op elkaar in stapelbedden in een klein slaapkamertje, Mario had een nog kleinere kamer voor zichzelf. Onze routine was: avondeten, naar bed, en ontbijten. Daarna bracht ze ons met de auto naar school in Marshbury en na schooltijd gingen we met de schoolbus naar huis – naar onze oude kamers en onze oude vader, zijn nieuwste nieuwe vrouw en, na verloop van tijd, Sophia. Ik vond het geen probleem om de helft van mijn kamer aan haar af te staan. Of de helft van mijn leven.

Mario was elf maanden ouder dan ik, Angela dertien maanden jonger. Mario en ik, en Angela en ik zagen er echt uit als een Ierse tweeling. Als je ons allemaal op een rij zou zetten, zou je een soort pseudo-Italiaanse Ierse drieling hebben. Mario had de onhebbelijke gewoonte ontwikkeld om mij meestal volstrekt te negeren. Ik negeerde Angela, die op haar beurt ons jongere halfzusje Tulia negeerde.

En dus besteedde ik al mijn aandacht aan Sophia, mijn jongste zusje. Ik deed strikken in haar haar, nagellak op haar teennagels, leerde haar 'Twinkel, twinkel, kleine ster' zingen en deed haar voor hoe ze op de piano 'Vader Jacob' moest spelen. Toen ik te oud werd om op te passen, namen mijn vrienden en ik haar bijna overal mee naartoe. Tijdens winkelen, voetbalwedstrijden, en ten minste de eerste uren van logeerpartijtjes bleef ze er gewoon bij.

En zo heb ik haar langzaam kapotgemaakt. Op den duur zag ze er net zo uit als ik, ze kleedde zich net als ik en ze gedroeg zich net als ik. Ik ging naar de universiteit van Massachusetts, UMass, en deed een master op de kunstacademie. Twaalf jaar later deed Sophia hetzelfde. Ik werkte een korte periode op de Blaine Beauty School en keerde terug om aan de slag te gaan in de salons van mijn vader. Jaren later deed Sophia hetzelfde.

Ik denk niet dat zij ooit heeft geleerd om zelfstandig te denken. Ik had moeten aandringen in plaats van toe te staan dat ze haar leven lang in mijn voetsporen volgde als een kleine menselijke kameleon die steeds van kleur veranderde en altijd bij mij bleef passen. Ik kon haar niet eens hartgrondig haten zonder me schuldig te voelen – ik was er minstens deels voor verantwoordelijk dat zij altijd alles wilde hebben wat ik had, inclusief mijn man. En alsof dat allemaal nog niet erg genoeg was, miste ik haar vreselijk.

10

Iets voor zevenen – de producer was al minstens drie keer naar mijn geïmproviseerde artiestenfoyer komen rennen op zoek naar de gouverneur-die-senator-wilde-worden – verschenen de man en zijn gevolg eindelijk. Ik sprong op van de ongemakkelijk lage stoel en pakte mijn airbrushpistool. De mensen van de gouverneur bleven op de gang staan. De gouverneur liep me zonder een woord te zeggen voorbij, en een ogenblik later hoorde ik hem luidruchtig wateren in de ruimte naast de mijne.

'Het is toch niet waar, hè,' zei ik hardop. Ik denk niet dat ik ooit sneller drie stappen heb gezet dan deze drie, die ik nodig had om de gang op te vluchten.

'Waar kom jij ineens vandaan?' vroeg een vrouw. Het was dezelfde vrouw die ik in de gouverneurswoning had gezien, dus waarschijnlijk was ze toch geen huishoudster. Eerder gouverneurshoudster. Ze reikte voor mij langs en sloot de deur. Vanavond droeg ze een zwarte rok, en ik was blij dat ik dat in elk geval goed had gezien: onder zwarte stof waren haar perfecte billen precies even groot en was de pantynaad nauwelijks te zien.

'Eh,' zei ik. 'Ze hebben hier nog een make-upkamer ingericht. Mijn spullen liggen binnen al klaar.'

De man naast haar duwde de deur weer open. 'Dan ben ik benieuwd waar ze de andere kandidaat opmaken,' zei hij. 'Maar dat vertellen ze ons vast niet.'

De producer kwam over de gang naar ons toe joggen. 'Tien minuten,' gilde ze.

'Geen paniek,' zei ik. 'Hij heeft er maar vier nodig.'

Zodra we hoorden dat het toilet werd doorgespoeld, gingen we naar binnen. De gouverneur was vast zenuwachtig voor het tv-debat. Misschien had hij iets verkeerds gegeten. Hij stonk in elk geval vreselijk, en ik hield zoveel mogelijk mijn adem in terwijl ik hem airbrushte.

'Jezus,' zei een van zijn mensen. 'Ik wacht op jullie op de gang.'

'Spiegel,' zei de gouverneur vier minuten later, nadat ik hem vlug had behandeld met wat extra poeder. Op een HR-beeldscherm is een glimmend hoofd erg lelijk.

'Hij wil een spiegel,' zei de gouverneursbode.

Ik hield hem de spiegel schuin voor. Hij knikte, en keek toen pas naar mij. 'Ik hoop dat ik in november op uw stem mag rekenen,' zei hij, terwijl hij zijn hand uitstak.

Ik pakte mijn airbrushpistool en knikte. In de ruimte naast mij had ik geen kraan gehoord na zijn toiletbezoek. Gouverneur of niet, ik schudde niemand de hand die zijn handen niet waste na een toiletbezoek.

Op de set van *Beantown* stonden twee stoelen klaar voor de kandidaten. De presentatrice en twee verslaggevers met blocnotes op schoot zaten recht tegenover hen. Zij waren al opgemaakt. Ik vroeg me af of Sophia dat allemaal had gedaan. Elke idioot begreep dat zij iedereen had ingepikt.

De mensen van de beide kandidaten kibbelden wat over wiens kandidaat in welke stoel mocht zitten, en toen was er nauwelijks nog tijd om de microfoontjes vast te maken en een vlugge soundcheck te doen.

Sophia sprong naar voren en depte haar kandidaat met een make-upsponsje op zijn voorhoofd – wat volgens mij volstrekt overbodig was. Het was pure aandachttrekkerij. Ook ik rende naar voren en plukte wat pluisjes van de revers van het jasje van mijn kandidaat – ik wilde niet overkomen als een luie make-upmadam die er de kantjes vanaf loopt.

'Iedereen weg van de set,' riep een man met een ik-meen-het-stem.

'Sorry hoor,' zei ik.

Hij vervolgde: 'We zijn live over drie... twee... één' en toen klonk het malle *Beantown*-tunetje en verscheen de *Beantown*-presentatrice op het scherm. Met haar afschuwelijke glimlach lachte ze veel te veel tanden bloot. Ik stond naast Sophia – niet bepaald de meest comfortabele plek die ik me kon voorstellen. Ook kon ik niets verzinnen wat ik minder interessant vond dan luisteren naar wat twee politici in een debat met elkaar bespreken.

Tijdens ons huwelijk was Craig altijd lyrisch geweest over politiek. En zo af en toe deed ik alsof ik geïnteresseerd was – zoals sommige vrouwen wel eens een orgasme veinzen. Maar politiek was niet mijn ding. Ik vond vrijwel alle politici leugenaars, dus waar ging het dan allemaal over? Je kon politieke partijen net zo goed afschaffen en mensen beter leren om met elkaar samen te werken, net als op de lagere school, toen trefbal tijdelijk werd afgeschaft om ruimte te maken voor nieuwerwetse teambuildingspelletjes. Kandidaten konden beter de handen ineenslaan en met vereende inspanningen samen winnen, in plaats van de strijd om het leiderschap aan te gaan. Het geld dat ze zouden uitgeven aan reclamemateriaal en chique etentjes, kon aan een goed doel gegeven worden, of worden gebruikt om eindelijk de kuilen in de wegen te dichten of de bruggen te repareren. Samenwerking in plaats van competitie – de wereld is al verdeeld genoeg.

Tijdens het reclameblok trok ik een sprintje om eerder bij mijn kandidaat te kunnen zijn dan Sophia bij die van haar. Ik flufte hem een beetje op, en daarna liep ik met mijn Angel-rouge naar een van de journalisten. Als Sophia dacht dat ze ze allemaal voor zichzelf kon houden, had ze het mis.

De journalist klapte vlug zijn aantekenblokje dicht, alsof hij bang was dat ik zijn geniale verhaal zou stelen – alsof mij dat iets interesseerde. 'Is dat rouge?' vroeg hij.

‘Nee hoor,’ loog ik. ‘Het is gewoon bronzer.’

‘Doe mij maar wat,’ zei de man naast hem. ‘Aan het begin van de zomer had ik een lekker kleurtje, maar dat bruine is er altijd weer veel te snel af, vind je niet?’

‘Iedereen weg van de set,’ riep dezelfde gemene man. ‘We zijn live over drie, twee, één...’

Nu vond ik een plekje iets verder van Sophia verwijderd. Ik sloeg mijn armen over elkaar en leunde tegen een muur. Ik begreep niet goed waarom Amerikanen zich altijd zo druk maakten om senatoren. Waarom moest Massachusetts geld betalen om iemand helemaal naar Washington te sturen, terwijl diegene ook hier kon blijven, thuis, waar meer dan genoeg nuttigs te doen was. Alleen al om alle bruggen en tunnels te repareren had je minstens twee presidentstermijnen nodig.

Deze mannen waren uitzonderlijk saai, zelfs voor politici. Zelfs al zou je ze samenpersen in één persoon, dan hadden ze volgens mij nog niet genoeg charisma om gekozen te worden – voor wat dan ook. Toen ik de kans kreeg om ze op de monitors te bekijken, zag ik dat ze ook geen van beiden bepaald fotogeniek waren. Met make-up kon je veel doen, maar het leven is nu eenmaal keihard – de camera is dol op je, of niet. In sommige culturen geloven ze dat een camera je ziel kan stelen. Of dat waar is, weet ik niet, maar dat een camera je je schoonheid kan afnemen, weet ik zeker.

De kandidaten gingen de hele avond door, tot *Beantown* eindelijk afgelopen was. Ik liep terug naar het herentoilet om mijn make-upspullen te pakken. Ik stond te popelen om naar het huis van Mario en Todd te gaan, zo benieuwd was ik hoe het met Precious was. Hoe lief en verantwoordelijk beide mannen ook waren, Precious begon mij zo langzamerhand vast te missen.

‘Bella,’ hoorde ik Sophia’s stem, zodra ik mijn geïmproviseerde make-upruimte binnenstapte.

Ik draaide me om en zei: ‘Wat?’

Sophia deed nog een paar passen in mijn richting. Het zag eruit alsof ze door kniehoog water mijn kant op waadde. Toen bleef ze daar gewoon maar wat staan, alsof ze nog in de derde klas van de lagere school zat en andere kinderen haar de hele dag hadden gepest. Ze had donkere kringen onder haar ogen. Hoewel die, Sophia kennende, misschien niet eens echt waren.

Ik wist voor de volle honderd procent zeker dat ze wachtte tot ik de eerste stap zou zetten – en haar bijvoorbeeld zou uitnodigen voor een drankje – zodat het voor haar makkelijker zou zijn om eindelijk haar verontschuldigingen aan te bieden. En om haar te helpen het hele verhaal op te biechten en een manier te vinden om het onmogelijke te doen: er samen uit komen.

Ze trok haar schouders op en liet ze weer zakken. Ze deed haar mond open. Ze deed haar mond weer dicht. Ze likte met haar tong langs haar lippen.

Het lukte me gewoon niet iets voor haar te doen. Dit keer niet, niet nu. Ik keerde haar de rug toe en verdween in mijn gewelven. Daar rommelde ik in mijn tas tot ik de lippenstift vond die ik zocht – Sheer Ice.

Toen ik bij Mario en Todd aanbelde, deed mijn moeder de deur open.

'Hoi mam,' zei ik. Ik boog voorover om haar een kus te geven en deed toen de deur achter me dicht. 'Ik dacht dat jij tot dinsdag bezet was. Ik had je nog willen bellen.'

'Het is vandaag dinsdag,' zei mijn moeder. Ik hield erg veel van mijn moeder, ook al had ze de onhebbelijke gewoonte om altijd gelijk te hebben.

Mijn moeder zag er geweldig uit – zoals altijd. Haar haar was dik en grijs en golvend en ze ging nooit de deur uit zonder rode lippenstift op te doen, dat was de enige make-up die ze droeg.

Ik hield mijn hoofd scheef om haar satijnrode lippen beter te kunnen bekijken. 'Dat is een nieuwe kleur,' zei ik. 'Ik vind hem mooi. Wat is het?'

Mijn moeder glimlachte. 'Lover,' zei ze, 'van Chanel.'

Precious kwam op ons af rennen om me te begroeten, en mijn hart maakte een sprongetje van geluk. 'O schat,' zei ik, en ik pakte haar op om haar te knuffelen. 'Wat heb ik jou gemist.'

'Ik zie wat jullie bedoelen,' zei mijn moeder tegen Mario en Todd.

'Wat?' vroeg ik.

'Bella,' zei Mario, 'ik heb al eerder gezegd dat je je beter niet kunt hechten aan een hond die niet van jou is.'

'Moet je horen wie het zegt,' zei ik. Ik hield Precious met gestrekte armen op een afstandje voor me, zodat ik kon lezen wat er op haar nieuwe T-shirt stond. Het shirtje was roze, van fijn gekamd katoen, en met letters van edelstenen was er HOOCHIE POOCHIE op geplakt. 'Ze is in elk geval meer van mij dan van jou.'

'Geen dank, graag gedaan,' zei Mario. Hij opende de oven en pakte er een met aluminiumfolie bedekt bord uit met wat het ook was dat zij als avondmaaltijd hadden gegeten, en zette dat voor mij neer op een placemat op het eeteiland in de keuken. Op de andere drie placemats stonden wijnglazen met half opgegeten bollen sorbetijs erin. Ik zette Precious op de grond, en Todd gaf me een vork en mes en een katoenen servet.

Mario en Todd waren een goed team. Todd deed de boekhouding voor ons familiebedrijf en Mario was degene die steeds met nieuwe ideeën kwam. Mario kookte, Todd ruimde op. Todd was de man van het hout, Mario de interieurontwerper. Todd hielp Andrew met zijn wiskunde en Mario leerde hem hoe hij zich moest kleden. Ze waren allebei fantastische ouders.

'Denken jullie dat ik als lesbienne gelukkiger was geweest?' vroeg ik.

Mario en mijn moeder keken elkaar veelbetekenend aan. 'Aan jou de eer,' zei mijn moeder. Mario knikte. 'Nee,' zei hij toen. 'Ik denk dat je gelukkiger was geweest als je met een man was getrouwd die geen zelfingenomen egoïstische zak was.'

Todd stak zijn hand in een tas die op het aanrecht stond en hield nog een minuscuul T-shirtje omhoog, ditmaal een turkooizen. Hij las de tekst voor die er op stond: 'IK VERDIEN GEEN HONDENLEVEN. We hebben geprobeerd dit T-shirt ook in jouw maat te krijgen, maar ze hadden geen mensenmaten meer.'

'Dat geeft niet,' zei ik. Ik nam een hap van iets pittigs met garnalen en rijst. 'Mmm, dit is lekker.'

Todd stak zijn hand weer in de tas en haalde er een zwart-wit KARMA'S A BITCH T-shirt uit, en een zachtgeel shirtje met poemaprintaccenten en de tekst DON'T HATE ME BECAUSE I'M BEAUTIFUL.

'Jullie zijn ongelooflijk,' zei ik. 'Wacht maar tot jullie opa worden – wat zullen jullie Andrews kinderen verwennen.'

Mario en Todd keken elkaar aan. 'Opa,' kreunden ze tegelijk.

'Ach, zeur toch niet zo,' zei mijn moeder. 'Het is lang zo erg niet als je denkt.' En ze nam nog een hap van haar sorbetijs.

'Ik verheug me nu al op dat getuttel met baby's,' zei Mario. 'Maar opa klinkt zo oud. Daar zal ik wel aan moeten wennen, dat ik opa ben. Alsof je zomaar ineens tien jaar ouder bent. Minstens tien.'

'Laten we ons eerst bezighouden met de bruiloft,' zei Todd. 'Dan moeten we ervoor zorgen dat Amy zwanger wordt, en pas dan komt jouw doemscenario aan de orde.'

'Nou, die bruiloft is al sneller dan je denkt,' zei mijn moeder. 'Niet te geloven dat het zaterdag over een week al zo ver is.'

Hoe graag ik er ook bij wilde zijn op de bruiloft van mijn neef, er was één ding waar ik me zorgen over maakte. Ik probeerde mijn stem zo normaal mogelijk te laten klinken toen ik vroeg: 'Jullie denken toch niet dat ze het in haar hoofd zal halen om hem mee te nemen?'

Todd en Mario keken elkaar aan. 'Negeer ze maar gewoon,' zei Mario. 'Het komt allemaal goed.'

Ik kon mijn oren niet geloven. 'Hoe kon je dat nou doen?' vroeg ik. 'Hoe kon je toestaan dat zij Craig meeneemt naar Andrews bruiloft? Hoe zou jij het vinden als Todd en jij uit elkaar gingen en hij iemand anders meenam?'

'Hij is Andrews vader,' zei Mario. 'Ik denk wel dat hij het recht zou hebben om dat te doen.'

Todd haalde alleen zijn schouders op, dus keek ik naar mijn moeder.

Mijn moeder lachte. 'Kijk maar niet naar mij, schat. Ik heb het met je vader ook een keer of wat meegemaakt. Maar het leven gaat door. Neem anders zelf iemand mee, als het dan makkelijker voor je is en je je er goed bij voelt.' Ze nam een hap ijs en keek weer op. 'Misschien neem ik ook wel iemand mee.'

Mario en ik keken elkaar aan. Ik vroeg me af wiens ogen groter waren.

11

'Wil je een date meenemen naar Andrews bruiloft?' vroeg Mario.

'Dat kun je niet maken,' zei ik. 'Dat overleeft pa niet.'

'Mijn moeder lachte. 'Maak je geen zorgen. Je vader zou het alleen maar fijn voor me vinden.'

'Ja, vast,' zei ik. Hoewel we allemaal wisten dat mijn vader er zelf verantwoordelijk voor was dat al zijn drie huwelijken op de klippen waren gelopen, was hij toch degene om wie we ons zorgen maakten waar het onze moeder betrof. Misschien omdat zij zo sterk was, en hij altijd meer had geleden onder het feit dat hun huwelijk voorbij was. Waarschijnlijk zou ik daar anders over moeten denken nu ik wist hoe het was om bedrogen te worden, maar hij was mijn vader, en ik hield van hem.

'Weet je, mam,' zei Mario. 'Hij wil nog steeds samen met jou begraven worden.'

'Over mijn lijk,' zei mijn moeder. Eerst schrokken we van wat ze zei, en toen barstten we allemaal in lachen uit. Mijn moeder mocht dan een lastpak zijn, ik moest toegeven dat ze soms ook erg grappig kon zijn.

'Volgens mij is dat precies wat hij voor jullie in gedachten heeft,' zei ik. 'Hij wil dat jullie sterven als een soort Romeo en Julia. Hij begint er altijd over na zijn derde glas chianti.'

Mario knikte. 'Ja, en dan staat hij op en speelt zijn eigen sterfscène. Niet bepaald Shakespeare, maar wel behoorlijk dramatisch.'

Mijn moeder glimlachte. Ze zag er ontspannen en stralend uit. Wie het ook was, deze nieuwe vlam mocht blij met haar zijn.

De laatste jaren was mijn moeder niet veel met mannen uitgegaan – niet voor zover wij wisten, althans. Eeuwen geleden was er een man uit Boston geweest, en een paar jaar geleden een rector van een plaatselijke middelbare school. Ze leek oprecht gelukkig te zijn in haar eentje. Ik vroeg me af of mij dat ook ooit zou lukken.

Ik nam de laatste hap van mijn avondeten, stond op en zette mijn bord op het aanrecht. Nu ik wat kon drinken, opende ik de ijskast en schonk voor mezelf een glas magere melk in. Ik hield het pak op voor eventuele andere geïnteresseerden. Iedereen schudde zijn hoofd, dus zette ik het terug in de ijskast.

'Denken jullie dat er een wet bestaat die vreemdgaan verbiedt?' vroeg ik, toen ik weer aan tafel zat. 'In het algemeen, bedoel ik?'

Mijn moeder roerde in het sorbetijs in haar wijnglas. Allemaal keken we naar haar. Precious pakte een bijtspeeltje en bracht het bij mij, zodat ik het voor haar door de kamer kon gooien. Tot nu toe was dat haar favoriete spelletje.

'In West-Europa,' begon mijn moeder ten slotte, 'en in de Verenigde Staten vinden maar vier op de tien mensen dat ontrouw onvergeeflijk is. In Turkije zijn dat er negen van de tien. Alles is dus relatief. Je moet zelf uitzoeken hoe dat voor jou is, Bella.'

Ik gooide het speeltje iets harder weg dan de bedoeling was, en het knalde bijna tegen een lamp aan. Todd kromp ineen, maar zei niets.

'We hebben het niet over mij,' zei ik.

'Natuurlijk wel,' zei mijn moeder.

'Ook goed,' zei ik. 'Ik ben zo Turks als het maar kan. En jullie?'

Mijn moeder haalde haar schouders op. 'Soms is overspel zo gigantisch en doet het zo'n pijn dat je denkt dat je nooit meer iemand zult kunnen vertrouwen. Dan worstel je daar een poos mee en dan vind je een manier om verder te gaan.'

'Ik doe mijn best,' zei ik. 'Heus.'

'Zeg, over pa gesproken,' zei Mario, 'Todd vindt dat we moeten proberen hem zo ver te krijgen dat hij zijn haar laat knippen voor de bruiloft.'

'Je wordt bedankt. Gooi mij maar onder de bus,' zei Todd. 'Ik weet niet of het wel zo'n goed idee is. Als iedereen naar de pseudo-Italiaanse Donald Trump kijkt, letten ze misschien niet op ons.'

Ik nam een slok melk. 'Maak je je daar zorgen om?'

Todd glimlachte. 'Op een grote zuidelijke bruiloft? In een conservatieve staat als Georgia?'

'Atlanta is anders wel dé homostad van het zuiden,' zei Mario. 'En Amy's ouders schrokken maar een klein beetje toen we met ze kennismaakten. Het enige wat telt, is dat Andrew en Amy gelukkig zijn. Dan zijn wij het ook.'

'Ik weet het,' zei mijn moeder. 'Jullie moeten samen actie tegen hem ondernemen. Interventie, heet dat.'

'Wat?' vroegen we allemaal tegelijk.

Mijn moeder glimlachte. 'Dat leren we families op het werk. Iedereen schrijft een brief waarin hij of zij uitlegt hoe bepaald gedrag – in dit geval een bepaalde haardracht – een negatieve impact heeft gehad op zijn of haar leven, en dan wordt de beschuldigde in een hoek gedreven en respectvol maar krachtig geconfronteerd met een liefdevol gesteld ultimatum.'

Ik voel een sprankje opwinding. Het was fijn om te weten dat ik nog steeds ergens opgewonden over kon zijn. 'Klinkt leuk,' zei ik. 'Ik doe mee.'

Mario en Todd keken elkaar aan. 'Wij ook,' zei Mario. 'Wat dachten jullie van vrijdag bij de vergadering?'

'Mam?' vroeg ik.

'Geen denken aan,' zei ze. 'Lucky Shaughnessy's haar is niet langer mijn probleem.'

Mijn moeder en ik liepen samen naar buiten, en Precious stopte om een plasje te plegen in het keurig aangeharkte voortuintje van Mario en Todd.

'Weet je zeker dat ze dat daar mag doen?' vroeg mijn moeder.

'Het is vast even goed als kunstmest,' zei ik. 'Jemig, moet je al die sterren zien.'

'Weet je nog dat ik je, toen je nog klein was, uitlegde hoe je de Grote Beer kon vinden? En dat jij me vroeg wat voor soort beer het was?'

'Ik vond een ijsbeer wel leuk, geloof ik.' Precious kwam naar me toe rennen en ging languit aan mijn voeten liggen. Ik bukte me en krabde haar op haar kopje. 'Mam, heb je ooit nagedacht over of het tussen pa en jou niet allemaal heel anders had kunnen gaan?'

Mijn moeder bleef naar de sterren kijken. 'Natuurlijk wel. Na de eerste gelukkige tijden is een huwelijk hard werken. Dat weet je. En we hadden drie kleine kinderen, terwijl we eigenlijk zelf nog kinderen waren. Je vader wilde dat zijn dromen ook die van mij waren. Maar ik had mijn eigen dromen, en dus ging ik terug naar school om mijn diploma te halen, vak voor vak. Hij wilde dat ik bedrijfskunde ging doen zodat ik in de salon kon helpen. Ik wilde sociaal werkster worden, juist om weg te komen uit de salon. Het werd steeds drukker in de salon en je vader nam stylistes in dienst, aantrekkelijke stylistes met dezelfde dromen als je vader, die ook zijn bed wel wilden delen. De rest van het verhaal ken je.'

Ik kwam overeind en sloeg mijn armen over elkaar. Het was al lang geleden, maar ik kon mijn ouders nog horen schreeuwen alsof het gisteren gebeurde. 'Heb je wel eens gewild dat je de klok kon terugdraaien en alles over kon doen?'

'Niet meer,' zei mijn moeder. 'Het leven was vermoeiend. Nu is het veel simpeler.' Ze leunde voorover en kuste me op mijn voorhoofd. 'Ik weet hoe moeilijk het is om de pijn te vergeten. Je voelt je vernederd. Maar geef de moed niet op, schat, ook voor jou bestaat er liefde. De volgende keer ken je jezelf beter en weet je nog beter hoe je wilt dat je leven eruitziet. Mijn advies is: gun jezelf tijd om te helen en spring er dan weer in – vol overtuiging.'

Op weg naar huis gingen Precious en ik even langs Salon de Paolo. Dat was niet moeilijk, omdat ik in het appartement erboven woonde. Mijn vader had een ingewikkelde constructie bedacht en had laten vastleggen dat ik uiteindelijk de eigenaar zou worden van de salon en van het appartement erboven. Nu huurde ik het appartement voor een vriendenprijs en in ruil daarvoor hield ik de salon in de gaten – je wist nooit wanneer de shampoodieven hun slag zouden slaan.

Toen we getrouwd waren geweest, had Craig moeite gehad met de regeling. Na de scheiding van zijn eerste vrouw had zij hem uitgekocht uit hun huis, en had Craig een appartement in Boston gekocht. Hij had het verhuurd zodra wij gingen trouwen.

Jarenlang hadden we felle discussies gehad over de vraag of mijn vader het appartement op mijn naam moest zetten, zodat Craig – mijn man – ook recht zou hebben op een deel. Craig had mijn naam nooit verbonden aan zíjn appartement.

Craig vond mijn vader een controlfreak. Mijn vader vond Craig een salonjager. Op een wonderlijke manier bestond er blijkbaar gerechtigheid: Sophia woonde ook boven een salon van mijn vader – een andere – en ook daaraan zou hij zijn naam niet kunnen verbinden. Over een paar eeuwen zou ik vast de humor kunnen inzien van het feit dat hij nu met haar zat opgescheept.

Ik deed de deur van Salon de Paolo van het slot en zette Precious op mijn andere arm, zodat ik bij het lichtknopje kon. Die dag had ik na het werk de rommelladen in de kamer achter in de salon, waar we onze airbrushapparatuur en de meeste make-up bewaarden, doorgespit. Ik had spullen gevonden die ik kon gebruiken voor mijn kits, waaronder een zak met doorzichtige flacons met een klikdeksel. Als ik had bedacht wat ik er in zou doen, zou ik met chocoladebruine nagellak een B – voor Bella – op de dekseltjes schilderen.

De opbergplanken in het kamertje doorsnuffelend, won ik de jackpot: vier flessen foundation voor professioneel gebruik in vier verschillende kleuren, variërend van porselein tot kastanjebruin, van elk een halve liter. Ze waren nooit geopend en stonden hier vast al jaren, ingeklemd tussen een doos oude metalen schuifspelden en een mand krulspelden die al sinds 1993 niet meer waren gebruikt. Mario had ze bij een make-upshow gekocht als reserve en was daarna vergeten dat hij ze had.

De foundation schiftte een beetje, maar nadat ik de flessen had geschud, waren ze weer zo goed als nieuw. Ik opende een fles om te controleren of de geur niet verdacht was, maar alles rook normaal. Blijkbaar bleef foundation langer goed dan lippenstift. Weinig mensen weten dat ze aan een lippenstift moeten ruiken voordat ze hem kopen. Een lippenstift kan er nog zo gewoon uitzien, als hij eenmaal zijn beste tijd heeft gehad, krijgt hij een vreemde smaak en gaat hij stinken. Als kinderen hadden we altijd ruzie gemaakt over wie de oude lippenstiften mocht hebben – na een aantal jaren konden ze niet meer verkocht worden. We leerden onszelf aan om door onze mond te ademen en onze lippen niet af te likken als we die lippenstift op hadden.

Met de foundation die ik had gevonden, kon ik zo'n honderd kits maken – ik zou tonnen besparen. Ik zou de kleuren kunnen mengen en voor iedereen een persoonlijk gemixte foundation in een kit doen – in een doorzichtig flaconnetje met klikdeksel. Beroemdheden betaalden kapitalen voor dergelijke producten. Op een studiekeuzebeurs zou ik voor een kit minstens negenentwintig vijfennegentig kunnen vragen.

Ik riep Precious, die onmiddellijk naar me toe kwam rennen. Het was onvoorstelbaar hoe snel ze een brave hond was geworden sinds wij samen waren. Ze had tegen niemand geblaft en nergens op de grond geplast. Ik hoopte dat die positieve uitwerking wederzijds zou zijn en dat ik een beter mens zou worden.

Ik deed het licht uit en deed de voordeur op slot. Precious liep achter me aan naar de zijkant van het gebouw, waar ik de deur naar mijn eigen ingang opendeed. We liepen de trap op naar mijn appartement. Mijn zus Angela had me geholpen bij het kiezen van de verf voor de voordeur: het was een warme strandkleur geworden – Coral Essence. De muren van het trapportaal waren twee tinten lichter.

Om duistere redenen had ik het altijd makkelijker gevonden om kleuren voor mensen uit te zoeken dan voor muren – en dat terwijl ik de kunstacademie had gedaan. De juiste kleur muurverf kon maken dat je blij was om thuis te zijn, en dat was precies wat Coral Essence voor mij deed. Angela en ik hadden weinig gemeen. Zij had het meestal druk met haar kinderen naar hun voetbalwedstrijden heen en weer rijden, en we brachten niet veel tijd met elkaar door. Ze werkte een paar dagen per week voor mijn vader, maar haar echte leven bestond uit ouderraadvergaderingen en etentjes – niet bepaald mijn wereld. Maar ik wist dat ik in een interieurontwerpcrisis op haar kon rekenen, en ze had mijn man nooit avances gemaakt.

De stilte in mijn appartement was afschrikwekkend. Ik was nog steeds niet aan de stilte gewend en ik wilde dat we in de familie een techneut hadden die een apparaatje in mijn voordeur kon inbouwen, zodat ik als ik thuiskwam enthousiast zou worden begroet met: 'Welkom thuis, Bella!' Misschien kon hij ook iets bedenken voor de open haard. En voor de sierlijke groenkoperen fontein op het balkon. Het zou prachtig zijn als die vrolijk begon te spuiten als ik binnenkwam.

Ik zette Precious' grote boodschappentas op de keukenvloer en deed water in haar keramieken drinkbakje. Terwijl zij dankbaar dronk, liep ik met haar nieuwe garderobe naar mijn slaapkamer. Het lukte niet om haar kleine T-shirtjes op mijn hangers te hangen – de armsgaten zaten te dicht bij elkaar – dus vouwde ik ze op en hing ze over de pantalonhangers en verdeelde die over Craigs kant van de kast. Ik deed een stap achteruit en probeerde te besluiten of de kast met Precious' kleren erin meer of juist minder triest en leeg leek.

Ik waste mijn gezicht, poetste mijn tanden, deed nachtcrème op en ging aan de rechterkant van mijn tweepersoonsbed liggen.

Slaap is onze beste vriend. Als we slapen, gaat ons lichaam in de herstelstand. Slaap stimuleert de aanmaak van nieuwe huidcellen – daarom zijn wallen onder je ogen de eerste tekenen van slaaptekort.

Terwijl ik naar het plafond lag te staren, deed ik alles behalve schaapjes tellen. In tegenstelling tot wat veel mensen zeggen, stimuleert dat de hersenen in plaats van ze rustig te maken. De calcium en tryptofaan in de melk die ik net had gedronken, zouden me moeten ontspannen, maar ik merkte er niet veel van.

Ik sloot mijn ogen. Op de tast zocht ik op mijn nachtkastje naar mijn Burt's Bees Replenishing Lip Balm with Pomegranate Oil en masseerde die zachtjes in mijn lippen zonder mijn ogen te openen.

Precious rende de kamer binnen – haar teennageltjes tikten op de eiken vloer. Ik vroeg me af of ik ze zou knippen. Ik zou ze zelfs kunnen polijsten. Ze sprong op mijn bed en nestelde zich tegen me aan.

Toen mijn mobiel ging, had ik het gevoel alsof ik onder water was en geen energie had om naar de oppervlakte te watertrappelen. Ik liet hem net zo lang gaan tot het geluid ophield. Toen rinkelde mijn vaste telefoon, die op het nachttafeltje naast mijn bed stond, vlak naast mijn oor. Vanuit mijn huidige positie kon ik de nummerweergave niet zien. Ik overwoog van positie te veranderen om te zien wie er belde, maar besloot dat de inspanning te groot was. Weer ging de telefoon. En nog een keer. Precious sprong op mijn buik en keek me bezorgd aan.

'Oké, oké,' zei ik. Ik strekte mijn arm, pakte de hoorn en nam op met 'Bella's Beauty Bag' – ik wilde uitproberen hoe die mogelijke naam voor mijn kits klonk.

'Bella?' De stem aan de andere kant van de lijn klonk snuffend. Vervolgens hoorde ik: 'Met Lizzie.' Alsof ik de stem van Craigs dochter niet uit duizenden zou herkennen.

Ik zat meteen overeind, en Precious gleed van me af alsof ik een skihelling was. Ik aaide haar toen ze was geland, zodat ze wist dat het een ongeluk was geweest. 'Lizzie, lieverd,' zei ik. 'Wat is er aan de hand?' Een seconde lang had ik het waanzinnige idee dat Craig dood was, hoewel elke vezel in mijn lichaam wist dat ik nooit zoveel geluk zou hebben.

Lizzie bleef huilen, en ik kende haar goed genoeg om te weten dat ik het beste gewoon kon wachten tot de huilbui over was. 'Ik ben er, Lizzie,' fluisterde ik.

Eindelijk haalde ze diep en haperend adem. 'Ik haat mijn moeder,' zei ze.

'Waar zit je?' vroeg ik.

'Op school.'

'Zo vroeg al?'

'Nou en. Zij vindt dat ik dokter moet worden. Het is toch zeker mijn leven? Ik weet wat ik wil. Er zijn hier geweldige majors in creatief koken. Ik wil mijn eigen show doen op het Food Network. Ik heb al een naam: *Radiatornoedels en andere successrecepten voor studenten*.' Duidelijk hoorbaar haalde ze haar neus op.

'Wauw,' zei ik voorzichtig. 'Een interessant idee.'

'Ik wist dat jij het zou begrijpen,' zei ze. 'Praat je er met mijn vader over? Naar mij luistert hij niet.'

Het was inmiddels een jaar geleden dat Craig was weggegaan. Ik wist dat tieners alleen met zichzelf bezig zijn, maar het kon haar niet ontgaan zijn dat Craig en ik uit elkaar waren. 'Lizzie,' zei ik. 'Ik ben niet de geschikte persoon om met je vader te praten. Misschien kan ...' Ik zocht naar de juiste woorden.

'Waag het niet haar naam te zeggen. Sophia is een *bitch*.' Lizzie klonk alsof ze weer begon te huilen, hoewel het dit keer wat geforceerd overkwam. 'Alsjeblieft?' Ik had nooit weerstand kunnen bieden aan haar smekende kleine-meisjesstemmetje.

12

Tulia was vroeg voor de vergadering. Ze had haar drie kinderen meegenomen, en omdat hun haar geknipt moest worden, zette ze ze ieder in een stoel. Vandaag hadden ze allemaal een spijkerbroek en een wit T-shirt aan, de kinderen en Tulia zelf. Blijkbaar was haar doel tegenwoordig een look voor het hele gezin – haar kinderen op kleur aankleden was niet voldoende. Ik nam me voor om Mario te vragen wat hij ervan vond.

Ruim voor de vergadering begon, waren er al wat haarstylistes binnengedruppeld die een nieuwe vlechttechniek wilden uitproberen. Een van hen had miniatuurschelpjes op haarspeldjes geplakt en verwerkte die nu in haar vlechten – ze stak eetstokjes in de vlecht die ze net in het haar van de styliste die voor haar zat, had gevlochten. Ik luisterde naar hun geroddel over The Best Little Hairhouse in Marshbury en vroeg me af of zij ertoe in staat zouden zijn om naar de andere kant van de straat te lopen en te informeren of het gras daar groener was. Haarstylistes zijn opportunisten, altijd op zoek naar de beste deal.

Sophia en haar moeder Linda, wel bekend als ex-vrouw C, waren vroeg gekomen, en Sophia had foliepakketjes in haar moeders haar gemaakt. Ergens ging een wekker af, en Sophia vouwde een pakketje open om de haarkleur te controleren. Daarna pakte ze ze een voor een uit.

'Zijn dat highlights?' vroeg een styliste.

Ik keek naar Sophia. 'Niet echt.' Het was eruit voor ik had nagedacht. 'Eerder lowlights – dieptepunten.'

Sophia keek me vuil aan. 'Moet je horen wie het zegt. Je bent zelf een mislukkeling,' zei ze.

'Wat zijn we kinderachtig,' zei ik.

'Het zijn lowlights,' zei Linda, Sophia's moeder. Ze articuleerde de woorden nadrukkelijk, alsof ze de styliste een nieuwe taal leerde. Vroeger hadden Mario, Angela en ik haar altijd stiekem nagedaan. Ik kon me levendig voorstellen hoe we achter haar rug 'low lights' mimeden. We hadden nooit begrepen wat onze vader ooit in haar had gezien. Met Tulia's maffe moeder, Didi, die een paar jaar daarvoor de vrouw in zijn leven was geweest, hadden we minder moeite gehad. Zij had tenminste niet geprobeerd om ons van alles te leren. Ze had ons genegeerd en gewoon dingen met onze vader gedaan – en dat vonden wij prima.

Mijn vader was nu een paar jaar alleen. Het leven ging door, en de moeders van Tulia en Sophia waren hertrouwd en werkten weer voor ons. Ik had dat altijd heel normaal gevonden – tot ik ging studeren en met wat nieuwe vrienden bij elkaar zat en we elkaar over onze families vertelden. *Wauw*, zeiden ze, *ik dacht dat het in mijn familie een chaos was.*

'In elke familie is wel iets,' had mijn sociaal werkende moeder laconiek gereageerd, toen ik het haar in de herfstvakantie had verteld. 'Mijn klanten zouden maar al te graag met je willen ruilen.'

Dik, krullend haar verprutsen is niet eenvoudig. Toch slaagde Tulia er behoorlijk in. Ze had het haar van haar dochter Maggie aan één kant op schouderlengte geknipt. Tulia had net zulk donker haar en net zo'n lichte huid als de rest van de Shaughnessy-clan, alleen had ze onze fameuze oog-handcoördinatie niet geerfd. Toen ze klaar was met knippen, had Angela haar nichtje bij de hand gepakt en haar meegenomen om het haar alsnog in een acceptabele coupe te knippen.

Tulia ging verder met haar oudste kind, Mack. Na een paar ferme knippen was zijn ene oor nog half bedekt, en het andere helemaal zichtbaar. Zijn pony liep scheef: de linkerkant was veel korter dan de rechter.

Mario liep naar ze toe en pakte nonchalant de schaar uit Tulia's hand.

'Wat doe je?' vroeg Tulia.

Mario schudde zijn hoofd en begon de schade te herstellen. Mack was sprekend zijn oom toen die zo oud was als hij. Als ik ze samen zag, was het alsof ik naar een computerscherm keek met portretten van dezelfde personen op verschillende leeftijden – je kon zien hoe iemand er later uit zou zien. Ik hoopte dat Mack net zo'n fijne broer voor Maggie zou zijn als Mario voor mij was.

Mijn vader maakte zijn entree door de tuindeuren. Hij had zijn gitzwarte haar strak achterovergekamd en met mousse vastgeplakt op zijn schedel. De Cover Your Bald Spot Instantly deed wat ervan verwacht werd. Mijn vader had bij elke vergadering een nieuwe look. Vandaag droeg hij een zwarte leren broek en een zwart T-shirt, en om zijn schouders had hij een zalmkleurige katoenen sweater geknoopt.

'Weet je zeker dat hij geen homo is?' vroeg Todd fluisterend aan Mario.

'Let op,' fluisterde ik. Iedereen had aantekeningen gemaakt, en we waren klaar voor onze haar-interventie. Het plan was hem de vergadering te laten leiden, zoals altijd, en onze actie te beginnen als hij zou vragen of er vragen of opmerkingen waren.

Mijn vader liep naar Sophia's moeder, Linda, pakte haar hand en boog voorover om er een kus op te drukken. '*Carissima*,' zei hij, haar hand vasthoudend. 'Elke keer als ik je zie, ben je weer mooier.'

Ze glimlachte en zuchtte: 'Wat ben je toch een onverbeterlijke romanticus.'

Mijn vader glimlachte naar haar. Hij was een geweldige man om mee uit te gaan – en een geweldige man om van gescheiden te zijn. Alleen de tijd daar tussenin was moeilijk. Hij liet haar hand los en knipte met zijn vingers, voor ons een teken om onze stoelen te pakken en ze in een halve cirkel om hem heen te zetten.

Sophia liep voor me. Ik dacht dat het luidruchtige gesleep met stoelen – plus de commotie die mijn vaders aanwezigheid altijd met zich meebracht – ons gesprek zou overstemmen. 'Zeg,' zei ik. 'Als je Craig ziet, vraag dan of hij mij wil bellen, oké?'

Ineens was het doodstil in de kamer.

'Waar gaat het over?' vroeg Sophia.

'Het gaat jou niet aan, maar het gaat over Lizzie.'

Ik zag de jaloezie op haar gezicht en genoot van mijn gevoel van triomf. 'Wat is er met Lizzie?' vroeg ze.

Ik haalde mijn schouders op. 'Vraag maar of hij belt. Of niet.'

Ik keerde haar de rug toe en zag nog net Precious op mijn vader af rennen. Piepend kwam ze vlak voor zijn voeten tot stilstand. Ze ging zitten en stak een voorpoot naar hem uit. Mijn vader negeerde haar. Precious ging staan en sprong. En nog eens. En nog eens. Ze kon goed springen en het lukte haar bijna om haar kleine lijfje tot op ooghoogte van mijn vader te krijgen – toch een man van bijna één meter negentig.

'Zie ik daar een hond in mijn salon?' vroeg mijn vader.

'Nee,' zei ik.

'Gelukkig maar,' zei mijn vader. Om zijn mond speelde een quasi-glimlach, de lach die wij, zijn kinderen, zijn Mona Lisa-lach noemden. Precious gaf alles in haar volgende sprong, en dit keer ving mijn vader haar op voor ze de daling kon inzetten. Hij hield haar op een armlengte van zich af en las wat er op haar T-shirt stond. 'KARMA'S A BITCH. Niet te geloven,' zei hij.

Precious hield haar kopje scheef en keek hem aan. Mijn vader gaf Precious aan mij. 'Volgens mij heb jij een nieuwe vriend nodig,' zei hij. 'En graag iemand die er beter uitziet dan die vent met wie je getrouwd was.'

'Nou, nou, Lucky,' zei Sophia's moeder, Linda.

Mijn vader opende de tuindeuren en pakte iets waar een laken over hing. Hij kwam bij ons staan en wachtte net zo lang tot hij zeker wist dat alle ogen op hem gevestigd waren, wachtte nog iets langer om het dramatische effect te vergroten en trok toen met een theatraal gebaar het laken weg. Op het handgesneden uithangbord dat hij ophield, stond: *The Best Little Hairhouse in Marshbury.*

Iedereen keek hem met open mond aan. 'Pa!' riep Angela ontsteld. 'Dat moet je terugbrengen. Nu meteen.'

Mijn vader grinnikte. 'Wat kon ik anders doen? Het is oneigenlijke reclame. Iedereen weet dat wíj de beste kapsalon in Marshbury zijn.'

'Inderdaad werken hier alleen goede mensen – op één iemand na,' mompelde ik nauwelijks hoorbaar.

'Wat je zegt,' zei Sophia.

Er viel een ongemakkelijke stilte. Mario verbrak het stilzwijgen en bracht het gesprek weer op gang. 'Dit kun je niet maken, pa,' zei hij.

'Ik heb het al gedaan, knul. Gelukkig hadden ze het nog niet vastgetimmerd.' Mijn vader raakte met één hand voorzichtig de bovenkant van zijn hoofd aan om te voelen of zijn haar nog in model lag. 'Maak je geen zorgen, ze missen het toch niet. Ik heb er een NIET PARKEREN-bord voor in de plaats gezet.'

Nu stond Todd op. 'Geef mij dat bord maar, Lucky,' zei hij. 'Een rechtszaak kunnen we niet gebruiken.'

'Als er íemand een rechtszaak riskeert, zijn zij het wel,' zei mijn vader. 'Als ze denken dat ze me met een list kunnen dwingen om mijn salon te verkopen, kennen ze mij nog niet. Alsof ik niet weet van wie die vastgoedhaaien mijn naam hebben.'

'Wat bieden ze?' vroeg ik.

'Bemoei jij je er niet mee, Angela,' zei mijn vader.

'Bella,' zei ik.

'Niet genoeg,' vervolgde mijn vader.

Todd hield zijn hand uit. 'Geef het bord, Lucky.'

Mijn vader haalde zijn schouders op en gehoorzaamde, en Todd liep met het bord onder zijn arm de deur uit.

'Oké. Nu gaan we allemaal rustig zitten,' zei mijn vader, terwijl hij de enige was die onrust creëerde. 'Van die lui aan de overkant kunnen we zeker concurrentie verwachten. Jullie zullen je best moeten doen om er hipper uit te zien. Vooral de jongens, als jullie begrijpen wat ik bedoel.' Heupwiegend deed hij een paar passen in zijn leren broek en draaide toen uiterst professioneel abrupt om – een model op de catwalk was er niets bij.

Plotseling sprong Mario op. 'Pa,' zei hij. 'Deze vergadering is voorbij. Dit is een interventie.'

Angela en ik duwden mijn vader in een stoel en hielden hem daar, half knuffelend en half duwend. Tulia stond op en ging haar kinderen uit de kinderspeelhoek halen.

'Mama mia!' brulde mijn vader. En hij voegde er *'Uffa'* aan toe toen Todd weer binnenkwam en de salondeur op slot deed.

'Wat doen jullie?' vroeg hij ten slotte toen hij alle Italiaanse woorden die hij kende, had gebruikt.

'Pa,' zei Angela. 'We willen dat je even naar ons luistert, oké?'

'Jullie zijn allemaal ontslagen,' zei mijn vader. Tulia's kinderen keken met grote ogen naar hun opa. Alledrie hielden ze een stuk papier vast. 'En die kleine smurfen krijgen huisarrest,' zei mijn vader, in hun richting gebarend.

We hadden een draaiboek gemaakt en het was de bedoeling dat de kleintjes als eersten zouden gaan. Hopelijk zouden ze hem vertederen. 'Nonno maakt maar een grapje,' zei Tulia. Mijn vader stond erop dat zijn kleinkinderen hem bij zijn Italiaanse titel noemden, in plaats van opa. 'Laat maar zien wat jullie voor Nonno hebben gemaakt.'

Mack, Maggie en Myles deden een stap naar voren. Mack was tot nu toe de enige van het stel die kon lezen, maar ook de anderen vouwden hun papier open alsof ze iets gingen voorlezen. 'Nonno,' zei Mack. 'We houden heel veel van u. U hebt gek haar. Wilt u het alstublieft afknippen?'

Maggie hield een ondefinieerbare krijttekening omhoog. 'Nonno,' zei ze. 'Dit bent u zonder nephaar. Dan bent u heel mooi.'

Myles giechelde en stapte met onvaste stapjes met zijn papier in zijn knuistje terug naar zijn moeder.

Ook Vicky, onze favoriete in haar ontwikkeling gestoorde jongvolwassene van het reïntegratiebureau, was gebleven voor de interventie. Haar begeleidster keek op van haar tijdschrift, maar Vicky redde zich uitstekend zonder haar. 'Gewoon hardop praten,' zei Vicky. 'En luid spreken.' Ze vouwde een opgefrommeld stuk papier open. 'Naar de kapper gaan doet geen pijn,' zei ze. 'Je hebt geen pleister nodig.' Giechelend ging ze weer zitten.

Angela verstevigde haar greep op onze vader terwijl ik hem losliet, en mijn hand in mijn zak stak om een briefje te pakken. Tot nu toe had ik het allemaal één grote grap gevonden, maar nu stond ik versteld van hoe emotioneel ik werd. 'Toen we in de tweede klas zaten,' stak ik van wal, 'verstopten we altijd jouw Cover Your Bald Spot Instantly spray. Op de middelbare school ruilden we je shampoo om met Nair. Niet omdat we niet van je hielden of omdat we vonden dat je er niet goed uitzag. Maar haar is een visitekaartje en wij vinden dat het tijd is om los te laten. Om je haar los te laten. Denk aan alle tijd die je zou besparen.'

'Jij hebt makkelijk praten,' zei mijn vader. 'Het is niet jouw haar. Kennen jullie het verhaal van Samson nog? Daar kunnen we wat van leren. Hij kwam ook uit Italië, zoals jullie weten.'

'Dat is niet waar,' zei ik. 'Samson kwam uit Israël.'

Mijn vader wilde niets liever dan de hele wereld Italiaans maken. 'Ook goed. De man die hem heeft geschilderd, in elk geval.'

Ik zag een plaatje in een kunstgeschiedenisboek voor me, een beeld uit een grijs verleden. 'Je hebt gelijk,' zei ik. 'Guercino. Hij heeft dat prachtige schilderij gemaakt met bruine inkt. Je weet wel, dat schilderij waar Samson naar de kale plek op zijn hoofd wijst.'

'Als ik hem bedek, heb ik helemaal geen kale plek,' zei mijn vader. 'Dat is het idee.'

'Kan iedereen bij de les blijven, alsjeblieft?' zei Todd.

Intussen had Mario zijn aantekeningen gepakt. 'Weet je, pa,' begon hij, 'toen mama met het voorstel kwam om deze interventie te houden–'

'Bij mijn geliefde Italië,' zei mijn vader. 'Was dit haar idee? Waarom zeiden jullie niet meteen dat het haar idee was?'

13

Toen mijn vader de beslissing genomen had, was er geen houden meer aan. Hij besloot dat hij net zo kaal wilde zijn als Kojak. 'Lolly's,' zei hij, terwijl ik de zalmkleurige sweater van zijn schouders nam en Todd hem een zwarte kapmantel omdeed. 'Iemand moet lolly's voor me halen.'

Hoe Sinéad O'Connor haar hoofd kaal had geschoren, wist ik niet, maar ik had ergens gelezen dat Britney Spears meteen een tondeuse had gebruikt. Wij waren het erover eens geweest dat we dit memorabele moment een ritueel tintje wilden geven.

In de salon lag een cd met *Best of Italian Opera* met De barbier van Sevilla, die we opzetten met de volumeknop open.

Mijn vader deed zijn ogen dicht. 'Ah, Rossini,' zei hij, alsof hij deze zelfde cd niet al sinds 1960 vrijwel continu beluisterde als hij in de salon aan het werk was.

Tulia pakte als eerste de schaar. 'Voorzichtig!' riepen we in koor. Tot nu toe ging alles van een leien dakje, en het zou jammer zijn als we zouden moeten stoppen om hechtingen te laten plaatsen.

'Ik hou van je, pa,' zei ze, terwijl ze de eerste knip gaf. Het lukte haar het te doen zonder zijn hoofd te raken, iets wat voor Tulia al een hele prestatie was. Toen pakte ze om beurten de handjes van haar kinderen vast en knipte met hen voorzichtig lokken haar af.

'Ik hou van u, Nonno,' zeiden ze een voor een.

'U mag op mijn feestje komen,' zei Maggie toen het haar beurt was.

Vicky begon meteen te vegen zodra de eerste pluk haar op de

grond viel. 'Waag het niet om ook maar één lok van mijn haar weg te gooien,' zei mijn vader. 'Mijn haar moet samen met mij begraven worden. Dat is de gewoonte in Italië.'

'Egypte, volgens mij bedoel je Egypte,' zei ik.

Hij had zijn ogen stijf dichtgeknepen in afwachting van de volgende knip, maar draaide zich toch om in mijn richting, waar het geluid van mijn stem vandaan kwam. 'Zo is het wel genoeg, juffrouw Betweter. Wie is hier de expert?'

'Oké,' zei ik. 'Dan doen ze dat in Italië én in Egypte.'

Toen we allemaal een lok van mijn vaders haar hadden geknipt, haalde Mario de tondeuse tevoorschijn.

'Niet zo snel,' zei mijn vader. 'Welke heb je daar?'

Mario keerde het apparaat om in zijn handen en las het label op de onderkant. 'De Remington Titanium?'

'Geen sprake van,' zei mijn vader. 'Ik wil alleen de Andis T-Edger, anders stopt dit feest hier en nu.'

Iemand haalde de andere tondeuse en gaf hem aan Mario, aan wie de eer te beurt viel. Met zijn allen keken we toe hoe de rest van het haar van onze vader in lange, sprieterige slierten op de grond viel.

Toen namen we hem mee naar de wasbak, waar Sophia de Cover Your Bald Spot Instantly uitwaste. We moesten zelfs Jolen Creme Bleach gebruiken om zijn schedel weer zijn originele kleur te laten krijgen, maar het resultaat was de moeite waard.

Tulia deed de kapmantel af en iedereen deed een stap achteruit om ons teamwerk te bewonderen.

Sophia's moeder, Linda, streek met haar hand over mijn vaders kale schedel. 'Zo zacht als babybilletjes,' zei ze. 'En wat staat het je ontzettend goed, Lucky Shaughnessy. Kaal is sexy.' Ze kwijlde er bijna bij, ook al was ze inmiddels zo goed als getrouwd met een andere man.

'Heel mooi,' zei Todd. 'Ik vind dat je er nu nog Italiaanser uitziet, Lucky. Voor zover dat mogelijk is, tenminste.'

'Slijm, slijm, mag ik even overgeven,' zei Mario.

Ik gaf mijn vader een spiegel, en hij hield hem aan alle kanten voor zijn hoofd, zodat hij zijn nieuwe look goed kon bekijken. *'Abbondanza!'* riep hij. Het stond hem echt geweldig goed. Zijn jukbeenderen kwamen veel beter uit, en ook zijn lichtbruine pretogen vielen zo veel meer op. En zijn hoofd was mooi van vorm. Hij was een perfecte MAC 25 – van de achterkant van zijn nek tot het topje van zijn schedel en dan aan de andere kant helemaal naar beneden. Die lichtbeige tint zou overigens mijn hele familie goed staan – en de rest van de bewoners van de Ierse Rivièra.

We aaiden hem allemaal over zijn bol omdat we geloofden dat dat geluk bracht, en ik tilde Precious op zodat zij ook een pootje op mijn vaders hoofd kon leggen. 'Team!' riep Angela. Het was overduidelijk dat zij veel te vaak naar sportevenementen had moeten rijden, maar omdat we één grote familie waren en deze operatie als team uitvoerden, deden we de yell vrolijk met haar mee. Eensgezind riepen we 'T-E-A-M!' en gooiden onze armen in de lucht boven Lucky Larry Shaughnessy's nieuwe glimmende kale kop.

Toen werd er op de salondeur geklopt. 'Gaat er nog iemand open doen?' vroeg mijn vader. 'Het is de pizza of het zijn de paparazzi.'

'Arrivederci,' riep mijn vader toen iedereen eindelijk wegging en naar hun auto's liep. Ik bleef nog even om de restjes pizza in plasticfolie te doen. Omdat mijn vader en ik de enige twee singles waren, wilde ik de pizza in twee stukken verdelen, zodat we er allebei morgen nog van konden eten.

Mijn vader liep de keuken binnen, met Precious op zijn hielen. 'Ciao, Bella,' zei hij. Hij leunde voorover en kuste me op mijn wang.

Ik wreef hem nog eens over zijn hoofd. Geluk kon ik zeker gebruiken. 'Het staat je echt fantastisch, pa,' zei ik.

'Ik had dit jaren geleden moeten doen,' zei mijn vader. Ik kon bijna zien hoe het verhaal aan het ontstaan was in zijn hoofd, en over niet al te lange tijd zou hij geloven dat het allemaal zijn idee was geweest.

Mijn vader liep langs me heen en deed de ijskast open. 'Kom, Bella. Kom even bij me zitten en drink een *digestivo* met je oude *babbo*.'

'O nee,' zei ik. 'Voor mij geen grappa. Ik haat dat spul, dat weet je.'

'Bella, Bella,' zei hij, terwijl hij de fles tevoorschijn haalde. 'Wat ben jij voor Italiaanse?'

Ik nam de deur van de ijskast van hem over en legde er de pizza in. 'Een Ierse Italiaanse, misschien? Heb je hier niets te drinken wat niet naar Karo-siroop smaakt?' Ik schoof net zo lang met de spullen in de ijskast tot ik een fles pinot grigio zag. 'Mag ik deze openmaken?'

Mijn vader knikte, en ik ging op zoek naar een kurkentrekker. Het was al jaren geleden dat mijn vader was gescheiden van zijn derde vrouw, en de laatjes in de keuken waren een eigen leven gaan leiden. In de bestekla vond ik drie T-stukjes voor het golfen en een pak speelkaarten, en toen pas zag ik de kurkentrekker. Aan de schroef zat nog een uitgedroogde, langvergeten kurk.

Mijn vader deed een kastje open, pakte een wijnglas en reikte mij dat aan. Toen ik het aannam, zag ik dat er op de onderste plank van de kast, keurig in het gelid, een hele rij ongeopende flessen grappa stond. Het leken wel soldaten.

'Pa,' zei ik. 'Al die grappa, hoe kom je daar aan?'

Mijn vader schonk grappa in een aperitiefglaasje en draaide zich om, terwijl hij zijn spiegelbeeld bewonderde in het glas van de kastdeurtjes. Toen streek hij met zijn hand over zijn hoofd en zei: 'Ik had net zo'n vastgoedhaai aan de telefoon en ik heb gezegd dat ze met een beter bod moeten komen als ze werkelijk geïnteresseerd zijn in mijn pand aan de waterkant.'

'Je overweegt toch niet serieus om het te verkopen?' Ik kon me mijn leven niet voorstellen zonder dit huis, met het paradepaardje van onze salons ernaast.

'Nee. Hoewel het een prima manier is om aan grappa te komen.'

'Pas maar op,' zei ik. De hele stad leek zo langzamerhand te worden opgeslokt door projectontwikkelaars. 'Wat je ook doet, teken niets zonder je leesbril op.'

Mijn vader verdween in de woonkamer en zette de operamuziek van Mozarts Figaro op. De muziek schalde door het huis toen hij de keuken weer in kwam en aan de eettafel ging zitten.

Ik ging bij hem zitten. Ik was dol op deze tafel. Het was een oude grenen tafel waar we in de loop der jaren allemaal onze sporen in hadden achtergelaten. Het was begonnen toen we vroeger huiswerk deden en soms per ongeluk te hard op onze potloden drukten. Nadat we ons blad met wiskunde-opgaven hadden opgepakt, bleek dat we voor altijd en eeuwig 12:4=3 in de tafel hadden gegraveerd.

Toen mijn moeder was vertrokken, waren we het expres gaan doen. Het was onze manier om te kijken hoe ver we konden gaan. Ik herinner me nog goed dat mijn vader mij een stuk schuurpapier gaf om de tekst *Ik haat je* die ik in de tafel had gekrast, eraf te schuren. Angela had me verraden, dat wist ik nog, maar of mijn woorden bedoeld waren voor Tulia of voor Sophia's moeder, dat was ik vergeten.

Mijn vader hief zijn glas naar me op. *'Salute,'* zei hij. *'Cin cin.'*

Ik stootte het aan met dat van mij. 'Wat zei onze ene opa ook alweer?'

'Slainté,' zei mijn vader.

'Slainté,' herhaalde ik, en we proostten nog een keer. 'Nu herinner ik het me weer. Jarenlang heb ik gedacht dat hij heel snel "slakkenthee" zei.' Ik nam een slok. 'Weet je, soms wilde ik dat je ons gewoon als Ieren had opgevoed in plaats van als

Italianen. Ons leven was dan vast veel eenvoudiger geweest.'

Mijn vader nam een slok van zijn grappa. Even trok hij een vies gezicht, toen ontspande hij het weer. 'Het leven is nooit eenvoudig,' zei hij.

'Wat zullen we nou krijgen? Vind jij grappa ook niet lekker?' vroeg ik.

'Het spul dat ze hier verkopen is te zoet voor mijn smaak. In Italië maken ze het sterker en puurder. Maar het gaat om het idee, en dat is nog steeds leuk.'

Mijn vader leunde achterover in zijn stoel en vlocht zijn vingers in elkaar achter zijn hoofd. Vervolgens liet hij ze over zijn kale hoofd glijden. 'Het is maar hoe je ernaar kijkt. Als wij echte Italianen waren geweest en in North End hadden gewoond, had ik Ierland misschien exotisch gevonden. Jouw opa had een lievelingsuitspraak: "Als je de mazzel hebt dat je Iers bent, heb je mazzel genoeg." Maar mijn vader was gewoon een goedkope Ierse barbier en ik wilde dat mijn familie het beter zou hebben. De droom van elke immigrant.'

Ik had dit verhaal al duizend keer gehoord. Mijn vader was geboren in het zuidelijke deel van Boston – officieel was hij dus helemaal geen immigrant. Maar ik hield mijn mond, nam nog een slok wijn en gunde hem zijn versie van het verhaal. Wat zou mijn droom als dochter van een immigrant moeten zijn? Wat was ik eigenlijk voor immigrant? Met mijn stamboom was dat allemaal behoorlijk ingewikkeld.

Precious sprong bij me op schoot en maakte het zich gemakkelijk.

Ik was niet van plan geweest het te zeggen, maar deed het toch. 'Denk je dat het mijn schuld is dat Sophia is geworden zoals ze is?' vroeg ik.

'Hoe bedoel je? Hoe is ze dan geworden?' Mijn vader stond op om zijn grappa weg te spoelen door de gootsteen en schonk voor zichzelf een glas pinot grigio in.

‘Ik weet het niet,’ zei ik. ‘Soms denk ik dat ze nooit de kans heeft gekregen om haar eigen interesses te ontwikkelen...’

Hij schonk mijn glas bij. ‘En daarom denk je dat ze jouw man wilde?’

‘Lekker, dank je. Ik weet niet. Misschien klinkt het raar. Of is het waar.’

Mijn vader keek naar het plafond en haalde diep adem. ‘En ik heb altijd gedacht dat jij misschien een ander soort man zou hebben uitgekozen als ik een beter voorbeeld zou zijn geweest.’

Ik strekte mijn arm en legde mijn hand op die van hem. ‘O pa, ben je gek. Dat heeft helemaal niets met elkaar te maken, daar is geen enkel verband.’

‘En jij bent niet verantwoordelijk voor het gedrag van je zus.’

‘Halfzus,’ zei ik.

‘Bloed is sterker dan water.’

‘En dan grappa?’ Ik nam een slok wijn. Precious schokte in haar slaap. Waarschijnlijk had ze een nachtmerrie over haar vorige eigenares, die vreselijke Silly Sirene de Bruid. ‘Weet je,’ zei ik. ‘Ik mis Sophia echt ontzettend. Veel erger dan ik Craig ooit heb gemist. Maar ik weet niet hoe we hier ooit uit kunnen komen. Ze heeft me vreselijk verraden en dat kan ik gewoon niet accepteren.’

‘L’amore domina senza regole,’ zei mijn vader.

‘En dat betekent?’

‘Liefde regeert zonder regels. Zo zou ik het althans vertalen.’ Hij grijnsde. ‘En anders heb ik je misschien net in het Italiaans de huid vol gescholden.’

‘En wat houdt dat in? Ervan uitgaande dat jouw vertaling correct is, tenminste.’

Mijn vader steunde met zijn ellebogen op tafel. ‘Iedereen maakt fouten in zijn leven, Bella. De een meer dan de ander. Misschien denk je dat je er mee weg kunt komen. Of denkt de ander dat hij of zij er mee weg komt. Of kiest één iemand – of jullie allebei – ervoor er niet meer aan te denken. Maar het is gebeurd. En als het gebeurt, kun je twee dingen doen: het als een soort vergif je systeem van binnenuit laten wegvreten of je eroverheen zetten, het achter je laten en verder gaan met je leven en proberen daar iets moois van te maken.'

'Heb jij dat gedaan met mam?' vroeg ik.

'Nee,' zei mijn vader. 'Dat heeft zij met mij gedaan.'

14

Ik rommelde wat in mijn lippenstiftla. Ik had behoefte aan een sterke, zelfverzekerde kleur – en aan hydratatie. Bijenwas, cacaoboter, jojoba en amandelolie zijn geweldige vochtinbrengende ingrediënten. Ik vond een dieproze Tarte Inside Out Vitamin Lipstick met de toepasselijke naam Revive, met jojoba, vitamine A en C, E en K – en acaí, groene thee en lychee-extracten. Deze lippenstift had alles in zich wat een vrouw nodig heeft. Als ik deze lippenstift als een lolly zou opeten, kon ik de komende maanden zonder vitaminepillen.

Het liefst wilde ik Sean Ryan opbellen en voorstellen om elkaar op de studiekeuzebeurs in Providence te ontmoeten. Ik wilde dat hij goed begreep dat ons contact puur zakelijk was. Ik was razend enthousiast over mijn kits, en het feit dat hij een aantrekkelijke single man was en ik een jaar geleden door mijn man was gedumpt, speelde geen enkele rol.

Natuurlijk herinnerde ik me vaag iets wat hij had gezegd. Iets over dat hij helemaal niet in mij geïnteresseerd was, niet op die manier. Maar mensen zeggen zoveel, en het is altijd goed om precies te weten waar je aan toe bent. Met mijn eigen auto gaan, was een duidelijk signaal, vond ik zelf. Het maakte duidelijk dat onze relatie wat mij betrof beroepsmatig was.

Mijn visie was de volgende. Als ik mijn leven overzichtelijk zou weten te houden, zag ik een fijne toekomst voor me. Een toekomst met weinig drama, een klein hondje, hier en daar een mooie wandeling en een enerverend, nieuw en creatief kitsavontuur. Veel mensen waren perfect gelukkig met een heel bevredigend leven als single. Dat mensen deel moesten uitmaken van een setje is een achterhaald idee – mensen zijn toch geen zout- en peperstelletjes? En trouwens, welk zichzelf respecterend mens gebruikt tegenwoordig nog zout?

En een rebound-relatie, dat was niets voor mij. Dank u feestelijk. Nu ik er nog eens over nadacht, vond ik de opmerking van Sean Ryan behoorlijk denigrerend. Alsof ik een vrouw was die het nodig had om eerst volledig in te storten en dan een tijd de geslagen hond – c.q. vrouw – moest uithangen tot ze zich weer als een normaal mens kon gedragen. Ha. Op een paar kleine dingen na – met mijn tas op Craigs voorruit slaan, een steen naar zijn auto gooien, en, oké, ik schaam me er een beetje voor en het lijkt al eeuwen geleden: zijn anti-jeukcrème in een envelop doen en die opsturen naar Sophia – had ik niet de behoefte gevoeld om me te willen wreken.

Natuurlijk had ik destructieve fantasieën gehad. Ik had overwogen om ons matras op het dak van mijn Kever te binden en zo naar Boston te rijden en het ding daar op straat in de fik te steken – voor Craigs kantoor. Maar het verkeer op de zuidoostelijke ring was een ramp en daar met een matras op je auto gaan rijden was zo goed als zelfmoord. En daarbij geloofde ik niet dat Craig en Sophia in ons bed hadden geslapen. Waarom zouden ze? Sophia had zelf een prima bed en er was niemand geweest om het mee te delen sinds ze het had uitgemaakt met haar laatste vriendje. Sophia's relaties duurden nooit lang, en ik had me altijd afgevraagd waar zij naar op zoek was in een man. En nu wist ik het: precies dat wat mijn man had.

Dus had ik een compromis gesloten: ik had onze lakens aan een blijf-van-mijn-lijf-huis geschonken, met enkele huwelijkscadeau's die ik toch nooit mooi had gevonden. En daarna had ik voor mezelf prachtig nieuw beddengoed gekocht. Nogal een dramatische afscheidsactie, ik weet het, maar zo zit ik nu eenmaal in elkaar. Ik kan het ook niet helpen. Ik herstelde snel van de klap. Ik was rustig gebleven en had helder gezien wat er aan de hand was. Ik had de scherven van mijn leven opgeraapt en me erop voorbereid om solo te vliegen.

Of tenminste – bijna solo. Precious kwam de keuken binnen rennen. Ze droeg vandaag haar DON'T HATE ME BECAUSE I'M BEAUTIFUL T-shirt, en het zachte geel harmonieerde prachtig met haar nieuwe highlights.

Toen ze me aankeek met haar grote chihuahua-terriër-ogen, wist ik dat ze het wist.

Ik bukte en krabde haar achter haar oren. 'Het spijt me,' zei ik. 'Maar ik kan je vandaag echt niet meenemen. Dit is een zakenbezoek.'

Ze hield haar kopje scheef en drukte het tegen mijn hand terwijl ik haar bleef krabben.

'En ik kan je bij niemand anders onderbrengen omdat ik nog niet wil dat mijn familie iets weet over mijn kits. Je hebt geen idee hoe dominant ze zijn. Geef ze één vinger en ze nemen je hele hand – ze pakken je alles wat je hebt af. Daarom is het beter om ze nog even niets te vertellen, snap je?'

Precious trok haar kuifjeswenkbrauwen op. Dit kletsen tegen je hond was verslavend. Ik vroeg me af of ik het kon maken om Sean Ryan nu nog te bellen en te zeggen dat ik hem liever daar wilde ontmoeten. Natuurlijk zou hij me moeten vertellen waar ik moest zijn en hoe ik moest rijden, want tot nu toe wist ik alleen dat we in Providence moesten zijn, en dat was een redelijk grote stad. Ik zou achter hem aan kunnen rijden. Ik kon zeggen dat ik na afloop nog ergens heen moest en dat het onzin was om eerst helemaal naar mijn huis te rijden om mijn auto te halen.

Het leek me een goed plan. Gisteravond had ik, voor ik naar bed ging, alle kits die ik had gemaakt in twee grote kartonnen dozen gedaan. Ik zette de dozen op elkaar en slingerde mijn tas over mijn schouder, de huissleutels had ik al in mijn hand. Ik zette de deur op een kier en gooide een hondensnoepje naar de andere kant van de kamer, zodat Precious er achteraan zou rennen.

'Ik ben zo weer terug,' zei ik, alsof het de normaalste zaak van de wereld was. Hoe mensen ooit hun kinderen in de steek konden laten, was mij een raadsel. Ik pakte de dozen op en liep langzaam achteruit de deur uit.

Toen trok ik de deur dicht en leunde tegen de deurpost terwijl ik afsloot. Vervolgens draaide ik me om en nam een stap. Precious begon hard te janken.

Ik gilde. 'O mijn god, is het goed met je? Hoe kom jij nu buiten?'

Ik hoorde een autodeur dichtslaan. 'Sta je daar in jezelf te praten?' riep Sean Ryan naar boven.

Ik keek over de balustrade naar beneden. 'Nee hoor. Er is hier een hondje dat me te slim af is. Denk je dat ik haar mee kan nemen?'

Sean Ryan lachte naar me. Hij droeg een donkere spijkerbroek en een marineblauw met wit gestreept overhemd met opgerolde mouwen. Het was maar goed dat hij snel antwoord gaf – ik was bijna vergeten wat ik had gevraagd. 'Waarom niet?' zei hij. 'Dan kan ze onze chaperonne zijn.'

Ik deed mijn mond open om te zeggen dat we geen chaperonne nodig zouden hebben.

'Ik weet het,' zei hij. 'We hebben geen chaperonne nodig.'

'Precies,' zei ik.

'Precies,' zei hij. 'Dan is ze onze assistente, ook goed.' Hij rende met twee treden tegelijk de trap op en pakte de dozen uit mijn handen. Pas toen hij halverwege de trap naar beneden was, bedacht ik wat ik wilde zeggen, en ik riep: 'Dat kan ik zelf ook wel,' tegen zijn rug. Omdat hij niet reageerde, hurkte ik neer en tilde Precious op. 'Hij blijkbaar ook,' zei ik.

Tegen de tijd dat Precious en ik hem hadden ingehaald, was

Sean Ryan bezig de dozen in de achterbak van zijn donkergroene Prius te laden. 'Ehm,' zei ik.

Hij sloeg de achterklep dicht en draaide zich naar me om. 'Ehm?' vroeg hij.

Ik was vergeten hoe ontzettend knap hij was. 'Misschien is het beter als ik met mijn eigen auto ga. Voor als je later nog ergens naartoe moet? Nee, dat bedoel ik niet. Ik bedoel dat ík nog ergens heen moet. O, laat ook maar zitten.' Precious en ik liepen om de auto heen naar de passagiersdeur.

'Gaat het wel goed met je?' vroeg hij, terwijl we onze autogordels vastmaakten.

'Prima,' zei ik. 'Vertel eens, hoeveel doet deze auto op een volle tank?' Misschien lag het aan mij, maar ik vond het interieur aan de krappe kant. Toen ik mijn autogordel vastmaakte, stootten we bijna met onze knokkels tegen elkaar.

'Geen idee. Ik kick vooral op het gevoel van superioriteit dat ik in deze auto heb.' Precious sprong van mijn schoot naar die van hem, en omdat ik er niet over peinsde om haar daar vanaf te halen, moest ze zelf maar zien hoe ze bij mij terugkwam.

'Wat?' zei ik.

'Dat was een grapje,' zei hij. 'Maar jij lacht niet.' Hij reikte me Precious aan, en toen ik haar overnam, maakten onze handen een seconde lang contact.

Ik trok mijn hand terug. 'Het was geen goede grap,' zei ik.

Hij startte de motor. 'De volgende keer zal ik beter mijn best doen,' zei hij. Hij reed achteruit het parkeerterrein af en sloeg rechtsaf, richting de snelweg. 'Weet je zeker dat alles goed is?'

'Kon niet beter,' zei ik. Ik streek mijn broek glad en verschikte mijn vederlichte Chico-zomerjackje zodat het niet zou kreukelen onder de autogordel. 'En wat ben ik je verschuldigd voor de rechterhelft van de tafel van vandaag?'

'Jij mag het etentje betalen,' zei hij.

Ik sloeg mijn handen in elkaar. Het maakte meer geluid dan de bedoeling was, en Precious sprong verschrikt op en vluchtte weg over de leuning naar de achterbank. 'Hé,' zei ik. 'Voor het geval je het vergeten bent: dit is puur zakelijk.'

'Oké,' zei hij. 'Dan delen we de rekening. Maar ik betaal alleen voor dingen die ik heb besteld, dus als jij een voorgerecht neemt en ik niet, dan wil ik daarover geen gezeur als we afrekenen.'

'Doe niet zo irrelevant,' zei ik.

'Katherine Hepburn en Cary Grant, *Bringing Up Baby*, 1938.'

Ik draaide me om en keek hem aan. 'Wát?'

'Dat is een zinnetje uit die film. Of in elk geval zoiets. En daarna zegt Cary Grant dat hij zich op stille momenten op een vreemde manier tot haar aangetrokken voelt. Als ik het me goed herinner.'

'Is dat jouw manier om te zeggen dat ik mijn mond moet houden?'

Hij lachte. Hij had een aangename, volle lach die uit zijn buik leek te komen. Hij lachte voluit en de hele wereld mocht het horen. Ik zou het vast nog leuker hebben gevonden als hij niet om mij had gelachen.

Hij nam dezelfde route naar de snelweg die ik ook altijd nam. De afgelopen jaren waren we elkaar misschien wel duizend keer voorbijgereden. Ik was een intelligente vrouw, maar het was alsof mijn hersens tijdelijk geen dienst deden. Bij de oprit naar de snelweg zette Sean Ryan zijn richtingaanwijzer aan, meerderde vaart en voegde moeiteloos in tussen het voortrazende verkeer. 'Wat is jouw lievelingsfilm?' vroeg hij.

'Hmm,' zei ik. 'De laatste tijd neig ik naar *Thelma en Louise*.' Ik vond het niet nodig om hem te vertellen dat ik de film de afgelopen week drie keer had gezien en dat ik één van die keren een beetje te veel in de film was opgegaan en de schietscène een paar keer had teruggespoeld en afgespeeld en dat ik dan had gedaan alsof die man Craig was. 'Zij doen tenminste iets met hun leven en laten zich niet op hun kop zitten. Op het eind gaan ze dood, maar dat gaan we uiteindelijk allemaal.'

Sean Ryan knikte. 'Ik weet nog goed dat mijn vrouw mij meesleepte naar die film. Een geweldige *roadmovie*, dat zeker. Die ene keer had zij helemaal gelijk, dat moet ik haar nageven.'

Ik keek opzij om te zien of hij lachte. Precies op dat moment keek hij mij aan. 'Mijn man had ook niet vaak gelijk,' zei ik.

'Volgens mij is dat typisch iets voor exen: niet vaak gelijk hebben.'

Ik knikte. Een tijd lang zwegen we. Precious was weer op mijn schoot gesprongen, en terwijl ik naar buiten keek, streelde ik over haar stugge haar.

'Hoe lang mag je die hond eigenlijk houden?' vroeg Sean Ryan.

Geschrokken keek ik hem aan. 'Wat bedoel je dáár mee?'

'Wat bedoel ik wáár mee? Eens moet je haar toch teruggeven, of niet soms?'

'Ik weet het niet,' zei ik. 'Als ze haar echt terug zouden willen, dan hadden ze haar al lang opgehaald. Denk je niet?'

'Wauw,' zei hij. 'Wat kun jij goed ontkennen, zeg.'

15

Zodra Sean Ryan iets zei over Precious teruggeven, drong het met een klap tot me door: ik had haar in mijn hart gesloten en kon me geen leven meer voorstellen zonder haar. Waarom is het zo dat zelfs als je uit alle macht probeert je aan niets en niemand te hechten, er altijd iemand in slaagt dichtbij te komen? Ik zou een verdomd slechte boeddhist zijn. Als ík de hele dag had lopen ploeteren om een perfect zandkasteel te bouwen, zou ik mijn meesterwerk, als het tij keerde en de golven mijn bouwwerk dreigden te verwoesten om me eraan te herinneren dat niets in het leven blijvend is, snel uitgraven en bedenken hoe ik het mee kon nemen naar huis.

Het klinkt idioot, ik weet het. Maar ik was Sophia kwijtgeraakt. En ik was Craig kwijtgeraakt. En ineens was de gedachte dat ik ook dit lieve hondje kwijt zou raken bijna ondraaglijk. We waren net de North Garage bij het Rhode Island Convention Center binnen gereden, en ik moest mijn best doen om niet te huilen. Ik huil normaliter nooit, maar op dat moment had ik het gevoel dat Precious het enige was wat echt van mij was.

Sean Ryan vond een plek naast een ingang en parkeerde de auto. 'Hé,' zei hij. 'Het spijt me dat ik dat zei. Echt. Ik bedoelde het niet zo. Misschien laten ze je haar gewoon houden.'

Ik veegde vlug mijn ogen af met de rug van mijn hand. 'Het klinkt behoorlijk dom zoals jij het zegt. Ik weet het niet. Ik denk steeds dat ze haar misschien wel vergeten zijn. Als je net getrouwd bent, heb je wel wat anders aan je hoofd. Toch?'

'Hoe lang is het nu geleden? Een week?'

'Nee,' zei ik. 'Veel langer.' Ik sloot mijn ogen en dwong mezelf uit mijn hoofd de berekening te maken. 'O jee. Je hebt gelijk. Vandaag precies een week geleden. Hoe lang duurt een huwelijksreis? Weet jij dat nog?'

'Nooit lang genoeg,' zei Sean Ryan.

Ik tilde Precious op en legde haar tegen mijn schouder terwijl ik haar op haar rug klopte. 'Ik vind het alleen vervelend dat de bruid van wie ze was, haar niet eens leuk vond.' Ik bedekte een van Precious' oren met mijn hand en duwde het andere in mijn hals. 'Ik hoorde haar zeggen dat ze de volgende keer een *pekipoe* zou nemen,' fluisterde ik.

'Bedekte je zijn oren toen je dat zei?'

'Tuurlijk. Precious is heel gevoelig.'

Sean Ryan keek op zijn horloge. 'Oké,' zei hij. 'Het is bijna twaalf uur. Laten we naar binnen gaan. En maak je geen zorgen, er moet een manier zijn om hem te kunnen houden. We denken er allebei over na, en vanavond bij het eten maken we een plan.'

'Dank je,' zei ik. 'Alleen is het geen hij. Het is een zij.'

Sean Ryan stak zijn hand uit en aaide Precious. 'Sorry, meisje,' zei hij. Even liet hij zijn hand rusten op mijn schouder, en een ogenblik lang dacht ik dat hij zijn armen om me heen zou slaan. Ik kon zijn schone, gestreepte overhemd bijna tegen mijn huid voelen.

Hij opende het portier aan zijn kant, en ik keek hoe zijn overhemd uit het zicht verdween. Toen stapte ik ook uit. We liepen om de auto heen naar de achterkant van de Prius en begonnen onze dozen uit te laden.

Precious zat onopvallend weggedoken in mijn tas terwijl wij onze rijbewijzen lieten zien aan een kreukelige dame die aan een tafel in de lobby zat. Ze gaf ons onze badges, en we liepen door naar de lift.

Onze tafel was in de Rotunda Room, een mooie, zonnige ruimte, en Sean Ryan maakte er geen probleem van en liet mij aan de rechterkant staan. Er liepen veel in tweed geklede mensen rond, die druk bezig waren om alles klaar te zetten. Make-upmensen zag ik niet, maar aan de andere kant van de kamer stonden wel massagetafels. Ik vroeg me af of de veilige sumoworstelring er ook zou zijn.

Sean Ryan legde een wit tafelkleed over onze tafel en begon zijn kits uit te pakken. Hij knikte in de richting van mijn dozen. 'Goed,' zei hij. 'Laat maar zien wat je hebt.'

Ik zette mijn schoudertas op de grond, en Precious stak haar kopje eruit en begon nieuwsgierig om zich heen te kijken. Alles was goed met haar, dus maakte ik een van mijn dozen open en begon mijn kits uit te laden.

'Hé,' zei Sean Ryan. 'Die zien er goed uit. Waar heb je die gevonden?'

'Ik heb ze zelf gemaakt. Of eigenlijk: zelf opgeleukt.'

Ik begrijp niet hoe mensen kunnen overleven in delen van het land waar ze geen Christmas Tree Shops hebben. Dat 'Christmas' is eigenlijk onzin. Ze hebben het hele jaar door geweldige aanbiedingen en je kunt er van alles kopen waarvan je niet wist dat je het nodig had tot je het ziet, en plotseling niet meer zonder kan. En ze zijn spotgoedkoop.

Eerder die week was ik in de winkel in Marshbury geweest, en ik had er doorzichtige plastic reistoilettasjes met kleine zakjes op de voorkant gezien. In de zakjes had ik miniatuur schuimrubber uitsteekvormpjes gedaan – bloemen, gezichtjes, yin-yangsymbolen, en *B*'s van *Bella* – en ze dichtgelijmd met mijn hetelijmpistool. Als je met het toilettasje schudde, bewogen de vormpjes. Het waren een soort schoonheidssneeuwkoepeltjes.

Door het lipje van de rits had ik een sliert raffia getrokken. Ik had er een kaartje van mulberrypapier met grassprietjes aan vastgeknoopt, waar ik met een perforator een gaatje in had gemaakt. Met mijn kalligrafieachtige handschrift had ik de tekst erop geschreven, met dezelfde letters die ik gebruikte als er voor een van de salons een bord gemaakt moest worden. Soms was het handig dat ik de kunstacademie had gedaan.

Het was lastig geweest om een goede naam voor mijn kits te verzinnen. Bella's Beauty Bag? Beauty Bag van Bella? Bella's Bag? Beauty van Bella? Uiteindelijk had ik gekozen voor: Bella's Bag voor Basic Beauty, en plotseling wist ik niet zeker of dat wel echt de beste naam was.

Sean Ryan keerde een tasje om en om in zijn handen. 'Wauw,' zei hij. 'Je hebt oog voor decoratie. De verpakking is simpel en toch effectief. Wat heb je voor die tasjes betaald?'

Ik wist niet zeker of ik hem de waarheid zou vertellen, wie weet was het een strikvraag. 'Drie voor vijf dollar?' zei ik. 'Plus een dollar zestig per tasje voor de uitsteekvormpjes, maar daar heb ik nog van over.'

'Ongelooflijk.' Hij schudde zijn hoofd. 'Hoeveel heb je er gekocht? Kun je er meer kopen, als je wilt?'

'Drieënnegentig, meer hadden ze niet. Terugbrengen kon altijd nog, dacht ik. En ja, ik kan er meer kopen. Dan ga ik langs alle andere Christmas Tree Shops.'

Hij knikte naar zijn eigen kits. 'Ik durf bijna niet te zeggen wat ik heb uitgegeven voor deze kits. En wat als je bij alle Christmas Tree Shops bent geweest?'

'Dan stopt deze serie kits en bedenk ik iets nieuws.'

'Klinkt logisch.' Hij keek op zijn horloge. 'Oké, het feest gaat zo beginnen. Natuurlijk moet jij met jouw kit doen wat jij denkt dat goed is, maar ik doe altijd het volgende. Ik houd bij hoeveel kits ik weggeef. Ik maak aantekeningen over opmerkingen die ik krijg. Ik vraag iedereen om hun e-mailadres zodat ik later, als ze de kit hebben gebruikt, contact kan opnemen en om feedback vragen. Bijna niemand stuurt de bijgesloten antwoordkaart terug. Mijn doel is een solide, betrouwbaar product te creëren voor een vriend. Ik wil hem helpen om de kit te verkopen aan een bedrijf dat gelieerd is aan een universiteit, of zelfs aan een uitgever.'

Het klonk alsof hij wist waarover hij het had, maar ik had nog één grote vraag: 'Betalen ze jou hier een bepaald bedrag voor, of een percentage?'

Ineens werd de Rotunda Room overspoeld door aspirant-studenten en hun ouders. Het lawaai was oorverdovend. 'Ik doe het voor een vriend, dat is alles.' Sean Ryan moest bijna roepen om boven het lawaai uit te komen, ook al stond hij naast me.

Precious sprong bij me op schoot. 'Ik hoop dat hij blij met je is,' schreeuwde ik terug.

Make-up is onweerstaanbaar – dat vindt bijna iedereen. Het is optimisme in een flesje. De aspirant-studenten en hun moeders keken gebiologeerd toe terwijl ik hun diagrammen invulde en ze wees waar en hoe ze hun make-up moesten aanbrengen.

'Jeetje,' zeiden de meisjes. 'Ik wist niet dat je eerst poeder op je ogen moest doen voordat je er oogschaduw op doet.'

'Absoluut,' zei ik. 'Dan blijft het beter zitten.'

'Waarom doet u die rouge zo hoog?' vroegen hun moeders.

'Als rouge onder de ronding van je wang zit,' antwoordde ik, 'krijgt je gezicht iets uitgezakts.'

In de kantlijn maakte ik aantekeningen over andere producten die ze zouden kunnen gebruiken en daarna begon ik hun persoonlijke foundation te mengen. 'Wauw,' zeiden de meisjes. 'Nicole heeft dit ook laten doen. Ik heb er iets over gelezen in een tijdschrift.'

'Zij heeft vast meer betaald dan negenentwintig vijfennegentig,' zeiden hun moeders dan.

'Maak daar maar tienduizend van,' zei ik. Steevast vielen hun monden open van verbazing. En ik meende het. Ik had ergens gelezen dat beroemdheden in Parijs zulke bedragen neertelden voor persoonlijke make-up. Over geldverspilling gesproken. Zelfs met de ongunstige wisselkoers van de euro was het waanzinnig. Welk geheimzinnig superingrediënt zou er in die foundation zitten? Collageen van eerstgeboren scharreljakmaagden?

Met mijn witte wegwerpspateltje roerde ik hun foundation nog een keer om, voor ik ze een spiegel gaf en begon te wijzen. 'Foundation moet je altijd uitproberen op je kaak. Kijk, daar. Als de kleur goed is, vermengt deze zich onopvallend met je huid en zie je er niets van.'

Vervolgens pakte ik dan een driehoekig schuimrubber sponsje uit de verpakking en bracht met vlugge hand de make-up aan. De meisjes en hun moeders doorliepen braaf het diagram, alsof ze studeerden voor een proefwerk. Vaak waren het de moeders die als eerste bij zinnen kwamen. 'Je studie,' zeiden ze. 'We zijn hier om een universiteit uit te zoeken.'

'Zijn jullie al begonnen met de aanmelding?' vroeg ik dan poeslief.

De dochters keken de andere kant op, en de moeders kregen iets vastberadens in hun blik.

Dat was het moment waarop ik vooroverboog en een kit van Sean Ryan van de stapel pakte, een stapel die schrikbarend snel slonk. 'Alstublieft,' zei ik dan. 'Hiermee bespaart u veel tijd omdat u niet in die lange rij daar hoeft te staan. Schrijf uw e-mailadres en postcode maar op voor die vriendelijke meneer daar. Met deze kit is de aanmelding verder een peulenschil.'

'Hebben uw kinderen het ook zo gedaan?' vroeg een van de moeders.

'Absoluut,' zei ik. 'Alle vijf. Ze vonden het geweldig.'

Terwijl moeder en dochter wegliepen, moest ik aan Lizzie denken. Ik vroeg me af of ik haar zou bellen om te zeggen dat haar vader nog niet had gebeld en dat ik nog wachtte op zijn telefoontje. Ik vroeg me af of Craig daadwerkelijk zou bellen. Ik vroeg me af of er een manier was om Lizzie weer in mijn leven te hebben zonder met Craig te hoeven praten.

In de uren die daarop volgden, was het alsof we in een gekkenhuis waren beland dat het midden hield tussen een circus en een wortelkanaalbehandeling zonder verdoving. Ze waren lang en zwaar, maar Sean Ryan en ik slaagden erin de middag te overleven. Toen de rust was weergekeerd, rekte ik mijn spieren uit en begon mijn gebruikte make-upsponsjes te tellen.

'Shit. Hebben we het sumoworstelen weer gemist,' zei Sean Ryan. 'Je weet niet half hoe jammer ik dat vind.' Hij liep naar mijn kant van de tafel en wees naar een man met een witte luier om die uit een van de herenkleedkamers kwam.

'Ik begrijp het niet,' zei ik. 'Wat moest hij in die kleedkamer? Met alleen een luier om lijkt een kleedkamer me een beetje overbodig.' Ik legde de sponsjes op tafel. 'Je wordt bedankt. Nu ben ik de tel kwijt.' Ik pakte de sponsjes een voor een weer op en begon opnieuw te tellen.

'Waarom tel je gebruikte sponsjes?'

Weer gooide ik de sponsjes op tafel. 'Als je het per se wilt weten: ik probeer te zien hoe erg ik geleden heb, en jij maakt het er niet gemakkelijker op.'

Ik keek op zodat ik hem boos aan kon kijken. Hij lachte. 'Heeft iemand je ooit verteld wat een heerlijk opgeruimd karakter jij hebt?'

'Zeker,' zei ik. 'Dat zeggen ze altijd.'

'Mooi,' zei hij. 'Misschien wordt die leugen ooit werkelijkheid. *Self-fulfilling prophecy*, heet zoiets.' Precious sprong op tafel, en Sean Ryan pakte haar op. 'Ik heb nog een tip voor je. Vergelijk het aantal kits dat je hebt verkocht met het aantal keren dat je iemands make-up hebt gedaan.'

'Alsjeblieft, zeg. Alsof ik hun make-up zou doen als ze geen kit kopen.'

16

Omdat we niet wisten of er in Rhode Island een hondvriendelijk restaurant was, besloten we de stad uit te rijden en in Marshbury patat en vis te kopen en die op het strand op te eten. Ik telde mijn geld terwijl Sean Ryan de Prius in noordelijke richting over de 95 stuurde. Ik had meer dan duizend dollar in mijn handen.

'Je mag bestellen wat je wilt,' zei ik, en ik sorteerde de biljetten van klein naar groot, waarbij ik ervoor zorgde dat de koppen van alle overleden presidenten dezelfde kant opkeken. Dat deed ik ook altijd met mijn fooien. Er is niets rustgevender dan een goed geordend stapeltje contant geld.

Sean Ryan lachte. 'Weet wat je zegt,' zei hij. 'Straks bestel ik frietjes én uienringen.'

'Het zijn jouw bloedvaten.'

'Slimme tactiek. Ik kijk wel hoe jij eet. Dat is veel gezonder.'

Ik vouwde de stapel bankbiljetten dubbel, bond er een haarelastiekje omheen en stopte hem onderin mijn schoudertas. 'Zo,' zei ik. 'Meen je serieus dat je de marketing van die studiekit helemaal gratis en voor niets doet? Jij moet toch ook eten? Rekeningen betalen? Je Prius?'

Sean Ryan keek even mijn kant op en richtte zijn ogen toen weer op de weg. Hij reed goed, met vaste hand en vol zelfvertrouwen, zonder dat zijn houding arrogant was. 'Maak je geen zorgen, ik ben ook met andere dingen bezig. Ik heb vele ijzers in het vuur, verschillende projecten in verschillende fases.'

'Ben je zelfstandig ondernemer?'

'Zoiets. In mijn woordenboek is een ondernemer een zakenman die risico's neemt en die nieuwe commerciële projecten opzet en financiert met als oogmerk winst maken.' Hij deed de richtingaanwijzer aan en reed de linkerrijstrook op om iemand in te halen. 'Ik houd ervan dingen op te zetten en dan af te stoten voordat ik ze saai begin te vinden.'

'En hoe vaak zei je dat je getrouwd bent geweest?'

Weer lachte Sean Ryan uitbundig. 'Eén keer. En mijn vrouw vond het vreselijk toen ik mijn marketingfunctie bij een bedrijf opgaf en voor mezelf begon. Ik voelde me zo vrij als een vogeltje, maar zij was als de dood voor de risico's. En ze was bang dat ze haar pensioen zou mislopen. Dat ik ons daarvoor verzekerde, vond ze niet genoeg.'

'Jammer,' zei ik. 'Wat voor projecten doe je allemaal?'

'Een kleine brouwerij die een biersoort probeert te maken met net zoveel anti-oxidanten als rode wijn.'

'Kan dat?'

'Jazeker. Bekende biermerken bevatten twee keer zoveel anti-oxidanten als witte wijn, en half zoveel als rode wijn. Er lijkt bewijs te zijn dat de vele anti-oxidantmoleculen in rode wijn minder snel door het lichaam worden opgenomen dan de kleinere moleculen in bier. Als we het aantal anti-oxidanten kunnen verhogen en het absorptievermogen wat liften...'

Ik keek naar hem. 'Pardon? Het absorptievermogen liften?'

Hij haalde zijn schouders op. 'Je hebt er zelf om gevraagd. Ik investeer ook in vastgoedontwikkeling, vooral in villa's aan de waterkant.'

'Een vastgoedhaai, zou mijn vader zeggen,' zei ik.

'Tja. Ik zie het anders. Die ontwikkeling is er toch, of ik nou meedoe of niet. Nu kan ik ervoor zorgen dat er wat groen overblijft en dat het esthetisch verantwoord is. Ik ben ook betrokken bij wat microkrediet-projecten in ontwikkelingslanden. Je weet wel, samen met een groep mensen lokale financiële structuren creëren en consolideren om leningen en spaargelden te –'

'O, dat,' zei ik. 'Laatst had ik het er nog over met wat vrienden. Dat wij ook zoiets zouden kunnen opzetten.' Ik keek hem aan. 'Grapje,' zei ik.

Sean Ryan schraapte zijn keel. 'Wij faciliteren toegang tot technische kennis om de lokale inkomstengenererende activiteiten mee te verbeteren. Dingen als land- en tuinbouw, pluimveebedrijven en visproducten. Interessante materie. En het geeft een goed gevoel te kunnen helpen daar waar het nodig is.'

'Kies je je projecten altijd op die manier?'

'Soms. En soms omdat ik moet eten.'

'Of omdat een studiekeuzebegeleider met een droom moet eten?'

Sean Ryan haalde zijn schouders op. 'Volgende week neem ik de kits mee naar een studiekeuzebeurs in Atlanta, en daarna doe ik nog iets met de feedback.'

'Zei je dat je volgend weekend in Atlanta bent?'

'Ja. Hoezo?'

'Ik ook. Mijn neef gaat trouwen in het Margaret Mitchell House.'

'Net als in *Gone With the Wind*?'

'Niet origineel.' Ik schudde mijn hoofd. 'Ik heb nog nooit een bruiloft in het zuiden meegemaakt, en ik hoop dat ze geen okra serveren.'

'Hoor ik daar een okrafobie? Ik vrees het ergste voor je, want het seizoen is van mei tot oktober. Het valt best mee. En okra zit boordevol vezels, calcium en foliumzuur.'

'Het zal wel,' zei ik.

Sean Ryan lachte. 'En als je zin hebt om naar een studiekeuzebeurs te gaan, mag je de helft van mijn tafel gebruiken. Maar dit keer neem ik de rechterkant.'

'Prima,' zei ik. Met een paar uur op de beurs zou ik mijn hele weekend terugverdienen, inclusief ticket en hotel. Maar eigenlijk dacht ik dat het veel makkelijker zou zijn om me staande te houden op een bruiloft waar mijn halfzus hoogstwaarschijnlijk met mijn ex-man zou zijn, als ik een date meenam. Geen echte date natuurlijk. Gewoon iemand om de aandacht af te leiden van het feit dat ik single was. 'Geen probleem,' zei ik. 'Wat vind je hiervan: ik ga met jou naar de beurs, en daarna ga jij met mij naar de bruiloft.'

Sean Ryan grinnikte. 'Nou, nou, nou, Bella Shaughnessy. Vraag je me mee uit?'

'Haal je maar niets in je hoofd,' zei ik. 'Ik wil gewoon dat je er bent om mijn okra op te eten.'

Het was een late zomeravond, perfect om op het strand te zitten en patat en vis te eten. Voor Precious had ik 's ochtends al een blikje eten meegenomen omdat ik niet wist hoe lang we weg zouden zijn. Ik trok de bovenkant eraf en zette het in het zand. Nuffig begon ze uit het blik te eten. Het was duidelijk dat ze liever uit een porseleinen bakje at, maar ze maakte er geen probleem van.

'Kijk ons nou,' zei Sean Ryan. 'Een week later, en hier zitten we weer. Weet je dat ik dit strand begin te beschouwen als óns strand?'

Ik opende mijn mond, en sloot hem weer toen ik zag dat hij lachte. 'Leuk.'

Er scheerde een meeuw vlak over onze hoofden. Hij probeerde in te schatten hoe groot de kans was dat hij een patatje kon bemachtigen. 'Vergeet het maar,' riep ik. De meeuw keerde zich om en vloog weg in de richting van de oceaan.

Sean Ryan trok een wenkbrauw op. 'Praat je nu ook al tegen meeuwen?'

'Het werkt wel. Als toeristen eens ophielden de meeuwen te voeren en er tamme strandduiven van te maken...'

'Strandduiven,' zei hij. 'Origineel. Het klinkt goed.' Hij prikte met zijn plastic vork in zijn vis, en met een krak brak de vork in tweeën.

Ik lachte.

'Je wordt bedankt,' zei hij, en hij pakte met zijn vingers de vis vast, brak er een stuk af en stak dat in zijn mond. 'Zo is het veel lekkerder.'

Ik gooide mijn vork weg en pakte ook een stuk vis met mijn vingers. 'Je hebt gelijk,' zei ik.

'Dat is dan voor het eerst,' zei hij. 'Niet dat ik dat bijhoud, overigens. Oké, laten we het over de hond hebben. Ik denk dat je eerst moet kijken welke wetten er zijn voor weggelopen en vermiste huisdieren.'

Precious was uitgegeten en speelde in de branding met een stuk zeewier. De spetters vlogen in het rond. 'Dat vind ik niet,' zei ik. 'We moeten haar vermommen. Dat als eerste.'

'Oké,' zei hij. 'En hoe gaan *we* dat aanpakken?'

Ik nam nog een hap vis en klapte toen het deksel van het plastic meeneembakje dicht. 'Kom mee,' zei ik. 'We eten verder in Salon de Paolo.'

Sean Ryan surfte wat op het internet op de computer van de salon, en ik mengde Aveda Full Spectrum Protective Permanent Creme Hair Color. Het was de donkerste kleur uit het kleurengamma, Level 1, een blauwachtig zwart. Steenkolenzwart. Veel oudere vrouwen lieten hun haar in een donkere, schoensmeerachtige kleur als deze verven in de hoop dat ze de donkere haarkleur uit hun jeugd terug zouden krijgen. Ze zagen niet dat de kleur zo heftig was, dat hun eigen kleur verdween en alle aandacht juist werd gevestigd op hun rimpels – zelfs de allerkleinste. Vrouwen kunnen beter een lichtere haarkleur nemen als ze ouder worden.

Maar Level 1 was een geweldige kleur voor een hond, en dit product was zevenennegentig procent natuurlijk en redelijk zacht voor een permanente kleuring. Het baarde me enige zorgen dat ik het zo snel gebruikte na de highlights, maar extreme omstandigheden vragen nu eenmaal om drastische middelen.

Ik draaide de dop van het applicatieflesje en schudde. Ik hield ervan na sluitingstijd in de salon te zijn. Het deed me denken aan toen Angela, Mario en ik nog klein waren en we hier 's middags waren met mijn vader. Terwijl mijn moeder thuis voorbereidingen trof voor een groot zondags diner, deed hij klusjes die waren blijven liggen. Wij vermaakten ons met bakjes die hij tot aan de rand had gevuld met roze haarrollers en zilverkleurige haarspeldjes, en speelden kappertje met onze poppen.

Eerst wasten we hun haar in de wasbak. Ik had een Tessy-pop. Ze had een wit riempje om haar middel waar een sleuteltje aan hing dat je in een sleutelgat in haar rug kon steken. Achteraf gezien erg *Stepford Wives*, en ik was altijd bang dat ik haar pijn zou doen. Als je het sleuteltje omdraaide, werd haar haar korter. Voordat ik het waste, duwde ik altijd de knop op Tessy's buik in en trok aan haar haar om het zo lang mogelijk te maken.

Angela had een Cricket-pop. Cricket was Tessy's jonge zusje, net als in het echt, waar Angela mijn kleine zusje was. Ook Crickets haar kon langer worden, en ook zij had een sleuteltje aan een riem. Mario had eerst een G.I. Joe, maar hij lobbyde net zo lang tot hij zijn eigen Mary Make Up kreeg. Mary's haar kon niet groeien. Haar gezichtje was van was, zodat je het kon opmaken en de make-up er gemakkelijk af kon halen.

Mario was een natuurtalent. Hij speelde eindeloos met zijn pop, en het verbaasde dan ook niemand toen hij na Mary Make Up carrière wilde maken als professioneel haar- en make-up artist. Mary Make Up en Tessy waren precies even groot, en Mario en ik waren dolblij dat we kleertjes konden ruilen en een dubbel zo grote garderobe hadden.

Nadat we het haar van onze poppen hadden gewassen, stapelden we dozen op de salonstoelen zodat de poppen hoog kwamen te zitten zodat wij op ze konden werken. We begonnen met strengen haar te wikkelen om de allerkleinste rollers die we maar konden vinden. We hadden onszelf geleerd hoe we spuugkrullen konden maken – met echt speeksel – en hoe we die moesten vastzetten met zilverkleurige speldjes. Daarna hielden we de poppen onder de droogkap en controleerden af en toe of ze niet begonnen te smelten.

'Moet je horen,' zei Sean Ryan. 'Misschien is dit iets. Een statuut uit Massachusetts. 'Openbare Orde en Veiligheid, hoofdstuk honderdvierendertig: Gevonden en vermiste voorwerpen en zwerfdieren.'

'Hoor je dat, schat?' zei ik tegen Precious. 'Hij noemt je een zwerfdier.' Precious keek me aan met een blik waaruit bleek dat ze daar apetrots op was, en sprong bij Sean Ryan op schoot.

Hij legde een hand op haar rug en begon haar te aaien. 'Oké. Hier staat dat iedereen die een zwerfdier in huis neemt, dat kenbaar moet maken en aangifte moet doen, daarbij de kleur en de natuurlijke en kunstmatige kenmerken van het desbetreffende dier beschrijvend. In geval van nalatigheid zal hij of zij geen aanspraak kunnen maken op enige vorm van vergoeding van voorkomende onkosten.'

'En nu in normale taal, graag.'

'Oké, wacht even.' Sean Ryan las de wet van begin tot eind door. 'Dit is niet echt van toepassing op jouw situatie. Hier staat dat je het dier na drie maanden op de veiling mag verkopen, en als de eigenaar dan binnen een jaar tijd opduikt, kun je gemaakte zorgkosten aftrekken voordat je de winst van de veiling moet delen met de eigenaar.'

'Wat verschrikkelijk,' zei ik. 'Alsof het vee is.'

'Ik denk dat ze dat ook bedoelen,' zei Sean Ryan. 'Wacht, er is nog een andere link. Hier staat dat er voor het vraagstuk betreffende vermiste huisdieren geen eenvoudige wettelijke oplossing is.'

'Ja hoor,' zei ik.

Hij lachte en streek een lok haar uit zijn gezicht. 'Ik denk dat volgens de wet, die in zijn huidige vorm is ontstaan na veel rechterlijke uitspraken, degene die rechtmatig eigendom kan aantonen altijd superieure rechten heeft. Maar de rechtbank kan besluiten andere factoren mee te laten wegen. Bijvoorbeeld hoe lang iemand al zorgt voor een gevonden hond...'

'Een week – nogal indrukwekkend,' zei ik.

'... hoeveel moeite de wettige eigenaar zich heeft getroost om de hond te vinden...'

Ik schudde mijn hoofd. 'Geen, zeg maar.'

'... en de waardering van de zorg van beide partijen voor het desbetreffende dier.'

Ik liep naar Sean Ryan en tilde Precious op. 'Oké. Genoeg gecomputerd,' zei ik tegen Sean Ryan. 'De hoogste tijd om dit zwerfdier een nieuwe identiteit te geven.'

17

‘Hier,’ zei ik. ‘Trek deze latex handschoenen maar aan.’

Sean Ryan trok een wenkbrauw op. Hij had zijn mouwen al hoger opgerold, en ik deed hem een zwarte kapmantel met op de rug in gouden letters SALON DE PAOLO om.

‘Doe het nou maar. Straks zitten je handen onder de verf.’

‘O-ké,’ zei hij langzaam. Hij nam de handschoenen aan, trok een voor een aan de vingers van een ervan en liet ze steeds los met een knappend geluid.

‘Wat doe je?’

‘Dat heb ik altijd al willen doen. Net als in die doktersseries op tv.’

Ik schudde het flesje haarverf nog eens. ‘Kom op. We hebben geen tijd te verliezen. Jij zorgt ervoor dat ze het niet kan aflikken. Je houdt haar gewoon stevig vast zonder de verf eraf te wrijven.’

‘Geweldig,’ zei Sean Ryan. Hij stak zijn hand in een handschoen, maar zijn vingers bleven halverwege steken.

Ik zette de haarverf neer en trok de handschoen van zijn hand. Ik hield hem tegen mijn lippen alsof het een ballon was en begon te blazen. Toen de vingers van de handschoen zo’n twee maten gegroeid waren, gaf ik hem terug aan Sean Ryan.

‘Wauw,’ zei hij. ‘Jij was vast een graag geziene gast op feestjes. Kun je ook ballonbeesten maken?’

Ik deed alsof ik hem niet hoorde, blies zijn andere handschoen op, gaf die aan hem en tilde Precious op. Ik zette haar op het werkblad bij mijn stoel. Kalm en sereen keek ze naar me op.

'Hoe lang gaat dit duren?' vroeg hij.

'Moeilijk te zeggen. Haar haar is stug, misschien is het resistent. Maar omdat ze net een behandeling heeft gehad, pakt het vast sneller. We kijken na een half uur wel. Veertig minuten lijkt me genoeg. We willen dat ze een echte brunette wordt.'

'O jee,' zei hij.

Ik begon bij haar achterpoten en werkte over haar hele lijfje naar de voorkant. De punt van het applicatieflesje was lang, en het was net zo makkelijk om het haar van deze hond te kleuren als dat van een mens. Ik maakte een scheiding in de vacht, spoot een lijntje haarverf op de haaraanzet en smeerde dat uit richting de haarpunten met mijn in handschoenen gestoken vingers. Zo wist ik zeker dat ik geen enkel plekje over zou slaan. Omdat ik dit al deed sinds ik op de middelbare school zat, kon ik nu snel en efficiënt te werk gaan.

Toen ik bijna op de helft was, begon Precious plotseling te schudden. Dat had ik nog nooit een mens zien doen. Spetters haarverf vlogen alle kanten op.

'Doe iets!' riep ik.

Sean Ryan liet Precious met één hand los en probeerde een klodder zwarte verf van zijn wang te vegen. De klodder veranderde in een grote donkere veeg. 'Tuurlijk,' zei hij. 'Wat had je in gedachten?'

'Probeer haar gewoon stil te houden,' zei ik. 'Ik probeer zo snel mogelijk te werken.'

Toen ik eindelijk klaar was, slaakte Sean Ryan een diepe zucht. 'En nu?' vroeg hij.

'Houd haar nog even vast, dan haal ik de verf van je gezicht voordat het een permanente schoonheidsvlek is geworden.'

Ik kwam terug met een wattenschijfje en een fles Clean Touch verfremover speciaal voor de huid. Sean Ryan hield Precious achter haar voorpoten vast en zong '*Ninety-Nine Bottles of Beer on the Wall.*'

'Dat lijkt er meer op,' zei ik. Ik deed wat remover op een wattenschijfje en wilde zijn gezicht aanraken.

Hij hield op met zingen. 'Wat is dat voor spul? Niet dat ik je niet vertrouw, natuurlijk.'

Precious begon weer te schudden. 'Niet stoppen,' zei ik.

'*Take one down,*' zong Sean Ryan. Hij had een mooie, volle bariton, hoewel zijn stem misschien een beetje vlak was.

'Verfverwijderaar.' Ik depte de vlek op zijn neus. 'Volgens mijn vader gebruikten ze hier vroeger sigarettenas voor, maar dat is tegenwoordig natuurlijk onacceptabel. Het is niet hygiënisch en zo. Tandpasta werkt ook goed.'

'Zegt het voort,' zong Sean Ryan. Hij stopte even met zingen en zei: 'Fascinerend', waarna hij meteen verder ging met '*ninety-seven bottles of beer on the wall.*'

'Onvoorstelbaar dat ik tot zevenendertig flessen ben gekomen,' zei Sean Ryan. Hij draaide rondjes in een van de salonstoelen. 'Eigenlijk had je mee moeten zingen.'

'Dat zeg je omdat je mijn zangtalent nog nooit hebt gehoord.'

'Ook goed. In elk geval sta je bij me in het krijt. Behoorlijk. Eerst krijg je de rechterhelft van de tafel, dan houd ik je hond voor je vast...'

Ik wreef Precious met een handdoek droog en zette haar op het werkblad. 'Stuur me maar een rekening.'

Hij stopte met draaien en keek me aan in de spiegel. 'Prima. En een deel doen we in natura. Als je klaar bent met je hond, mag je mij een make-over geven. Ik wil er fantastisch uitzien voor die bruiloft.'

'Hier,' zei ik. 'Houd even een oogje op haar, als je wilt.' Zodra Sean Ryan zijn hand op Precious' rug had gelegd, liep ik naar de andere kamer, naar de wasmachine. Ik zette een schakelaar om en kwam meteen terug.

'Wat heb je gedaan?' vroeg hij.

'Niets,' zei ik. 'Ik moest ineens aan iets denken.' Ik pakte de Andis T-Edger, dezelfde tondeuse die we voor mijn vader hadden gebruikt, en zette hem op stand drie. 'Oké, genoeg geluierd. Je moet haar weer voor me vasthouden.'

Sean Ryan duwde zich op uit de stoel en pakte Precious vast. Ik begon haar vacht af te scheren tot het haar de lengte had van een stoere crewcut.

'O ja!' Hij riep zo hard dat ik hem boven het geluid van de tondeuse uit kon horen. 'We moeten een nieuwe naam voor haar bedenken.'

'Wat dacht je van Princess?'

Hij schudde zijn hoofd. 'Dat lijkt te veel op Precious. Wat vind je van P? Net als P Diddy, je weet wel. Misschien Puppy D?'

'Nee,' zei ik. Ik zette de tondeuse uit en keek hoe mijn kunstwerk vorderde. 'Lucy? Is dat wat? Ik wilde altijd Lucy heten.'

Sean Ryan liet haar los, liep naar de andere kant van de salon en hurkte. 'Kom dan, Lucy,' riep hij. 'Kom dan!'

Precious negeerde hem en keek naar mij.

'Ik geef het op,' zei Sean Ryan.

Hij kwam bij me staan en pakte haar vast, en ik voltooide mijn tondeusesessie. Met de schaar knipte ik daarna haar kittige plukjeswenkbrauwen kort. Met pijn in mijn hart, want die parmantige wenkbrauwtjes stonden haar prachtig. Helaas kon het niet anders.

Ik deed een stap achteruit om haar beter te kunnen bekijken. *'Holy cannoli'*, zei ik. 'Onherkenbaar. Ze is een andere hond geworden.'

'Dat is het!' riep Sean Ryan uit.

'Wat is wat?' vroeg ik.

Hij liep naar de andere kant van de kamer en hurkte weer. 'Kom dan, Cannoli, kom dan!' riep hij.

Precious rende naar hem toe en likte hem in zijn gezicht.

'Ik peins er niet over,' zei ik. 'Geen Cannoli. Trouwens, dat is meer een naam voor een blondine dan voor een brunette.'

Sean Ryan liep naar de andere kant van de salon, hurkte weer en zei met een zangerige stem: 'Cannoli.'

Precious racete naar hem toe.

'Perfect,' zei hij. Hij keek de salon rond. In Salon de Paolo was geen apart kindergedeelte met een namaak Toscaanse muur, zoals in Salon de Lucio, maar wel stonden er twee Korinthische zuilen aan beide kanten van de deur en was er naast de receptie een dubbele fontein aangelegd. 'Ze heeft een nieuwe identiteit. Fantastisch. Net als een getuige die politiebescherming krijgt en in een ander land gaat wonen onder een andere naam. Ze kan zo in dat programma.'

Er zat een zekere logica in, dat moest ik toegeven, maar ik was nog niet overtuigd. 'Ik weet niet. Er zijn al genoeg nep-Italianen. Laten we over de grens kijken. Croissant, is dat wat? Dan koop ik een schattig roze baretje voor haar. Super Frans.'

Sean Ryan schudde zijn hoofd. 'Cannoli,' zei hij. 'Het is al geregeld. Volgend onderwerp.'

'Tjonge, zeg. Jij houdt er wel van om de baas te spelen.' Ik klopte op de rugleuning van de lege stoel voor me. 'Ga maar zitten,' zei ik.

'Ik meende het niet echt, van die make-over,' zei hij.

'Te laat,' zei ik.

Hij ging zitten. Toen ik mijn kappersmes openknipte, sperde hij zijn ogen vol ongeloof wijdopen. 'Je maakt me bang,' zei hij.

'Het doet geen pijn, wees niet bang,' zei ik. Ik vond het leuk om hem zo slecht op zijn gemak te zien. Toen begon ik te snijden. 'Van de lengte haal ik niet veel af, ik dun het alleen wat uit. Wat volume weghalen. Dan zit het beter en is het makkelijker in model te brengen.'

Sean Ryan zocht mijn ogen in de spiegel. 'Was dat het eerste waar je aan dacht toen je mij zag? Wacht je sindsdien op een kans om mijn volume weg te kunnen snijden?'

'Sst,' zei ik. Ik ging door met snijden, los en soepeltjes, en werkte zijn haar met mijn handen los zodat de beste coupe vanzelf tevoorschijn kwam. Een goed kapsel is als een kunstwerk. En net als alle kunstenaars weet een goede haarstylist dat ze moet ontspannen en meegaan met de flow. Je probeert de essentie te vinden van de persoon aan wie je werkt, en die naar een hoger plan te tillen. Kunst is kunst, en ik weet zeker dat ik met Picasso, als die in de salon zou komen voor een knipbeurt, een boel te bespreken zou hebben. Tenzij hij een arrogante klootzak zou blijken te zijn. In dat geval zou ik mijn mond houden en alleen zijn haar knippen.

Ik legde het kappersmes neer en schudde met een flacon Paul Mitchell Extra-Body Sculpting Foam. 'Oké,' zei ik. 'Je spuit wat schuim in je handpalm, wrijft het warm tussen je handen en dan verdeel je het over je haar, beginnend bij de haaraanzet.'

Sean Ryan trok een wenkbrauw op. 'Ik ben geen neanderthaler. Ik heb heus wel eens eerder haargel gebruikt.'

'Sorry,' zei ik, en ik gaf hem de flacon. 'De rest mag je houden.'

'Dank je wel.'

'En nu je ogen dicht doen, ik ben zo terug.'

'Kom dan, Cannoli,' riep ik, vooral om te oefenen met de nieuwe naam. Cannoli liep achter me aan naar de behandelkamer, waar ik een staafje in de warme was doopte en me terughaastte naar Sean Ryan. Het was belangrijk dat de was warm bleef.

'Wauw,' zei hij. 'Dat is heerlijk, zeg. Ik heb nog nooit een gezichtsbehandeling gehad.'

Ik drukte de plakstrip aan en liet hem een beetje afkoelen. Toen trok ik zijn huid strak met één hand. 'Net als een pleister,' zei ik, en trok de strip er in een ruk af.

Sean Ryan sprong kermend omhoog uit de stoel. 'Au! Wat was dat? Fijn dat je even aankondigde wat je ging doen, trouwens.'

Ik lachte. 'Jij zei zelf dat je geen Neanderthaler was. Dan hoeven je wenkbrauwen ook niet door te lopen.'

Hij leunde naar voren in de stoel en bestudeerde zijn gezicht in de spiegel. 'Niet te geloven dat je dat hebt gedaan. En mijn wenkbrauwen liepen helemaal niet door.'

'Oké,' zei ik. 'Het was op het randje. Zie je dat je er nu veel beter uitziet? Je ogen lijken veel groter.'

'Jemig. Het wordt helemaal rood. Ik hoop dat je tevreden bent.'

'Extatisch,' zei ik.

Alles ging prima tot ik over hem heen leunde om zijn wenkbrauwen te deppen met Wax Off, een gel waarmee je overtollige was en plakkerigheid kunt afvegen en die de huid ook verzorgt. Terwijl ik de gel inmasseerde, opende hij plotseling zijn ogen. We keken elkaar aan, en op de een of andere manier belandde een van zijn handen op mijn onderrug.

We bleven elkaar aankijken en ik wist dat ik voor de rest van mijn leven aan hem zou moeten denken wanneer ik Paul Mitchell Extra-Body Sculpting Foam rook. Een van mijn handen kwam op zijn schouder terecht en bleef daar liggen.

'Hoi,' zei ik.

Hij legde zijn andere hand op mijn rug en zei: 'Ook hoi.'

Toen zwaaide de salondeur open, en begon Cannoli als een gek te blaffen.

18

'Ik zag beneden licht branden en dacht al dat jij het zou zijn,' zei Craig. 'Sophia zei dat je gisteren bij je vaders vergadering in Salon de Lucio tegen haar gezegd had dat je me wilde spreken...'

Sean Ryan sperde zijn ogen open van verbazing. 'Is jouw vader de eigenaar van Salon de Lucio?' vroeg hij. Omdat dit me niet het beste moment leek om hem uitgebreid te informeren over mijn vaders zaken, knikte ik alleen maar.

'O jee,' zei hij.

Cannoli maakte een reuzensprong en begon rondjes rondom Craig te rennen, naar zijn enkels happend en luid blaffend – vier kilo pure woede.

'Woah,' zei Craig. 'Kun je dat mormel niet terugfluiten? Wat is het trouwens? Een zwart Brillo-sponsje?'

Het zei veel over mijn ex-echtgenoot dat hij niet eens zag dat ik over een andere man heen gebogen stond en dat onze armen en benen zo'n beetje in elkaar gevlochten waren als een pretzel. Interesse in de medemens was nooit zijn sterkste punt geweest.

Sean Ryan maakte zich van me los, kwam overeind uit de stoel en deed zijn Salon de Paolo kapmantel af. Ik liep naar Craig toe en tilde Cannoli op. Over mijn arm hangend bleef ze boos naar Craig grommen, en ze ontblootte haar venijnige tandjes.

Craig keek langs me heen. 'O, sorry. Ik wist niet dat je een klant had.'

Ik aarzelde. Waarom, dat wist ik niet. Waarschijnlijk probeerde ik te bedenken wat ik moest zeggen. Sean Ryan voorstellen als mijn zakenpartner? Als mijn collega-kitverkoper? Mijn hondenverf-kompaan? Als de man die ik meenam naar de bruiloft van mijn neef zodat het iets makkelijker te hanteren was dat hij daar zou zijn met mijn halfzus? Of als de man die ik bijna had gekust voordat hij ons zo bruusk onderbrak?

Sean Ryan stak zijn hand in zijn broekzak en pakte er wat bankbiljetten uit. Hij gooide ze op het tafeltje en zei in het voorbijgaan: 'Bedankt voor het knippen.' Hij liep straal langs me heen, tussen de Korinthische zuilen door en verliet zonder om te kijken de salon.

'Nodig je me nog uit om boven te komen?' vroeg Craig. Hij had een spijkerbroek en een T-shirt aan en zag eruit alsof hij wel wat extra nachtrust kon gebruiken.

'Nee,' zei ik. Ik hield Cannoli in mijn armen, liep naar de stoel waar Sean Ryan net nog in zat en ging zitten. De zitting was nog warm, en ik nam een ogenblik de tijd om de vage geur van Paul Mitchells Extra-Body Sculpting Foam op te snuiven. Tot mijn vreugde zag ik dat hij niet was vergeten de rest van de flacon mee te nemen.

Craig haalde zijn schouders op en ging in de stoel naast die van mij zitten.

'Zo,' zei ik, en ik draaide mijn stoel een kwartslag zodat ik hem aan kon kijken. 'Hoe doen de Red Sox het tegenwoordig?'

'Hou op,' zei Craig. 'Ik heb geen zin in spelletjes. Wat is dat allemaal met Lizzie?'

Ik wilde iets zeggen als: *Hoe bedoel je, wat is dat allemaal met Lizzie*, gewoon om hem te dollen, maar ik weerstond de verleiding. 'Ze vroeg me of ik eens met jou kon praten.'

Craig staarde me aan. Ik wachtte.

'En waarover dan wel?' vroeg hij ten slotte.

'Praat niet zo lelijk tegen me,' zei ik.

'Daar maak je het zelf naar,' antwoordde hij.

Cannoli likte mijn gezicht en ik stond op. 'Laat maar zitten,' zei ik. 'Ga maar vlug naar je vriendinnetje.'

Craig leunde achterover in zijn stoel en sloot zijn ogen. 'Jezus,' zei hij. 'Was je altijd al zo'n kreng?'

'Geen idee,' zei ik. 'Was jij altijd al zo'n klootzak?'

Hij had zijn ogen nog steeds gesloten en lachte. 'Vast wel. Jij zag het alleen niet omdat ik zo onweerstaanbaar was.'

'Dat mocht je willen.'

Hij opende zijn ogen. Er zaten grote, niet-zo-onweerstaanbare kringen onder. Ik kon me met geen mogelijkheid herinneren wat ik ooit in hem had gezien. Ik had zelfs nauwelijks herinneringen aan ons huwelijk, leek het wel. Erop terugkijkend was het alsof het zich maar in twee dimensies had afgespeeld, alsof ik keek naar een serie ouderwetse zwart-witfoto's. We hadden allebei hard gewerkt en veel tijd besteed aan de zorg voor zijn kinderen. Hij was vaak gaan golfen en ik had veel tijd met mijn familie doorgebracht.

Hij zei vaak tegen me dat zijn ex een trut was. Ik vroeg me af of ze dat nog steeds was nu ik een trut was, of dat ik haar met mijn promotie van die titel had beroofd. Hij kon het niet goed vinden met mijn familie, behalve met Sophia, zoals nu bleek, en dat gevoel was wederzijds. Hij nam alleen bloemen voor me mee als we ruzie hadden gemaakt. Waren we ooit gelukkig geweest?

'Doe niet zo flauw, Bella. Wat is er met Lizzie?'

Ik zette Precious, c.q. Cannoli, op de grond. Ze liet Craig nogmaals haar tanden zien, keerde hem toen de rug toe en liep naar de fontein, waar ze uit de laagste schaal begon te drinken. Als kind hadden wij ook altijd uit die fontein gedronken, en waarschijnlijk was het nu minstens net zo veilig als toen. 'Ze heeft me gebeld,' zei ik. 'Ze wil van studierichting veranderen. Ze wil afstuderen in Kookkunsten en later haar eigen show op tv hebben.'

'Ik wil niet dat jij je hiermee bemoeit,' zei hij.

Tot dat moment was ik dat niet van plan geweest. 'Hoezo?' zei ik. 'Het is haar leven.'

'Ze haalt altijd goede cijfers voor scheikunde.'

'Dat is niet waar. Op haar laatste rapport stond ze een zes. En trouwens, koken is pure scheikunde. Daarom vindt ze het zo leuk.'

Craig sloeg zijn armen over elkaar. 'De meeste mensen willen meer uit het leven halen dan dat, Bella.'

'Heb je dat bedacht voor- of nadat je met mijn zus naar bed ging?'

Craig sloot zijn ogen weer. 'Halfzus. Onze relatie was voorbij. Moeten we het daar nu weer over hebben? Kunnen we het drama niet vergeten en verder gaan?'

'Hoe kon je me zoiets aandoen?' hoorde ik mezelf vragen. Ik klonk als een soapster die dringend een betere tekst nodig heeft.

'Ik heb je niks aangedaan. Het gebeurde gewoon. Ik dacht dat niemand het te weten zou komen.'

Dit was een gesprek dat ik niet zittend kon voeren, dus sprong ik op. 'Wat? Wat bedoel je daarmee? Dat niemand het zou merken? Dacht je dat ik je niet zou herkennen bij het kerstdiner?'

Craig keek me aan. Hij haalde zijn vingers door zijn dunner wordende haar en schudde zijn hoofd. 'Ik dacht dat het bij die ene keer zou blijven. Ik had verwacht dat ze meer op jou zou lijken en niet zo, hoe zeg je dat, zo klef zou zijn.'

Dit ging van kwaad tot erger. Het ultieme verraad verraden, zoiets. Ik wilde mijn oren bedekken tot Craig weg zou zijn en vergeten wat hij net had gezegd. Maar ik wist dat ik dit niet zou kunnen vergeten, wat ik ook zou doen.

'Wat?' riep ik ten slotte uit. 'Eerst pik je me mijn zus af en dan zeg je dat je haar niet eens wilt hebben?'

Misschien was alles anders gelopen als er op dat moment geen druppels van het plafond waren gevallen, midden op Craigs hoofd. Maar dat gebeurde wel. Hij keek op, en er viel een druppel in zijn oog. Ik barstte bijna in lachen uit. Ik voelde de lach al opborrelen in mijn keel en ik moest mijn best doen om hem in te slikken.

Craig veegde zijn oog af met de rug van zijn hand. 'Jemig, Bella. loopt je toilet nog steeds door?'

'O jee,' zei ik. Al sinds Craig was weggegaan, nu bijna een jaar geleden, was ik van plan geweest een loodgieter te bellen. Zolang ik me kon herinneren, was er een probleem geweest met de hendel die je moest indrukken om door te spoelen. Als je dat niet op een bepaalde manier deed, bleef het water lopen. En als je dan weer in de badkamer kwam, lag er steevast een ondiepe plas water om de voet van de wc-pot, die langzaam richting de deur kroop. Telkens als het gebeurd was, had Craig gezworen dat hij het euvel had verholpen. Hij had de hendel vervangen, een rubber balletje of iets anders. Maar steeds gebeurde het weer.

Craig was al op weg naar de deur – in looppas. 'Kom mee,' zei hij. 'Dit ziet er niet goed uit.'

In de badkamer stonden we tot onze enkels in het water, en het peil steeg. 'Pak handdoeken,' riep Craig, terwijl hij zijn schoenen begon uit te trekken.

'Die liggen in de badkamer,' zei ik.

Hij keek me verdwaasd aan, alsof de handdoeken niet altijd al in de linnenkast in de badkamer hadden gelegen. Ook toen hij hier nog woonde. Omdat ik de strijd met het water niet graag alleen wilde aangaan, hield ik me in en zei: 'Ik pak wel een paar theedoeken.'

In de keuken aangekomen bedacht ik me dat ik er maar twee had, en dat geen van beide erg veel water zou kunnen opnemen. Daarom pakte ik twee plastic kommen om mee te hozen.

Ik rende naar de slaapkamer, schopte mijn schoenen uit, trok mijn sokken uit en verwisselde mijn zwarte broek voor een schandelijk oud uit gymshort. Terug in de badkamer kon ik Craig nog net door het water zien waden, op weg naar de toiletpot.

'Ahoy, maatje!' riep ik.

Een van Craigs opgerolde broekspijpen rolde naar beneden en belandde met een plofje in het water. 'Shit,' zei Craig.

'Dat hoop ik niet,' zei ik.

Craig trok een gezicht en wriemelde aan de hendel. De wc liep niet langer door, en ineens was het erg stil in de ruimte.

Ik gaf Craig een plastic kom en begon met mijn eigen kom water te hozen, de volle kom leeggietend in de wasbak.

Ook Craig schepte water op met zijn kom. 'Ik ben bang dat je een loodgieter moet bellen.'

'Denk je?' vroeg ik, en voegde eraan toe: 'Het spijt me.'

'Het geeft niet. We hadden jaren geleden al iemand moeten bellen.'

Enkele seconden zwegen we. Om onze enkels maakte het water zacht klotsende geluiden.

'Weet je nog die keer in Punta Cana toen we een lek hadden in de zeilboot?'

'En er een scheur in de hoosemmer zat?'

'En dat wij maar bleven zwaaien naar alle mensen aan wal en dat die vriendelijk lachend terugzwaaiden?'

'Dat was grappig,' zei ik. 'Toen niet, maar achteraf wel.' Ik goot een volle kom leeg in de wasbak en bukte voorover om hem weer vol te scheppen. 'Ik dacht net aan die keer dat Lizzie zeilles kreeg in Marshbury Harbor en de boot kapseisde. Jij wist niet hoe snel je van de pier in het water moest springen.'

'Ik was bang dat ze me zou vermoorden. Wist ik veel dat dat bij de les hoorde?' Hij hurkte in het water. 'Vind jij het een goed idee dat ze Kookkunsten gaat doen? Het is zo'n creatief kind. Haar moeder– '

'De trut,' zei ik.

Craig moest lachen en zei: 'Mijn hemel. Ik wist niet dat het leven zo ingewikkeld kon zijn.'

Toen we hadden gehoosd wat we konden, konden we bij de

deur van de linnenkast in de badkamer en pakten we handdoeken om de rest mee op te dweilen. De doorweekte handdoeken deed ik direct in de wasmachine, en Craig zette een oude ventilator in het halletje vlak voor de badkamerdeur.

'Bedankt,' zei ik, toen hij de keuken in kwam met zijn schoenen in zijn hand.

'Geen probleem,' zei hij.

Zijn beide broekspijpen hingen inmiddels op de grond. Ze waren zwaar van het water en nat tot op de knie. Ik keek naar zijn broek en knikte in de richting van de droger. 'Zal ik je broek in de droger gooien?'

'Zodat ik geen kou vat?' Craigs moeder was altijd bezorgd dat iedereen kou zou vatten, en als we bij haar op bezoek waren geweest, maakten we er altijd grapjes over.

We keken elkaar aan. 'Jeetje,' zei ik. 'Jij hebt er wel een zooitje van gemaakt.'

'Dat hebben we allebei. Jij wilde een jaar lang niet met me praten.'

'Nee,' zei ik. 'Dat klopt. Ik had je niets te zeggen. Ik kon alleen maar denken: *Is dit nou alles?*'

Craig schudde zijn hoofd. 'Ik had steeds de gedachte dat ik elke dag als ik wakker werd, weer een dag ouder was. Nog steeds geen fijn idee, vind ik.'

'Arme jij,' zei ik. 'Arme Craig.'

Wat er precies gebeurde, weet ik nog steeds niet, maar ineens hadden we onze armen om elkaar heen geslagen en stonden we te zoenen. Het voelde goed en slecht tegelijkertijd. Misschien een goede omschrijving voor ons hele huwelijk.

Achter me hoorde ik Craigs schoen op de grond vallen. Craig begon aan mijn kleren te trekken en ik aan die van hem. Het was alsof we terug gingen in de tijd, en in de tijd van onze eerste afspraakjes belandden, de tijd waarin we hartstochtelijk naar elkaar verlangden. Alleen was er nu ook woede in het spel – en misschien geldingsdrang. Wat het ook was, het was spannend en geil en tegen de tijd dat ik de andere schoen op de grond hoorde ploffen, stonden we in de slaapkamer.

19

Seks met mijn ex bleek zoiets te zijn als het eten van een brownie met toffeeglazuur. Ik wilde het echt. Heel erg graag. Mijn verlangen was al zo hemels dat het bijna pijn deed. En de eerste twee happen waren net zo lekker als ik me had voorgesteld.

En plotseling was het genoeg. Ik hoefde niet meer. Maar wat kon ik doen? Ik had hem al gekocht. En vanaf hier gaat de vergelijking niet langer op omdat het veel makkelijker is om een halve brownie in de vuilnisbak te kieperen dan je ex-man voortijdig je bed uit te werken.

Dus deed ik wat elke warmbloedige vrouw in Amerika – of waar ter wereld ook – zou doen. Ik bleef meedoen tot ik eindelijk weer eens klaarkwam en veinsde de rest. Ik maakte de juiste geluiden en bewoog zoals van me verwacht werd, maar meer zat er niet in. Het scheelde niets of ik was begonnen Craigs stoten te tellen op de melodie van *Ninety-Nine Bottles of Beer on the Wall.*

Toen ik studeerde, had ik een vriendje dat beweerde dat hij astrale projecties kon doen. Wat ik nu deed, leek er verdacht veel op. Mijn lichaam lag op mijn bed te neuken met mijn ex-man, en de rest van mij zweefde tegen het plafond en keek naar wat er daar beneden gebeurde en dacht: O-o.

Ik was vergeten met hoeveel lawaai Craig altijd klaarkwam, maar uiteindelijk gebeurde dat. Ik moest me inhouden om niet meteen uit bed te springen en op de vlucht te slaan. In plaats daarvan deed ik één oog dicht en kuste hem onder zijn oor.

Hij streelde me tussen mijn borsten en liet zijn vinger over mijn buik glijden, rondjes rond mijn navel draaiend. 'Dat was fantastisch,' fluisterde hij. 'Hoe was het voor jou?'

Tot dat moment had ik er geen seconde meer aan gedacht. Nu schopte ik de lakens van me af en riep: 'Precious! Cannoli!'

Craig lachte. 'Dat is iets nieuws,' zei hij.

Ik sprong uit bed en begon mijn kleren bij elkaar te zoeken.

'Hé,' zei Craig. 'Je ziet er geweldig uit, weet je dat? Sport je tegenwoordig veel?'

Ik vond mijn T-shirt. Omdat het bijna donker was, besloot ik het T-shirt meteen aan te trekken zonder eerst mijn beha te zoeken. Die hing waarschijnlijk ergens aan een kandelaar. Bij mijn voeten rinkelde een mobieltje, en ik pakte hem op.

'Niet doen,' zei Craig.

'Hallo,' zei ik.

'Hallo?' zei de stem van Sophia.

Ik gooide de telefoon naar Craig. 'Het is je vriendin,' zei ik.

Cannoli stond met haar neus platgedrukt tegen de glazen salondeur te wachten, en zodra ze me zag, begon ze als een gek te kwispelen. Haar staartje zwiepte fanatiek heen en weer.

Ik deed de deur open, tilde haar met een scheppende beweging op en drukte mijn neus in haar vacht. 'Niet te geloven dat ik je was vergeten,' zei ik. Toen Myles pas geboren was, was Tulia hem op een dag op het consultatiebureau vergeten. Ze had hem op de grond gezet toen ze een cheque moest uitschrijven, en daarna had ze Mack en Maggie bij de hand gepakt en was ze naar de auto gelopen. Toen ze thuiskwam, was er een berichtje van de receptioniste die haar vroeg of ze haar kinderen eens kon tellen. Allemaal hadden we nog wekenlang gelachen om het voorval, maar ik vond het vreselijk.

Nu pas begreep ik hoe makkelijk zoiets kon gebeuren. Ik vroeg me af – voor de eerste keer – of ik dit lieve hondje echt een beter thuis kon geven dan Silly Sirene de Bruid. Ik deed mijn jas aan, pakte Cannoli's nieuwe, met glittersteentjes bezette riem en gespte hem vast aan haar halsband. 'Kom op,' zei ik. 'Volgens mij kunnen we allebei wel een wandeling gebruiken.'

Met één hand hield ik de riem vast en met de andere zocht ik in mijn jaszak naar iets om op mijn gebarsten lippen te smeren. Ik vond een lippenstift van Estee Lauder: Hot Kiss. 'Dat dacht ik niet,' zei ik hardop. Toch stiftte ik er mijn lippen mee.

We waren de straat al een eind in gelopen, toen Craig naast ons kwam rijden en het raam van zijn stomme lease-Lexus open liet zakken. Zijn haar was nat. Hij had vast snel een douche genomen en zich afgedroogd met een washandje – alle handdoeken zaten in de was.

Hij keek me bezorgd aan. 'Heb jij een idee?' vroeg hij. Hij leek het te menen.

'Ja hoor,' zei ik. Cannoli en ik versnelden onze pas, en over mijn schouder stak ik mijn middelvinger op naar mijn ex-man. Het was onvoorstelbaar dat hij mij om advies vroeg. En onvoorstelbaar dat ik met hem naar bed was geweest.

Cannoli en ik maakten een lange wandeling. Zoals altijd als ik nog laat buiten was, gluurde ik naar binnen bij de mensen die nog op waren. De meesten keken tv. Niemand zag er erg gelukkig uit. Iemand had een butterscotchkleurige bank die ik wel wilde hebben.

Ik vroeg me af wat er zou gebeuren als ik zou aanbellen en vragen waar ze hem hadden gekocht. Misschien deed er wel een man open, een man die net met zijn ex-vrouw naar bed was geweest hoewel die een relatie had met zijn broer, en die daar met niemand over wilde praten. Eerst zouden we het over de bank hebben, en daarna zou het gesprek zich in een andere richting ontwikkelen. Langzaamaan zouden we inzien dat we veel meer fascinerends gemeen hadden dan het feit dat we allebei met onze ex het bed hadden gedeeld.

Ik bleef op de stoep voor het huis staan en keek naar de bank.

Er liep een vrouw de kamer in. Het leek alsof ze over haar schouder iets riep tegen iemand anders.

Ik tilde Cannoli op en liep verder, mijn neus begravend in wat er over was van haar vacht. Het haar was warm en zacht, en ik was blij dat ik er wat Vive Smooth Intense Anti-Frizz Mask van L'Oréal in had gedaan, ook al had Sean Ryan gemopperd omdat het vijf minuten langer had geduurd.

Ten slotte keerden we om en liepen terug naar huis. Pas toen we de hoek om kwamen, zag ik de wilde kalkoenen op het parkeerterrein van de salon. Het waren er vier, en ze liepen vlak langs de deur van mijn appartement, alsof ze net de salon uit kwamen, waar ze hun veren hadden laten poetsen, of iets dergelijks.

We lieten hen voorgaan. Cannoli leek het allemaal niet bijster interessant te vinden, en de kalkoenen zagen ons niet eens. Op hun dooie gemak waggelden ze voorbij, in de richting van een opening in de bosjes aan het eind van het parkeerterrein.

Je zag de laatste tijd wel vaker wilde kalkoenen in Marshbury. Helemaal sinds de stad steeds voller werd gebouwd en er minder plekken waren waar ze zich konden verstoppen. Toch zag ik de aanwezigheid van deze kalkoenen in deze bijzondere nacht, op dit bijzondere kruispunt in mijn leven, als een teken.

Betekende het dat mijn vroegere echtgenoot een kalkoen was? Of dat ik mijn leven maar beter zo snel mogelijk weer op orde kon krijgen omdat het bijna Thanksgiving was? Misschien stonden wilde kalkoenen symbool voor Wild Turkey, een whisky, en betekende het dat ik maar beter snel een borrel kon nemen.

'We kiezen voor optie drie,' zei ik tegen Cannoli, toen de laatste kalkoen door het gat in de heg was verdwenen.

Natuurlijk had ik geen Wild Turkey in huis. Wat er het dichtst bij in de buurt kwam, waren twee flesjes Sam Adams Boston Lager, die al tijden achter in mijn ijskast lagen, achter een rottende meloen, die ik ooit in een gezonde bui had gekocht. Ik gebruikte het handvat van een keukenlaatje om de dop van een van de flesjes te wippen, een truc die ik had geleerd op de padvinderij en die goed van pas kwam toen Craig er op een dag met de flessenopener vandoor was gegaan. Ik ververste het water in Cannoli's bakje en stopte de handdoeken in de droger.

Mijn flesje bier omhoog houdend zei ik: 'Proost.'

Cannoli dronk als een dame, met kleine slokjes. Ik klokte de drank gulzig achterover. Wat had me in godsnaam bezield? Slapen met Craig? Was ik uit op wraak op Sophia? Ik dacht het niet, maar dat ik beter was in ontkennen dan in introspectie was een publiek geheim, dus wat dat betrof, was het moeilijk te zeggen. Dacht ik. Ik nam nog een slok bier en stond toen op om nog een flesje te halen. Ik dronk en dacht nog wat na.

Als ik niet bijna Sean Ryan had gekust, was ik vast niet met Craig naar bed gegaan. Het klinkt misschien idioot voor een normaal mens, maar welk normaal mens duikt dan ook het bed in met haar ex-man, terwijl die ook vrijt met haar halfzus. Toch wist ik bijna zeker dat het waar was. Op de een of andere manier waren mijn bedrading en mijn hormonen in de knoop geraakt, en toen ik eenmaal opgewonden was, had iemand vergeten dat gevoel weer uit te schakelen. Eigenlijk was het een soort gebruikmaken van een freelancer voor seks. Misschien vond ik het minder eng om met Craig te slapen dan met een nieuw iemand, en weer helemaal van voor af aan te moeten beginnen.

Ik zette de ventilator die in het halletje stond en de badkamer in blies uit, poetste mijn tanden, plaste tien minuten lang en wist ineens weer waarom ik nooit bier dronk. Sean Ryan moest nodig een blaasvriendelijk bier bedenken, bier waarvan je niet hoefde te pissen als een renpaard. Al dat anti-oxidantengedoe was verder onbelangrijk.

Ik pakte een handdoek uit de droger en sprong onder de douche. Ik smeerde mijn lijf rijkelijk in met DHC Purifying Charcoal Shower Gel. Er werd veel reclame voor gemaakt en iedereen zei dat de gel duizend keer zijn gewicht aan dof makende giftige stoffen en ontsierende onzuiverheden kon absorberen. Ik hoopte maar dat ze niet overdreven.

Ik ging naar de slaapkamer, maakte het bed op met schone lakens en bracht het vuile beddengoed naar de keuken. De lakens die naar Craig roken, deed ik met extra bleekmiddel in de wasmachine. Toen ging ik in de woonkamer Sean Ryan bellen.

'Hoi,' hoorde ik. 'Je hoort mijn stem, maar ik kom niet aan de telefoon omdat ik óf aan het hanggliden ben in Argentinië, óf omdat ik geen zin heb om op te nemen. Spreek dus een bericht in.'

'Hallo,' zei ik. 'Bella hier. Ik wilde even zeggen dat het me spijt. Wel een rare situatie in de salon, vond je niet? Die man was trouwens mijn ex, voor het geval je je afvraagt wie dat was. Bel me maar. Graag. En bedankt voor de fooi, trouwens. Geintje. Natuurlijk krijg je je geld terug. Oké. Dag.'

Ik legde de hoorn neer en doorzocht mijn hele appartement tot ik de uitnodiging voor Andrews bruiloft vond. Zaterdag om vijf uur 's middags in een of andere kerk, en daarna een receptie in het Margaret Mitchell House. De uitnodiging was prachtig, met mooi ingelegd koperfolie. Ik keek op de achterkant en zag dat hij was ontworpen door Jack en Gretel, een bedrijf uit Atlanta. Wat zou het mooi zijn als sprookjes bestonden.

Ik pakte de hoorn weer op en belde nogmaals het nummer van Sean Ryan. Ik luisterde zijn bericht uit. 'Hallo, daar ben ik weer,' zei ik met een stem die volgens mij nogal schuchter klonk. 'Ik vergat te zeggen dat mijn neefs bruiloft om vijf uur begint. Mijn voorstel is om eerst de kraam te delen – oké, ik sta wel links – dan hebben we daarna genoeg tijd om naar de bruiloft te gaan. Bel me even over wanneer jouw vlucht is, in welk hotel je zit en over hoe we elkaar zullen treffen. Oké, dan. Dáág.'

Cannoli sprong op mijn schoot, en we staarden naar de telefoon – veel langer dan de bedoeling was. Ten slotte belde ik Lizzie. 'Hé,' zei ze. 'Wat ben jij nog laat op.'

Ik keek naar de klok op de schoorsteenmantel. 'Het is negen uur,' zei ik. 'Zó oud ben ik toch niet?'

Ze lachte niet echt overtuigend. 'Heb je mijn vader al gesproken?'

'Niet echt,' zei ik. 'Volgens mij staat hij best open voor je culinaire plannen. Dit heb je natuurlijk niet van mij, dat snap je, en het kan ook niet tegen me gebruikt worden. Laat het onderwerp maar even rusten en ga gewoon verder met je andere dingen. Kun je geen kookclub beginnen?'

'Ik heb me opgegeven als vrijwilligster bij het kookprogramma van onze campus. Dat staat vast goed op mijn cv.'

'Klinkt goed,' zei ik. Ik stond op en liep naar de keuken om een fles water uit de ijskast te pakken. Na slaap is water onze beste vriend. Misschien hebben we twee beste vrienden. Als je eenmaal begint met uitdrogen, kom je op een glijdende schaal naar beneden terecht.

Achteroverleunend tegen de keukentafel nam ik een slok water, terwijl Lizzie doorratelde. 'En,' zei ze, 'ik mag ook zelf koken en zo. Mijn recept voor radiatornoedels wordt vast een succes. Je kunt ze ook onder de douche opwarmen. Dan hoef je ze niet eens meer op de verwarming te zetten. Maar ik vind "radiatornoedels" zo lekker klinken.'

Lizzie pauzeerde even om adem te halen. Op de achtergrond werd keiharde muziek hoorbaar. Het ging goed met haar, dat kon je horen. 'Ik heb ook bedacht,' ging ze verder, 'hoe je een broodje warme kaas kunt maken met een reisstrijkijzer.'

'Geniaal,' zei ik.

'Het werkt perfect. Iedere eerstejaars heeft een reisstrijkijzer, en niemand strijkt ooit iets. Ideaal dus.'

'Ik heb je vast nog niets verteld over *míjn* nieuwe project,' zei ik. 'Ik ben een schoonheidskit aan het maken. Ik krijg tips van een andere ondernemer en ik heb er al mee op een studiekeuzebeurs gestaan.'

'Wauw! Cool! Stuur je er eentje op?'

'Dat is goed,' zei ik. 'Ik doe er vandaag nog een op de post.'

'Bedankt. Hé, kun je mij niet helpen met een kookkit? Dan heb ik nog meer kans op een eigen kookshow als ik ben afgestudeerd.'

Ik zag de gezichten van Craig en zijn eerste ex-vrouw al voor me als ze wisten dat Lizzie en ik gezellig samen aan haar kit zouden gaan werken. Ze zouden woest zijn, zeker weten.

'Tuurlijk,' zei ik. 'Dat lijkt me gezellig.'

'Gaaf,' zei ze. 'Ik moet nu weg. We gaan zo uit.'

'Ik ook,' zei ik. 'Ik ook.'

20

Toen ik klaar was met telefoneren met Lizzie, luisterde ik mijn voicemail af om te horen of ik een berichtje van Sean Ryan had gemist. Daarna belde ik Mario.

'Wat ben jij nog laat op,' zei hij.

'Zeg, het is zaterdagavond. Ik ga zo uit.'

Mario lachte. 'Even serieus. Hoe is het met je?'

'Wanneer gaan Todd en jij naar Atlanta?'

'Woensdag. We willen nog wat tijd met Andrew hebben en we moeten van alles regelen voor het proefdiner. Hoezo? Wanneer ga jij?'

Ik zuchtte. 'Ik wilde even wat kletsen. Ik vlieg vrijdagmiddag.'

'Doe vooral wat je wilt, als je die hond maar niet meeneemt.'

Ik hoorde dat Mario een slok nam en stelde me voor hoe hij samen met Todd languit op de bank lag, allebei een goed glas rode wijn in de hand, pratend over hun zoon, die over een week ging trouwen. Hun schoenen op de grond, in de open haard een gezellig knapperend vuurtje, ook al was het augustus. Het leek verdomme wel een Norman Rockwell schilderij. Ik vroeg me af of ik ooit nog een normaal leven zou hebben.

Ik zuchtte diep.

Ook Mario zuchtte.

'Oké, jij eerst,' zei ik.

'Ik moet steeds aan Julie denken. Hoe geweldig ze het zou vinden, een receptie in het Margaret Mitchell House. En dat we dan steeds Scarlett zouden imiteren als we praatten. Ik probeer me voor te stellen wat voor jurk ze zou dragen, en hoe ik haar haar zou doen. Hoe dol ze zou zijn op Amy. Hoe gelukkig het haar zou maken om Andrew zo gelukkig te zien. Hoe klote het is dat zij er niet bij is.'

Julie was Andrews biologische moeder. Sinds de middelbare school waren zij en Mario onafscheidelijk geweest, en tot de dag dat ze stierf had onze vader gehoopt dat zij degene zou zijn die van Mario een hetero zou maken. In de eindexamenklas was ze één keer met een jongen naar bed geweest en prompt zwanger geraakt. Hij had haar zelfs nooit meer gebeld, en zij had besloten dat ze het kind alleen wilde opvoeden. Mario was haar partner bij de bevalling geweest, en ze had zijn naam op het geboortecertificaat ingevuld. Mario had Todd leren kennen, en toen Andrew vier was, had Julia kanker gekregen. Mario en Todd hadden besloten dat zij Andrew zouden opvoeden als Julia het niet zou halen. En ze had het niet gehaald.

Ik kreeg tranen in mijn ogen. 'Je hield enorm veel van haar, hè?'

'Ja,' zei Mario zacht.

'Wordt haar naam genoemd in de dienst?'

'Ik wilde het wel, maar Andrew niet. Hij wil dat Todd en ik alle eer krijgen als ouders. Hij haat het als mensen vragen wie zijn échte ouders zijn. Todd en ik zullen haar alleen noemen als we een toost uitbrengen.'

'Het is een geweldige knul. En ik vind het fantastisch dat jullie allebei getuige zijn.'

'Ja, hij is fantastisch. Julie zou trots op hem zijn geweest.'

Ik zuchtte diep, zo diep dat er een snik kwam opwellen.

'Bella? Wat is er aan de hand?'

'Ik ben met Craig naar bed geweest.'

'O, nee toch?'

'Ik ben bang van wel.'

'Een week voordat Andrew gaat trouwen? Wat bezielde je in godsnaam?'

'Nou, zeg,' zei ik. 'Over narcistisch gesproken! Het draait niet altijd allemaal om jou. Ik ben vergeten in mijn agenda te kijken om te zien of ik ergens rekening mee moest houden.'

'Weet Sophia dit? Ze zal er kapot van zijn.'

'Sophia?' vroeg ik. 'Sophia? Waarom gaat het altijd om Sophia? Dit vertel je aan niemand, oké? Alleen aan Todd. Het waait vast weer over. En ik neem iemand mee naar de bruiloft. Is dat goed?'

'Natuurlijk,' zei hij. 'Zolang het Craig maar niet is.'

De volgende ochtend had ik het weer helemaal gehad met mannen. Waar had je ze eigenlijk voor nodig? Ik zou zelf de touwtjes weer in handen nemen, mezelf doelen stellen en vandaag nog beginnen om die na te streven. Ik stond vroeg op en ging oefeningen doen.

Toen deed ik mijn nieuwste lippenstift op, een geweldige kleur rood van OPI met de obscure naam My Chihuahua Bites. Weinig mensen weten dat OPI ook lippenstift maakt die past bij hun beroemde nagellak. Yucatan If U Want, ook uit de Mexico-lijn van OPI, was ook een goede. Meestal mocht ik van mezelf de naam nog niet lezen voordat ik de kleur had gezien. Want wie kon er een lippenstift weerstaan die Who Comes Up with These Names heette? Zelfs als karamelkleur niet jouw ding is. Gelukkig was My Chihuahua Bites een blijvertje.

Ik liet Cannoli uit, pakte de telefoon en belde wat luchtvaartmaatschappijen. Ik overwoog Cannoli stiekem mee te smokkelen in mijn schoudertas, maar zag er vanaf omdat ik niet wist wat er zou gebeuren als ik werd betrapt. Gelukkig zat de maatschappij nog niet aan hun 'twee-dieren-per-vlucht'-tax, dus reserveerde ik ook een stoel voor haar. Voor belachelijk veel geld, vond ik trouwens, en bovendien vond ik het oneerlijk omdat ze Cannoli tegelijkertijd beschouwden als één van mijn twee stuks handbagage.

Daarna belde ik het hotel. 'Hotel Indigo, de intelligente en intrigerende keuze,' zei een vriendelijke mannenstem.

'Bent u intelligent genoeg om diervriendelijk te zijn?' vroeg ik beleefd.

'Is de paus katholiek?'

'Heeft mijn vader u verteld dat u dat moest zeggen?'

'Wie is uw vader?'

'Laat maar zitten.' Ik gaf hem mijn reserveringsnummer en de naam van Cannoli.

'Hopelijk gauw tot ziens,' zei hij. 'En Cannoli logeert helemaal gratis bij ons.'

Dat compenseerde het feit dat ik was afgezet door de luchtvaartmaatschappij. 'Geweldig. Dank u wel,' zei ik. Ik vond het een geruststellende gedachte dat er nog gewetensvolle zakenmannen bestonden.

Ik hing op en nam een bakje cornflakes – een goed ontbijt is de allerbelangrijkste maaltijd als je mooi wilt zijn – dronk een kop koffie – omdat ik daar ernstig behoefte aan had – en pakte mijn kits uit de doos. Ik draaide er een om in mijn handen. Ik wist dat er iets structureel fout was aan mijn ontwerp, en nu zag ik eindelijk wat het was. Een kit moest werken. Hij moest doen waarvoor hij was ontworpen, ook als de maker er niet bij was. En mijn kit werkte alleen als ik er zelf bij was om de foundation te mengen en de make-upinstructies en de lijst met andere aanbevolen producten in te vullen. Mijn kit zou alleen verkopen als ik zelf daadwerkelijk aanwezig was om hem te verkopen. Daarom zou ik nooit hoge verkoopcijfers realiseren.

Wauw! Ik had het probleem gelokaliseerd. Nu kon ik het serieus gaan aanpakken. Maar hoe? Wat maakte dat de studiekeuzekit werkte, ook als de studiekeuzebegeleider op school zat en van daar uit studiekeuzes begeleidde? De kit bevatte instructies waarmee scholieren leerden hoe ze hun essays moesten schrijven, in plaats van dat de essays voor hen geschreven werden. Hoewel die lapzwans van een studiekeuzebegeleider op zijn minst zou kunnen aanbieden om de essays te controleren om zeker te weten dat ze goed genoeg waren. Wie weet wat voor rotzooi die arme kinderen opstuurden naar de universiteiten.

'Bingo!' riep ik tegen Cannoli, die opgekruld op de grond lag te dutten in een warme straal zonlicht. Hoewel ze sliep, begon ze in haar slaap te kwispelen toen ze mijn stem hoorde.

Cannoli sliep door, en ik ging aan het werk. Ik kon in elke kit een portvrije envelop doen en een vragenlijst met de instructie om een foto van jezelf zonder make-up mee te sturen. Dan zou ik de foundation kunnen mengen en de diagrammen invullen en tips geven over het aanbrengen van de make-up en adviseren over andere producten. Ik zou vast proefmonstertjes kunnen regelen bij een paar bedrijven. Of hun producten kunnen opnemen in de kit – tegen betaling natuurlijk.

Wacht. Wacht. Waarom zou ik alles per post doen? Ik kon ook een website ontwerpen en alles online doen. Ik zou zoekmachines benaderen en ze vragen om een link naar mijn website te maken. Klanten van de salons konden mond-op-mondreclame doen en ik kon zelfs de lokale televisie inschakelen voor de promotie. In Boston waren een paar zenders die wel geschikt waren, en ik vond mezelf beduidend charmanter dan minstens de helft van de gasten die ik tot nu toe voor hen had opgemaakt.

Ik was zo opgewonden dat ik bijna op en neer begon te springen op de meubels. Ik leek verdorie Tom Cruise wel. De ondernemer in mij was nu definitief wakker geworden. De kick van het bedenken van een nieuw concept was waanzinnig. Beter dan seks, vond ik. In elk geval beter dan seks met je ex.

Snel verdrong ik die gedachte uit mijn hersens. Ik pakte een vel papier en ging aan de slag.

BELLA'S BAG VOOR BASIC BEAUTY
Vragenlijst

1. Upload een kleurenfoto van jezelf op je allerslechtst – geen make-up en genadeloos daglicht. Maak je geen zorgen: alleen Bella en haar hardwerkende team van schoonheidsprofessionals krijgen je foto te zien.

2. Vul de onderstaande gegevens in:

NAAM ____________________

LEEFTIJD ____________________

NAAM VAN JE OUDERS ____________________

SINGLE, GEHUWD OF SAMENWONEND ____________________

Beschrijf in 3 woorden je persoonlijkheid

____

Beschrijf in 3 woorden je stoutste dromen

____

Grootste make-upprobleem

____

Meest trots op (uiterlijk kenmerk)

____

3. Kijk met een vergrootglas naar het wit van je ogen. Zijn de lijntjes die vanuit het midden lopen geel? In dat geval is je basiskleur geel – je bent een WARM type en kunt de kleurenkaart voor WARM gebruiken. Als de lijntjes grijs zijn, is je basiskleur roze – je bent een KOEL type en kunt de kleurenkaart voor KOEL gebruiken.

4. Klik hieronder op de link voor de kleurenkaart die bij jou past (WARM of KOEL). Er verschijnt een nieuwe pagina. Druk de kleurenkaart af en knip de acht verschillende kleurvakken uit.

Ga voor de spiegel staan – het best is de zijspiegel van een auto, dan zie je jezelf in natuurlijk daglicht en dat is het beste voor de analyse. Houd de acht kleuren een voor een tegen je kaaklijn. Kies de kleur die het dichtst bij je huidskleur komt en doe dit kaartje in de portvrije envelop. Schrijf eventuele opmerkingen op de achterkant. Bijvoorbeeld: *iets lichter dan deze*, of, *bijna deze, maar een tikje donkerder*, of een tekst als: *mijn printer is onbetrouwbaar, dit is voor mij natte-vingerwerk*. In de tekstblokjes kun je ook noteren welk merk foundation en welke kleur je nu gebruikt. Alle informatie is welkom.

5. Oogkleurkaart. Kijk welke kleur het dichtst bij de kleur van je ogen komt. Ook hier geldt: leef je uit en schrijf op de achterkant van de kaart alles wat je denkt dat belangrijk kan zijn.

6. Haarkleurkaart. Kijk welke kleur het dichtst bij je haarkleur komt – niet je eigen haarkleur, voor het geval je nog mocht weten welke kleur dat was, maar je HUIDIGE haarkleur. Als je het merk en het nummer van je huidige haarverf weet, kun je dit noteren in het tekstblokje.

7. Uitstraling. Geef aan in welk stijlicoon je elementen van jouw stijl herkent. Diane Keaton, Britney Spears, Melissa Etheridge, Olympia Dukakis, Joy Behar, Madonna, Nancy Pelosi, Gloria Steinem, Lindsay Lohan, Oprah Winfrey, Sheryl Crow, Beyoncé Knowles, Courtney Love, Heather Mills, Jennifer Lopez, Jennifer Aniston, Whitney Houston, Angelina Jolie, Diane Sawyer, Robin Roberts, Ann Curry, Meredith Vieira, Kirstie Alley, Hillary Clinton, Shakira.

8. Je beste kleur. Iemand maakt je een complimentje. De kans is groot dat je de kleur draagt die jou het beste staat. Welke kleur draag je? Kruis deze kleur aan.

Dat is alles! Je hoeft nu alleen nog op 'Volgende' te klikken, en je adres en je creditcardgegevens in te vullen. Voor je het weet, wordt jouw prachtig verpakte Bella's Bag voor Beauty Basics bij je thuisbezorgd, inclusief een speciaal voor jou opgesteld en aangepast make-upplan. De kit bevat een persoonlijke foundation, een magisch elixer (voeg hiervan twee druppels toe aan je foundation als deze je volgende zomer iets te licht lijkt), probeerverpakkingen van verschillende producten en een persoonlijk diagram met individuele productsuggesties voor je ogen, wangen en lippen. *Bellisima!*

Bij het ontwerpen van de website voor de salon had ik een geweldig template-programma gebruikt. De rest van de middag bracht ik beneden door, in de Salon de Paolo. Ik registreerde een domein en werkte aan de website voor Bella's Bag voor Basic Beauty. Toen besloot ik een pauze in te lassen omdat ik stond te popelen om aan Lizzie's kit te gaan beginnen.

21

De salons waren meestal dicht op maandag, maar omdat we nu op vrijdag en zaterdag gesloten zouden zijn vanwege Andrews bruiloft, had mijn vader besloten dat maandag deze week op vrijdag viel. 'Rome werd ook niet in één dag gebouwd,' zei hij tegen iedereen. Niemand begreep hem, en hij stichtte alleen maar meer verwarring.

Al onze vaste weekafspraken propten we in het donderdagprogramma. De vrijdagafspraken met flexibele klanten die minder vaak kwamen, verzetten we naar de maandag daarop, maar Tulia's moeder, Didi, weigerde haar kickboxles op maandag over te slaan en aangezien zij op vrijdag in Salon de Lucio de receptioniste was, zat er niets anders op dan om de beurt de telefoon op te nemen tot zij verscheen.

'Heb je het gehoord van Celeste Sullican?' vroeg Esther Williams, terwijl ik een scheiding in haar haar maakte en de helft vastzette met een metalen klip. 'Ze was aan het bridgen en zakte zo in elkaar. Twee dagen voor haar achtennegentigste verjaardag. Daarom wil ik niet wachten tot donderdag.'

'Wat vreselijk,' zei ik.

'Ze was veel te jong,' zei Esther Williams. 'Bij de wake vanavond zijn er vast massa's mensen en morgen bij de begrafenis veel minder. Weinig, zelfs. Het bejaardenhuis heeft een uitje naar Foxwoods, en als je op het laatste moment afzegt, krijg je je geld niet terug. Lastig. Celeste was dol op Foxwoods.'

Ik had besloten Cannoli – die vandaag gekleed ging in haar zwart-witte KARMA'S A BITCH-T-shirt – op te leiden tot mijn assistent. Ze was redelijk snel met het oppikken van dingen, ze leek behoorlijk trainbaar, misschien had ze zelfs talent. Sinds ik begonnen was met plastic rollers in Esther Wililams' haar te zetten, had ze al door dat ze de rollers die ik liet vallen moest oppakken en net zo lang moest vasthouden tot ik haar beloonde met een hondenkoekje. De meeste menselijke assistenten waren niet half zo beloftevol.

Mario kwam langs. 'Als pa je maar niet zo bezig ziet,' zei hij. 'Hé, heb je een andere hond?'

Ik knikte. Opgelucht constateerde ik dat de vermomming werkte. Esther Williams keek Mario na terwijl hij door de salon liep. 'Dit is mijn nieuwe hond,' zei ik. 'Ze heet Cannoli.'

Esther Williams zette haar bril op en leunde over de rand van de stoel zodat ze Cannoli beter kon bekijken. 'Als dat maar goed gaat. Straks kun je een spuit tegen hondsdolheid halen, let maar op. Zo lang dat beest maar niet op de rollers kwijlt, juffie.'

'Dat doet ze niet, maak u geen zorgen.' Ik bestudeerde Esther Williams eens goed. 'Gaat het wel goed met u?'

Esther Williams legde een hand op haar borst. 'Ik ga niet graag op maandag ergens heen. Ik heb ergens gelezen dat de kans op een hartaanval op maandag het grootst is.'

'Maak u niet druk,' zei ik. 'Ik heb ergens gelezen dat het ook de beste dag is om een nieuwe man te ontmoeten.'

'Dat meen je niet,' zei ze. Ik gaf haar de kans rond te kijken in de salon – wie weet zat haar potentiële nieuwe man er – en zette toen de volgende roze krulspeld in haar haar.

Mijn vader liep langs ons heen, met onder zijn arm een pakje van grappa-achtige afmetingen. Hij sorteerde de stapel post met brieven van makelaars en projectontwikkelaars.

'Altijd fijn als mensen iets van je willen,' zei Mario.

'Denk maar niet dat ik niet weet wie daarachter zit,' zei mijn vader. Hij legde één hand in zijn nek, strekte zijn vingers en wees in de richting van The Best Little Hairhouse in Marshbury. Hij droeg een camouflagebroek en een gebreide trui uit de dump.

Ik griste de krulspeld uit Cannoli's bek voordat mijn vader het zag. 'Ha die pa,' zei ik. 'Hoe is het met je? Wat vinden ze van dat glimmende nieuwe hoofd van je? Mooi?'

'Is de paus katholiek?' zei mijn vader. Toen zag hij Esther Williams en wilde doorlopen.

'Ben jij dat, Lucky Larry Shaughnessy?' zei Esther. 'Kom eens hier zodat ik je goed kan bekijken.'

De telefoon ging. 'Jouw beurt, Bella,' riep Angela door de salon vanaf de plek waar zij werkte.

Ik tilde Cannoli op en rende naar de telefoon en nam op met: 'Goedemorgen, Salon de Paolo. Eh, ik bedoel Salon de Lucio.'

De stem aan de andere kant van de lijn zei iets wat klonk als *bonte meid*. Die stem kende ik.

'Pardon?' zei ik.

Hij herhaalde wat hij had gezegd, maar dit keer klonk het als *hond kwijt*.

Mijn hart begon als een bezetene te bonken. 'Sorry,' zei ik. 'Ik denk dat u een verkeerd nummer hebt gedraaid.' En ik hing op.

De telefoon ging weer over. Ik liep weg.

Mario pakte de hoorn op. 'Salon de Lucio,' zei hij. 'Wat? Dat is absurd. Daar hebben we nog nooit problemen mee gehad. Oké. Oké.'

'Pa?' vroeg hij, nadat hij de hoorn had neergelegd. 'Dat was iemand van de gemeente. Ze hebben een klacht gehad omdat onze septic tank niet deugt. Ze sturen iemand deze kant op om het te testen. En jij weet net zo goed als ik dat een systeem dat zo oud is als dat van ons nooit door de keuring zal komen.'

Bijna iedereen in Marshbury kent wel een horrorverhaal over een septic tank. Verordening V, waarin de strikte reglementen waaraan septic tanks moesten voldoen, werden beschreven, was bedoeld om de omgeving te beschermen tegen lekkende tanks. Helaas werd de verordening vaak voor andere doeleinden gebruikt. In de stad woonden veel mensen, vooral oudere inwoners, die nauwelijks hun torenhoge hypotheeklasten konden betalen. Als hun septic tank dan kuren kreeg of, nog erger, als iemand de gezondheidsinspectie anoniem tipte omdat de tank stuk was, alleen omdat ze het huis wilden inpikken, kwam het soms voor dat mensen hun huis moesten verkopen omdat ze geen geld hadden om een gloednieuwe, peperdure tank te laten installeren.

En zelfs als ze het zich konden veroorloven, was een septic tank in een huis aan het water een heel ander verhaal. Bij veel gebouwen aan het water, zoals het pand waar mijn vader woonde en waar Salon de Lucio zat, moest de tank bovengronds worden aangelegd om te voorkomen dat het water in de haven besmet kon raken. En uitzicht op een met gras begroeide septic tank is natuurlijk prachtig. Daar kan geen zonsondergang tegenop.

Mijn vader sloeg zijn armen over elkaar. 'Het zijn die jongens van dat haarhuis. Zeker weten. Als ze denken dat ze ons zo kunnen opruimen, zijn ze nog niet jarig.'

'Weet je zeker dat ze er niet uitziet als een chihuahua-terriër met geverfd haar?' vroeg ik Mario.

'Ze ziet er totaal anders uit,' antwoordde Mario. 'Echt.'

'Cannoli,' zei ik. 'Ze heet Cannoli. Zeg het allemaal maar zo vaak mogelijk, we moeten haar nieuwe naam oefenen.'

'Cannoli,' klonk het eenstemmig. We zaten te wachten op mijn vader. De wekelijkse vergadering was verplaatst van vrijdag naar maandag, net als de rest van het programma voor die dag.

Sinds het *hond kwijt*-telefoontje wist ik dat het slechts een kwestie van tijd was totdat de vader van Silly Sirene de Bruid zou komen opdagen. Mijn zenuwen waren al dusdanig aangetast, dat ik zenuwtrekjes begon te vertonen. 'Beschrijf haar eens voor me,' zei ik.

Vicky stopte met afstoffen. 'Ik zie een hond,' zei ze. Haar reïntegratiecoach keek op van haar tijdschrift.

'Dank je wel, Vicky,' zei ik. 'Ik vind dat ze nu meer heeft van een poedel dan van een terriër, maar ik zie er nog steeds iets van een chihuahua in. Misschien kunnen we zeggen dat ze een chihoedel is.'

'Of een puapua,' zei een van de stylistes. Vandaag waren zij en een andere styliste druk bezig om elkaars haar met een strijkijzer glad te strijken. Ik wilde dat ik dát met Cannoli's vacht had gedaan in plaats van het haar zo kort af te scheren. Ik had zelfs een miniatuur Afghaanse windhond van haar kunnen maken.

'Oké,' zei ik, nadat ik mijn lippen had ingesmeerd met een kalmerend likje Maybelline Peach Colada. 'Het allerbelangrijkste is dat we straks hetzelfde verhaal hebben. Cannoli komt van een fokker in Italië, en is al bij ons sinds de salon opende.'

'Dan is ze nu tweehonderdachtendertig. In hondenjaren,' zei Todd.

'Stop met boekhoudertje spelen,' zei ik. 'We moeten niet vergeten dat ze haar leven niet zeker is bij die afschuwelijke bruid. Hoe onbenullig het nu ook mag lijken,' zei ik, en ik keek naar Sophia, die mij aanstaarde, 'het leven van deze hond zou er wel eens van kunnen afhangen.'

Meestal maakte mijn vader door de tuindeuren zijn entree, maar dit keer zwaaide de salondeur open en sloop hij stilletjes naar binnen, nog steeds in camouflagepak, en legde de grote rubberen hamer die hij in zijn hand had gehouden, achter de balie. 'Zo,' zei hij. 'Dat zal ze leren.' Hij knipte met zijn vingers. Niemand durfde een vin te verroeren.

'Lucky,' zei Tulia's moeder, Didi. 'Wat heb je nu weer gedaan?'

Mario stond op en keek uit het raam.

Maar vader keek met een schuldbewuste blik voor zich uit en wreef met zijn hand van voor naar achter over zijn hoofd, alsof hij zijn schedel net zo lang wilde poetsen tot hij glansde. 'Kijk buiten maar naar de overkant van de straat,' zei hij. 'Eén voor één, dan valt het niet zo op. Misschien staat er iemand op de uitkijk.'

'Ik ga wel eerst,' zei Mario.

Mijn vader knipte weer met zijn vingers, en tegen de tijd dat Mario terug was, hadden we onze stoelen in een soort halve cirkel gezet. Sophia en ik zaten expres ieder aan een andere kant van de kring.

Mario trok de salondeur achter zich dicht. Zijn roestkleurige overhemd paste perfect bij zijn sproeten. 'Staat The Best Little Hairhouse in Marshbury te koop?' vroeg hij.

Mijn vader sloeg op zijn knie.

'Pa!' riep ik uit. 'Dat meen je niet!'

Mijn vader maakte een gebaar alsof hij zijn mond dichtritste. Iedereen stond op en liep naar het raam.

'Kom op, pa,' zei Mario. 'Problemen kunnen we nu echt niet gebruiken. Als we een nieuwe septic tank moeten laten plaatsen, kost ons dat bakken met geld.'

'Hoe kom je aan dat bord, Lucky?' vroeg Todd.

Mijn vader wreef zich nogmaals over zijn kale hoofd. 'Tegenwoordig is er van alles te koop, Toddy. Het was niet echt moeilijk, hoewel het wel stevig vastgespijkerd zat. Zo'n bord lostrekken is niet zo eenvoudig als je zou denken.'

Tulia wendde zich af van het raam. 'Ik snap het niet,' zei ze.

'Wat snap je niet, bambino?' vroeg mijn vader. 'Ik kan hetzelfde spelletje spelen als zij. Ze kunnen ons nooit onze klanten afpikken als iedereen denkt dat ze gaan verhuizen.'

Ons vrolijke groepje stond nog steeds uit het raam te kijken. 'O-o,' zei een van de stylistes. 'Daar zul je ze hebben. Wat een drama, wat een drama!'

Mario keek weer naar buiten. 'Wauw,' zei hij. 'Die twee zie je op elke gay radar! Daar kijkt iedereen naar om. Wat een mooi stel, zeg!'

'Dat zeg ik steeds,' zei mijn vader. 'Ik doe wat ik kan, maar jullie mogen ook best moeite doen om je wat hipper te kleden.'

De salondeur ging met een sierlijke zwaai open, en er kwamen twee jonge mannen binnen. Ze droegen skinny jeans en een superstrak T-shirt, hadden blonde plukjes in hun haar, perfect getekende wenkbrauwen en ik meende een glimp botox op te vangen. Ik keek goed of hun gezichten bewogen als ze iets zeiden.

Mijn vader zette zijn handen op zijn heupen. 'Het spijt me,' zei hij. 'In deze salon werken we alleen op afspraak. Wij hebben geen tijd voor mensen die zomaar binnen komen vallen.'

'Alsof we daarvoor komen,' zei de langste van de twee.

'Gelukkig maar,' zei mijn vader. 'Ik ben een schoonheidsexpert, geen tovenaar.' Hij klapte dubbel van het lachen en sloeg met zijn hand op zijn knie.

De langere knul negeerde hem en hield een bord met TE KOOP erop omhoog. 'Weten jullie hier iets van?'

Mijn vader vlocht zijn vingers bovenop zijn hoofd in elkaar. 'Waarvan?'

'Vertel het de oude man maar,' zei de langste van de twee.

De kleinste begon te praten. 'Weet je, opa, jij bent niet de eerste homofoob met wie we te maken krijgen.'

'Hé, pas een beetje op met die grote *bocca* van je. Ik heb hier toevallig wel mijn eigen homo. Twee zelfs, als je zijn man meerekent.'

Mario en Todd zwaaiden naar de bezoekers. 'Hij is niet politiek correct, maar voor de rest valt hij best mee, hoor,' zei Todd.

'Zeg dat het je spijt van dat bord, pa,' zei Mario. 'En beloof dat je het nooit meer zult doen.'

'Sei pazzo!' schreeuwde mijn vader, 'en voor alle niet-Italianen in de zaal: dat betekent "ben je gek!"'

'Dat geldt dus zo'n beetje voor iedereen,' zei ik.

Mijn vader schudde met zijn vuist. 'Welke kapper gooit er een muntstuk in het septische systeem van zijn buurman? *Scemo! Stupido! Cretino!*' Hij spoog op de salonvloer. '*Disgrazio!*'

Vicky liep naar hem toe en begon het speeksel op te dweilen.

De jongens van The Best Little Hairhouse schudden hun hoofden. 'Geen idee waar hij het over heeft,' zei de kleinste.

Mijn vader deed een stap naar voren. Weer maakte hij het gebaar met zijn vinger langs de onderkant van zijn kin en schreeuwde: '*Disgusto!*' Mario greep hem vast aan de riem van zijn camouflagepak.

De lange knul gaf Todd het TE KOOP-bord. 'Zorg dat hij uit de buurt van onze salon blijft, oké?'

Zodra ze vertrokken waren, rende Cannoli naar de deur en begon te blaffen.

'Een beetje laat, vind je niet?' zei ik.

'Oké, iedereen, we hebben geen tijd voor irritaties, we hebben een belangrijke week voor de boeg.'

'Is Andrew klaar voor de bruiloft?' vroeg Angela, toen iedereen weer zat – iedereen behalve mijn vader, die naar huis was gegaan om een fles grappa te halen. 'Wij vertrekken trouwens zaterdagochtend. De kinderen hebben vrijdagmiddag een voetbalwedstrijd die ze niet kunnen missen.'

Mario lachte. 'Volgens mij begint hij al zenuwachtig te worden. Hij haat het om het middelpunt van de belangstelling te zijn.'

'Mike wilde eerst vrijdag overwerken en mij en de kinderen daar zaterdag treffen,' zei Tulia. 'Maar omdat ik dat niet wilde, vliegen we vrijdagmiddag met zijn allen. Maggie kan nog steeds niet geloven dat ze bloemenmeisje mag zijn op de bruiloft van haar neef. En Andrew was zo aardig om te vragen of Mack en Myles samen de ringen willen dragen. Als Myles de ring maar niet opeet, hij zit nog in de orale fase.' Ze had de kinderen vandaag niet bij zich – of ze moesten nog in de auto zitten.

'Volgens mij hebben ze er de perfecte leeftijd voor,' zei Angela. 'Mijn kinderen vonden het geweldig toen Bella ging trouwen.'

'Laten we het daar niet over hebben,' zei ik.

'Weet je,' zei een van de stylistes. 'Ik heb steeds het idee dat het vrijdag is en dat we straks op gaan stappen.' Ze schudde haar hoofd. 'Het is allemaal erg verwarrend, dat moet ik toegeven.

Er werd op de deur geklopt. 'Ra ra, wie zou daar zijn,' zei Sophia. Ze keek naar mij en lachte. Het was geen aardig lachje. Ze stond op en liep naar de deur.

De deur ging open. De vader van Silly Sirene de Bruid stond op de stoep. Ik greep Mario bij zijn arm.

'Hallo,' zei Sophia. 'Zoekt u iets? Misschien iets op vier pootjes?'

Mario trok mijn vingers los en ging ook staan. 'Leuk u weer te zien, meneer,' zei hij. 'Wat kan ik voor u doen?'

Ik boog me over Cannoli heen, zodat hij haar niet zou zien. Mario liep langs Sophia en zei tegen de vader van Silly Sirene de Bruid dat we in bespreking waren. Hij opende de deur, en samen wandelden ze naar buiten. Sophia bleef in de deuropening staan. We leunden allemaal naar voren in onze stoelen en probeerden te horen wat er werd gezegd.

Sophia draaide zich om en keek mij aan. 'Niet te geloven dat je probeert dat hondje van zijn dochter af te pakken,' zei ze.

'Moet je horen wie het zegt,' zei ik. 'Wil je het hebben over wie wat van wie heeft afgepakt?'

Vicky keek op van haar veegwerk. 'Au,' zei ze. 'Die zit.'

'Wauw,' zei een van de stylistes. 'Zij weet het goed te verwoorden.'

'Ze zegt waar het op staat,' zei iemand anders.

Sophia en ik keken elkaar nog steeds woest aan toen Mario terugkwam met een stapel pizzadozen in zijn armen.

'Wat is er gebeurd?' riep de halve kamer in koor.

Mario zette de pizzadozen op het bureau van de receptie. 'Goed. Dit is het verhaal. Ik heb gezegd dat jij de hond meenam naar de salon omdat je niet wist wat je er anders mee moest.

Toen niemand haar kwam ophalen, moest ik haar wel naar het asiel brengen omdat wij al een salonhond hebben. Een hond die je niet alleen kon laten met andere dieren. Killer Cannoli.'

Ik sprong op en gaf Mario een dikke kus op zijn wang. 'Je bent geweldig,' zei ik. Ik hield Cannoli omhoog zodat zij hem ook een kus kon geven. 'Hoor je dat, Cannoli?'

Mijn vader kwam terug met de grappa en maakte een pizzadoos open. '*Mangiamo!*'

We pakten allemaal een papieren bordje. 'Is de vergadering al afgelopen?' vroeg een van de stylistes.

22

Het was geweldig om een doel te hebben. Ik had de hele dag vrijwel non-stop doorgewerkt en nu lag er een enorme stapel kits voor me. En ik hoefde ze nergens mee naartoe te nemen: als het ontwerp van mijn website klaar was, en ik hem had geüpload, kon ik mijn zaken beginnen. De kit die ik voor Lizzie had gemaakt, zat al op de post. Al sinds zij mij voor het eerst had gevraagd of ze mijn lippenstift mocht gebruiken, had ik make-up met haar gekocht, dus ik wist precies wat wel en niet werkte voor haar gezicht.

Allereerst had ik foundation voor haar gemengd. Ze had bruinrood haar, donkerbruine ogen en een middelmatig koele huid. Om haar ogen extra te laten uitkomen, had ik een grijsblauwe metaalkleurige oogschaduw van Revlon, genaamd Scene Stealer, in haar kit gedaan, en een longlasting Bobbi Brown gel eyeliner met de poëtische naam Sapphire Shimmer Ink. Meer make-up deed ik er niet in, zodat ik een excuus zou hebben om haar snel weer een pakje te sturen.

Op het allerlaatste moment besloot ik er vier bonnen in te doen voor gratis online make-upkits. Lizzie zou ze aan haar schoolvriendinnen kunnen geven. Waarom zou ik geen reclame maken voor mezelf? Bovendien fungeerden Lizzie en haar vriendinnen als proefkonijnen. Als zij hun formulieren online invulden, kon ik meteen zien of de links op mijn website werkten. Met hun reacties kon ik de site en de inhoud daarvan verbeteren. Mijn streven was om online make-upadvies te kunnen geven dat net zo goed was als wanneer ik de persoon om wie het ging in levenden lijve voor me had zitten. De foundation en de productsuggesties moesten online net zo accuraat zijn als in het echt.

De rest van de kits deed ik in een doos, die ik op een lege plank in de kast zette; Craigs nalatenschap. De laatste tijd speelde ik geregeld met de gedachte om alle lege ruimte die hij had achtergelaten op te vullen, waarmee ik hem voorgoed kon laten verdwijnen. Ik had een loodgieter gebeld, en nu het toilet was gerepareerd, kon ik me niet voorstellen mijn ex-man ooit nog nodig te zullen hebben.

En op wonderlijke wijze was het toen zomaar ineens donderdagavond. Ik kon niet geloven dat Sean Ryan me nog steeds niet had gebeld. Terwijl in Atlanta een tafel delen zíjn idee was geweest. En als ik het me goed herinnerde, had hij ook het initiatief genomen bij onze bijna-kus. En ik had hem niet één keer gebeld, maar twee, en volgens de regels van zo'n beetje elk spel dat ik kende, was hij nu aan zet.

De hele week was ik ervan overtuigd geweest dat Sean Ryan me elke seconde kon bellen. Ik was zelfs gaan bedenken waarom het zo lang duurde. Misschien had hij een medisch excuus, een zieke moeder of oom, bijvoorbeeld. Of een ondernemersexcuus, zoals anti-oxidantkwesties in de microbrouwerij. Ik verzon zelfs een psychologisch excuus voor hem: dat hij bang was om verliefd op me te worden, bijvoorbeeld.

Niet alleen bedacht ik voor elke categorie meerdere excuses, in gedachten had ik al het telefoongesprek gevoerd dat we zouden hebben als hij belde. Ik had zijn excuses aanvaard, en in mijn gedachten was alles al lang vergeven en vergeten. Verdorie, we hadden plannen gemaakt voor de beurs en de bruiloft. En dat hij nu niets van zich liet horen, dat haatte ik.

Ik begon mijn koffer te pakken voor Andrews bruiloft. Vorige week had ik een waanzinnig mooie jurk gekocht terwijl ik wachtte op zijn telefoontje. Het was een halterjurk van crêpezijde met een diepe V-hals, een lijfje met plooitjes en een soepele rok tot op de knie. Het knallende blauw stond prachtig bij mijn donkere haar, mijn bleke huid en mijn groene ogen. Dat ik nu niets nieuws hoefde te kopen voor Cannoli, was een bijkomend voordeel. Het bruidsmeisjesjurkje dat ze aan had gehad op de dag dat ik haar voor het eerst zag, paste perfect bij mijn nieuwe aankoop.

Cannoli zag dat ik haar maagdenpalmblauwe tafzijden ballonjurkje in mijn koffer deed. 'Verbeeld je maar niets, popje,' zei ik. 'Je kunt in geen geval bij de inzegening zijn, en ik weet niet of ik je naar binnen kan smokkelen op de receptie.'

Met een grote sprong belandde ze op het bed, en ze zette haar voorpoten op de rand van de koffer. 'O, doe toch niet zo dramatisch,' zei ik. 'Natuurlijk mag je mee op reis. In het ergste geval moet je een paar uur alleen op een hotelkamer blijven, dat is alles.'

Nadat ik genoeg kleren voor ons had ingepakt voor het weekend – plus hondenvoer en speeltjes – pakte ik de doos met beautykits uit de kast en besloot alle ruimte die er nog over was in mijn koffer vol te stoppen met zoveel mogelijk kits. Als ik ze als reclamestunt weggaf aan studenten, kon ik er ook wel een paar uitdelen in het hotel. Als het rustig was, voor en na de bruiloft.

Ik twijfelde of ik de foundation ter plekke zou mengen en daar een lijst met productsuggesties voor de mensen zou opstellen, of dat ik alleen bonnen voor mijn website zou uitdelen. Uiteindelijk besloot ik dat het leuker was om ze een echte kit te geven, omdat dat meer indruk zou maken. Niemand in mijn familie wist nog van mijn kits, dus dat zou wel eens gedoe kunnen opleveren. Als ik me maar goed concentreerde, kon ik vast heel discreet zijn. En als ik toch in Atlanta was, kon ik net zo goed de markt onderzoeken en mijn kit uitproberen.

Cannoli gaf ik thuis al iets te eten, en voor mezelf wilde ik een salade kopen in het winkelcentrum van Marshbury. Ik was van plan hem op het strand op te eten, en Cannoli daar te laten rondrennen. Hoewel het nog augustus was, was de herfst de laatste dagen al voelbaar in de lucht. Natuurlijk zou het warme weer ooit terugkeren, maar het was duidelijk dat het voorlopig afgelopen was. Ik had bedacht dat ik Cannoli vandaag flink wilde afmatten zodat ze morgen nog bekaf zou zijn als we voor het eerst samen gingen vliegen. Voor haar was het waarschijnlijk de eerste keer dat ze ging vliegen.

Ik vroeg me af wat er zou gebeuren als de vader van Silly Sirene de Bruid inderdaad naar het dierenasiel was gegaan. Misschien had ik geluk. Misschien had hij een andere hond voor zijn dochter meegenomen in de hoop dat ze het verschil niet zou zien. Hij was niet meer teruggekomen in de salon. Dat kon betekenen dat de crisis voorbij was, en dat we van nu af aan in volledige harmonie konden samenleven.

Silly Sirene was er niet bij geweest toen haar vader in de salon kwam. Dat kon betekenen dat het haar niet uitmaakte of ze haar hond terugkreeg of niet, en dat ze haar vader had gevraagd of hij even langs kon gaan omdat hij toevallig in de buurt was. Waarschijnlijk was de vader van Silly Sirene de Bruid niet eens naar het asiel gegaan.

Het begon al donker te worden, en Cannoli en ik hadden het strand helemaal voor onszelf. Cannoli spurtte meteen naar de waterkant en ging op haar rug liggen rollen in een berg zeewier en Joost mag weten wat nog meer. Ik liet haar begaan omdat ik haar later in bad wilde doen.

Ik klapte het deksel van mijn bakje salade open en pakte de plastic vork. Natuurlijk moest ik weer aan Sean Ryan denken. De laatste keer dat ik op dit strand was, waren we samen geweest en hadden we vis en patat gegeten.

Ik wipte een schijfje komkommer in mijn mond en probeerde tegelijkertijd te kauwen en tevreden te zijn met mezelf.

Sean Ryans visitekaartje zat nog in mijn portemonnee, en voor ik de auto startte, pakte ik het eruit. Zijn adres lag niet bepaald op mijn route naar huis, maar het was ook niet al te ver om. Bovendien was het een mooie avond, en hield ik van autorijden. En het was donker, dus hij zou me niet kunnen zien als hij toevallig net uit het raam keek op het moment dat wij voorbijreden.

'Dit is wel erg middelbareschoolachtig. Niet te geloven,' zei ik tegen Cannoli. 'Maar we doen het gewoon.'

Cannoli stond op haar achterpoten op de passagiersstoel, maar het lukte haar net niet om uit het raam te kijken. 'Het spijt me,' zei ik. 'Ik beloof je dat ik nog wat kussens voor je zal regelen. Of een telefoonboek. Mijn oma van moeders kant moest altijd op drie telefoonboeken zitten om boven het stuur uit te komen. Heb ik je dat al eens verteld? De lengte in onze familie komt van mijn vaders kant.'

Geïnteresseerd keek Cannoli me aan. We reden het parkeerterrein af en sloegen rechtsaf. Ik moest zelf de richtingaanwijzer weer uitzetten, tegenwoordig ging blijkbaar niets meer automatisch.

'Weet je wat,' zei ik. 'Ik ben Thelma, en jij bent Louise. Nee, wacht even. Jíj bent Thelma en ik Louise, want ik ben meer het sterke, onafhankelijke type. Oké, daar gaan we dan, lekker samen een weekendje ertussenuit, meiden onder elkaar, mannen hebben we niet nodig...'

Het huis van Sean Ryan lag in North-Marshbury. We reden over kronkelige kustweggetjes die zich in de raarste bochten leken te wringen om maar zo dicht mogelijk langs de kustlijn te lopen. De gevaarlijke route vergrootte absoluut ons gevoel van avontuur. Had ik maar een sjaal in mijn dashboardkastje gehad – voor het optimale Susan Sarandon-in-de-film-effect. Ook jammer dat ik geen bijpassend sjaaltje voor Cannoli had. Het zou haar beeldig staan!

'Er zit niets anders op dan net doen alsof we sjaaltjes hebben,' zei ik hardop. 'Het is te laat om nog te gaan winkelen en morgen hebben we een drukke dag.' Cannoli leek dit geen probleem te vinden. Ik legde mijn schoudertas, die voor de stoel had gelegen, op de stoel, zodat ze iets had om op te staan.

Het was niet moeilijk om Sean Ryans huis te vinden. Zelfs in het donker niet, want langs de weg stond een brievenbus met het huisnummer in enorme cijfers erop. Het was een huis dat ik al jaren bewonderde. Er had altijd een kleine oude man gewoond, die nu misschien overleden was, of het onderhoud niet meer kon betalen. Het huis was wit geschilderd en de luiken waren zwart. Het was een charmant, stijlvol huis dat hoorde bij een riant zomerverblijf dat tegen het eind van de vorige eeuw was gebouwd – waarschijnlijk was het het personeelsverblijf. Maar tegenwoordig kon geen meid het betalen. Het huis stond boven op een heuvel en keek uit over de klippen en de eindeloze oceaan. Het had er alle schijn van dat Sean Ryan behoorlijk succesvol was als ondernemer. Of hij was een drugsdealer.

Zijn Prius stond niet op de oprijlaan. Misschien stond hij in de aanbouwgarage. De buitenverlichting was uit, maar langs de randen van de verduisteringsgordijnen voor de ramen op de benedenverdieping kierde wat licht.

Ik reed naar het einde van de straat en maakte een bocht van honderdtachtig graden. Weer reden we langs het huis, langzamer dit keer. Inderdaad brandde er binnen licht, wat betekende dat hij thuis was. Al mijn zorgvuldig uitgedachte excuses smolten als sneeuw voor de zon. Hier was geen sprake van een anti-oxidantencrisis. Ik leunde uit het raam om te luisteren of ik televisiegeluiden hoorde, maar hoorde niets dan stilte.

Ik sloeg een zijstraat in, parkeerde langs de kant van de weg bij een bebost stuk grond tussen twee huizen en zette de auto op de handrem. Ooit zou ik vast een nieuwe kleur lippenstift bedenken met de naam Thelma&Louise, maar tot die tijd moest ik het doen met wat er tussen de rommel in mijn toilettasje zat. Gelukkig vond ik een tube Crazed van Chanel. Het was een rijke, donkere kleur, bijna puur-chocoladebruin, een soort camouflagestift.

Toen mijn telefoon ging, sprong ik op.

'Hallo,' zei ik, toen ik mijn mobieltje had gevonden in de tas waar Cannoli bovenop zat.

'Hé!' klonk Craigs stem. Hij fluisterde.

'Waarom fluister je?' vroeg ik.

'Ik heb maar even. Moet je horen. Bij de bruiloft kunnen we vast niet uitgebreid praten.'

'Wat?'

'We hebben dit al weken geleden gepland, en zij wil absoluut gaan. Maar het gaat niet tussen ons. Aan het einde van de maand verhuis ik naar mijn appartement in Boston. Dan loopt het huurcontract met mijn huurder af. Vandaar.'

Cannoli sprong bij me op schoot. Ik aaide met mijn hand over wat er over was van haar vacht. 'Weet Sophia dit?' vroeg ik.

Craig zuchtte. 'Nog niet. Ik wil haar weekend niet verpesten. Maar ik wilde het jou wel vertellen. Ik moet steeds aan onze avond denken.'

'Craig?'

'Ja?'

Hoewel het vast niet verstandig was om je ex-man de huid vol te schelden in een rustige woonwijk met het dak van de auto naar beneden, deed ik het toch. Toen verbrak ik de verbinding zodat hij kon nadenken over wat voor grote klootzak hij was. Een grote klootzak of een gigantische.

Ik zette de automaat in zijn één. 'Mannen,' zei ik hardop. 'Echt, meisje, het zijn allemaal klootzakken. We zijn beter af zonder hen. Kom maar, Thelma, we gaan. Soms moet je gewoon van je af slaan en pakken wat je toekomt.'

In de auto zag ik nog net dat Cannoli haar kopje scheef hield en me verwonderd aankeek.

'Ik weet ook niet wat ik daarmee bedoel,' zei ik. 'Maar het klinkt goed.'

Op weg naar huis reden we sneller. Ik voelde me rebels, aangenaam losbandig. Niet dat ik in de stemming was om van een klip af te rijden, maar wel wilde ik al het oude achter me laten en verder gaan met iets beters.

Eenmaal thuis pakte ik de telefoon in de keuken op en toetste meteen het nummer van Sean Ryan. Die daadkracht was zo weer verdwenen. Ik kreeg zijn antwoordapparaat. Dat hij niet terugbelde was erg, maar het idee dat hij nu thuis zat te luisteren en besloot niet op te nemen, was te gek voor woorden. Al was hij niet zo'n erge klootzak als Craig, toch stond hij hoog genoteerd in de klootzakken-top-tien. Op de tweede plaats. Het kon me niet schelen dat hij in een mooi huis woonde. Ik zou mijn eigen geld verdienen en zelf een huis kopen. Misschien niet zó'n huis, maar daar ging het niet om.

'Met Bella,' zei ik na de piep. 'Ik bel om te zeggen dat je mij niet meer hoeft te bellen, oké? Ik heb in mijn leven al te veel fouten gemaakt. Ik dacht dat wij het samen leuk hadden, en daarom vind ik het onvergeeflijk dat je zo met me omgaat. Eerst maak je me lekker over Atlanta en de helft van de tafel en zeg je dat je meegaat naar de bruiloft van mijn neef, en dan bel je niet terug. Dat is onbeleefd – helemaal voor een ondernemer. Jij zou als geen ander moeten weten dat het niet slim is om alle bruggen achter je te verbranden. Maar deze brug–'

Ik hoorde een harde piep en keek naar de telefoon. Toen toetste ik nogmaals Sean Ryans nummer. 'In elk geval,' zei ik, nadat ik zijn boodschap had uitgeluisterd en de piep had afgewacht, 'het komt erop neer dat wij een mooi moment hebben gehad. De chemie klopte en de stand van de sterren was goed, maar jij hebt het verprutst. Die man in de salon was mijn ex-man, en ik had je natuurlijk moeten voorstellen. Dat was mijn fout. Maar jij bent degene die niet terugbelt. Terwijl dat een tweede mooi moment had kunnen zijn, of een verlenging van of een vervolg op het eerste...'

Weer klonk de piep. Omdat ik het haatte om op een cruciaal moment te worden afgebroken, belde ik nog een keer. 'Het spijt me dat ik je hele voicemail heb volgepraat,' zei ik. 'Ik wens je een goed leven toe. Serieus. En als je je haar weer laat knippen, ga dan naar een goede kapper – je kunt het je duidelijk veroorloven – en laat je haar snijden met een mes. En nog iets. Ik wil je geen complex bezorgen, maar je wenkbrauwen waren echt net een streep. Hou dat in de gaten.'

Ik haalde diep adem. 'Goed. Dat was het,' zei ik. 'Tot ziens, Sean Ryan.'

Daarna viel ik als een blok in slaap.

23

Cannoli en ik besloten naar Logan Airport te rijden en daar te parkeren omdat ik niet wist of de Harbor Express watershuttle of de Logan Express shuttlebus hondvriendelijk waren. Achteraf gezien had ik beter met iemand van mijn familie kunnen meerijden. We zaten immers midden in een crisis – warmde de aarde niet angstaanjagend snel op? – en met zijn allen hadden we behoorlijk wat uitstoot van broeikasgassen kunnen voorkomen.

Gelukkig was het midden op de dag en was er weinig verkeer op Route 3. In de tunnel naar het vliegveld waren recent geen dakpannen gevallen die mensen het leven hadden gekost, dus ik reed er redelijk op mijn gemak doorheen, hoewel ik merkte dat ik de neiging had om te bukken.

We vonden een parkeerplek in de Central Parking, dus de busrit van verder afgelegen parkeerterreinen bleef ons bespaard. Ik pakte mijn koffer uit de achterbak van mijn Volkswagen Kever, en Cannoli's nieuwe reiskoffer – een hippe dierenrugzak op wieltjes, met dierenprint. Toen ik hem in de winkel zag, dacht ik eerst dat de hond de rugzak moest dragen, maar het was de bedoeling dat iemand de rugzak zou dragen – met de hond er in. Er zat een handvat aan om hem op te tillen en aan de onderkant zaten wieltjes, net als bij mijn koffer, waarmee hij over de grond kon rollen. Aan de voor- en zijkant zat gaas zodat er voldoende lucht binnen kon komen. Ik ritste de bovenkant open, zette Cannoli erin, en gespte het veiligheidslijfje vast aan haar met juwelen afgezette halsband.

Verschrikt keek ze me aan. 'Maak je geen zorgen,' zei ik. 'Het gaasstuk rits ik pas dicht als het echt moet.'

Ik deed mijn auto op slot en schreef op mijn parkeerkaart waar ik stond geparkeerd – als ik dat niet zou doen, zou ik vergeten dat we bij de zwaan stonden. En zondagavond zou ik niet meer weten of ik bij de papagaai of bij de dolfijn stond. Of de zwaan. Welke idioot had die rare namen trouwens bedacht? Creatief zijn was leuk, maar bij Logan Airport was de creativiteit ver te zoeken.

Ik trok het handvat van mijn koffer op wieltjes uit, en deed hetzelfde bij de dierenkoffer. Toen stelde ik ze achter me op en hing mijn schoudertas schuin over mijn borst, zodat ik die niet kon verliezen. Ik strekte mijn beide armen naar achteren en begon te trekken. We gingen redelijk snel, met een prettig gangetje vooruit. De rolkoffer was een geniale uitvinding. Bijna net zo goed als de ionische föhn. Ik zou best de ondernemer willen zijn die die twee dingen had bedacht.

Achter me hoorde ik het geluid van iemand die stikte. Toen ik omkeek, hing Cannoli aan het rugzaklijfje en spartelde met haar pootjes in de lucht. Het was alsof ze vlak boven de grond fietste op een onzichtbare fiets.

'Cannoli,' gilde ik. Ik maakte haar los en verzekerde me ervan dat ze zelfstandig ademde. Toen ik haar weer in de rugzak wilde doen, stribbelde ze tegen en begon te piepen. Ik sprak haar kalmerend en tegelijkertijd vermanend toe en probeerde het nogmaals. Nu begon ze te janken alsof ik haar pijn deed.

Mensen draaiden zich om en keken naar ons. 'Wat staat u nou te kijken?' beet ik een koppel toe. Plotseling voelde ik me oprecht schuldig voor alle keren dat ik verstoord naar een ouder had staan kijken die probeerde een peuter met een woedeaanval in bedwang te houden. Ik zwoor dat ik een betere tante voor Tulia's kinderen zou zijn als ik ooit uit deze parkeergarage zou komen, en probeerde het nog een keer met Cannoli.

Uiteindelijk pakte ik haar op en deed haar in mijn schoudertas. Ze stak haar kopje er uit en kalmeerde meteen.

Ik ging verder en trok mijn koffer en de lege rugzak voort. 'Denk maar niet dat je hebt gewonnen,' zei ik.

Ik ritste Cannoli vast in de rugzak zodat ik voor haar kon betalen en mijn bagage kon controleren, en zodra het mogelijk was, haalde ik haar er weer uit. Gelukkig moet alles wat leeft door de doorloopmetaaldetector worden gedragen, dus dat ging makkelijk. Een van de beveiligingsagentes was een hondenliefhebber – ze hield Cannoli zelfs voor me vast toen ik mijn schoenen aandeed. Volgens mij zou de wereld heel wat leuker zijn als iedereen elkaar zou helpen als de ander het nodig heeft.

De eerste bekende die ik bij de gate zag, was mijn moeder. Ze droeg speciaal voor de reis roze gympen en een felturkooizen trainingspak en ze had haar lippen rood gestift met een van haar lievelingskleuren: Cha Cha Cha van Estee Lauder.

Tot mijn vreugde zag ik een subtiele kleurverandering in haar haar. Misschien was ze eindelijk Gray Chic van L'Oréal Paris gaan gebruiken, de kleur die ik haar al drie jaar geleden voor het eerst had geadviseerd. Mijn moeder was zo'n vrouw die haar grijze haar draagt als een soort beloning voor bewezen diensten. Daar is niets mis mee, maar zorg dan wel dat je met een shampoo die gele gloed eruithaalt, bijvoorbeeld met Artec White Violet. En daarna kun je de kleur ophalen met een halftransparante finish zoals Sheer Crystal van L'Oréal Paris.

We pletten mijn schoudertas tussen onze bovenlichamen en kusten elkaar gedag.

'Wat stom van me,' zei ik. 'Ik had je moeten bellen om te vragen welke vlucht jij nam. Dan hadden we samen kunnen rijden.'

Mijn moeder keek vlug over haar schouder. Toen draaide ze zich weer naar mij om, haalde haar schouders op en zei: 'Iedereen heeft het druk.'

Ik wist wat ik moest zeggen om mijn moeder te paaien. 'Ik heb echt geprobeerd om mijn eenzaamheid te omarmen,' zei ik. Cannoli stak haar kopje uit mijn schoudertas.

'Dat zie ik,' zei mijn moeder.

'Ik wil niet zo'n eenzame vrouw zijn die stopt met leven omdat ze op een man wacht. Ik wil mezelf ontplooien en groeien als mens.'

Mijn moeder lachte. In de menigte achter haar rug ving ik een glimp op van een kale kop die ik maar al te goed kende. 'O-o,' zei ik. 'Je moet nu niet omkijken, maar volgens mij zit pa ook op deze vlucht.'

'Ciao, Bella,' zei mijn vader een minuut later. Hij sloeg een arm om mijn moeder heen en gaf haar een van de ijshoorntjes die hij in zijn hand hield. Vanilleroomijs met chocoladespikkels – in Boston noemde iedereen deze ijsjes '*jimmies*'.

'Iets lekkers voor mijn schat,' zei mijn vader.

Het leek alsof mijn moeder giechelde, maar het was zo lawaaiig in de vertrekhal, dat ik het vast niet goed had gehoord. 'Mjam,' zei ik. Ik keek verlekkerd naar het ijsje dat mijn vader in zijn hand hield. 'Dat ziet er goed uit.'

Mijn vader kon zijn ogen niet van mijn moeder afhouden. 'Nog drie gates, en dan naar links,' zei hij.

'Nee maar, Lawrence Michael Shaughnessy,' zei mijn moeder. 'Je weet het nog van de *jimmies*.'

'Nee maar, Mary Margaret O'Neill,' zei mijn vader. 'Het is niet de *gelato* die we in Toscane hebben gegeten. Maar ik verwed er mijn lievelingsplaat van Dean Martin om dat we in Atlanta echte *gelato* kunnen vinden.'

'Was Dean Martin Italiaans?' vroeg ik.

'Hij is geboren als Dino Crocetti,' zei mijn moeder. Mijn vader keek haar stralend aan.

'Alle romantici zijn Italiaans,' zei mijn vader. Mijn moeder keek hem stralend aan.

Al dat gestraal begon op mijn zenuwen te werken. Mijn vader droeg een oranje trainingspak met brede koningsblauwe strepen.

Zijn rode *cornicello* met de gouden punt en de dikke gouden ketting staken er enorm tegen af, en zijn zwarte gympen met fluorescerende groene strepen maakten de kleurexplosie compleet.

'Wauw,' zei ik. 'Jullie kun je niet over het hoofd zien.'

Mijn ouders likten aan hun ijsjes en keken naar elkaar.

Ik keek ze wantrouwend aan. 'Zijn jullie met elkaar meegereden?'

'Daarom noemen ze het een privéleven, schat,' zei mijn moeder.

'Er zit toch geen hond in die rugzak?' vroeg mijn vader.

'Laat maar,' zei ik. 'Ik ga wel ergens anders zitten.'

'Goed, schat,' zeiden ze bijna tegelijk.

Zodra ik een zitplaats buiten gehoorsafstand had gevonden, liet ik Cannoli uit de rugzak en zette haar op mijn schoot en belde Mario op zijn mobiele telefoon.

De telefoon ging twee keer over, toen nam hij op. 'Zeg niet dat je je vlucht hebt gemist,' zei hij.

'Wat heb jij weinig vertrouwen in mij,' zei ik. 'Ik ben te vroeg. Wat zeg je daarvan?'

'Heb je die hond bij je?'

'Doe niet zo belachelijk,' zei ik. 'Ik heb groot nieuws. Ongelooflijk nieuws. Pap en mam zitten op dezelfde vlucht.'

'Probeer ze uit elkaar te houden. Speel voor buffer. Ze moeten hier samen mee om leren gaan.'

'O, ze gaan er erg goed mee om,' zei ik. 'Volgens mij zitten ze te flirten.'

'Ik ben blij dat ze zich gedragen. Is pa de date over wie mama het had?'

'Dat zou te gek voor woorden zijn.' Ik keek op mijn horloge. 'Hoe is het daar?'

Mario lachte. 'Enerverend. Gisteravond heeft een oom van Amy ons meegesleept naar een spontaan vrijgezellenfeest. In een grote stripclub in Atlanta.'

'Homo of hetero?' vroeg ik.

'Ha,' zei Mario.

Ik probeerde iets op te maken uit zijn stem. 'Doen ze aardig tegen jou en Todd?'

'Met homoseksualiteit heeft niemand hier moeite. Iedereen haat de noorderlingen.'

'Je meent het,' zei ik.

'Ja, echt. Overal wapperen vrolijke confederatievlaggetjes. De burgeroorlog is hier nog in volle gang.'

'Wie had dat gedacht,' zei ik.

'Je zult het wel zien. En ik heb gehoord dat ze okra serveren op de receptie.'

'Nee!' riep ik. 'Moeten we het opeten?'

'Iedereen noemt Andrew *Bahs-tin*.'

'En hoe noemen ze Todd en jou?'

'Ook Bahs-tin. Of meisje. Dat hangt ervan af.'

'Jeetje,' zei ik.

Er klonk een stem uit de luidsprekers. 'We beginnen met boarden van vlucht 675 naar Atlanta, die daarna verder gaat naar Parijs. We verzoeken businessclasspassagiers, passagiers die met kleine kinderen reizen of passagiers die aan boord extra aandacht nodig hebben, nu in te stappen.'

'Ze beginnen met boarden,' zei ik. 'Ik moet gaan.'

Ik verbrak de verbinding, klapte mijn mobieltje dicht en deed hem in mijn schoudertas.

'Oké, Cannoli,' zei ik. 'Jij gaat in de rugzak, en daar blijf je tot ik een manier heb bedacht om je er stiekem uit te halen.'

Ik gespte het lijfje aan haar halsband en ritste de tas dicht. Toen ik opkeek, zag ik een handjevol mensen – de meesten in pak met een aktetas in de hand – in de rij staan voor de stewardess die de instapkaarten van de businessclasspassagiers afhandelde.

Een van hen draaide zich om en zwaaide.

Het was Sean Ryan.

24

Als ik naar Atlanta had kunnen lopen, had ik dat gedaan. Ik zou zelfs in het vliegtuig dat ze hadden gebruikt voor de film *Snakes on a Plane* zijn gestapt, alles om maar niet met dit vliegtuig mee te hoeven. Duizend keer liever dacht ik aan slangengewriemel in de handbagagebakken boven me, dan dat ik Sean Ryan onder ogen moest komen.

Kon ik maar in de economyclass komen zonder door de businessclass te hoeven. Wie had bedacht dat de businessclass voor in het vliegtuig moest komen? Door de ramen in de terminal zag ik het vliegtuig staan – het was een gigantische kist. Misschien waren er twee gangpaden in plaats van één. Dan had ik vijftig procent kans dat ik niet langs hem hoefde.

'We beginnen met boarden van zone E.' De stem uit de luidspreker verraste me en ik veerde op. 'Houdt u uw instapkaart bij de hand, alstublieft.'

Cannoli en ik liepen naar de balie en sloten aan in de rij voor zone E. Ik gaf mijn instapkaart aan de grondstewardess, die hem onder een scanner hield en teruggaf. Halverwege de overdekte slurf naar het vliegtuig begon Cannoli te piepen, en ik legde de rugzak op zijn kant.

Een vrouw met schoensmeerhaar bleef naast ons staan. 'Hopelijk zit jij niet naast me,' zei ze. 'Ik ben allergisch voor honden.'

'Deze hond is hypoallergeen,' zei ik.

De vrouw schudde haar hoofd en liep door. Ik moest me inhouden om haar niet te vertellen dat ik allergisch was voor haar haarkleur. Ik ritste Cannoli los en zette haar in mijn schoudertas. 'Braaf zijn,' zei ik.

'Hallo, welkom aan boord,' zei een mooie blonde stewardess, toen ik het eind van de slurf bereikte en aan boord stapte.

'Hallo,' fluisterde ik. Ik probeerde in de businessclass te gluren om te zien welk gangpad het veiligst was.

De stewardess pakte mijn instapkaart, keek ernaar en wees naar het achterste gangpad. 'Die kant op, schat.'

'Dank je, schat,' fluisterde ik.

Ik hield mijn rug recht en mijn hoofd omhoog. Ik had gezegd wat ik moest zeggen. Het leven gaat verder. Ik keek recht voor me uit naar de achterkant van de cabine. Ik werd verwacht, ik had van alles te doen. En nu moest ik mijn stoel vinden.

Mensen hadden moeite om hun bagage in de bakken boven de stoelen te krijgen – het was een pijnlijke, tijdrovende aangelegenheid. Voetje voor voetje schuifelden we door het gangpad, veel te vaak stilstaand. Op de schouders van het jasje van de man voor me zaten schilfers roos. Ik vroeg me af of hij ooit Paul Mitchell Tea Tree Shampoo had gebruikt. Meer vitamine B zou goed voor hem zijn, vooral B6. Een gezond hoofd begint aan de binnenkant.

Cannoli probeerde omhoog te wriemelen en slaagde er ten slotte in om haar voorpootjes over de rand van mijn schoudertas te leggen.

'Rustig jij,' zei ik. 'We zijn er bijna.'

Toen sprong Cannoli.

Er gilde een vrouw. 'Wat was dát?' vroeg iemand.

Ik keek naar beneden. Sean Ryan had Cannoli vast, en ze likte hem dolgelukkig in zijn gezicht.

De mooie blonde stewardess baande zich een weg door het gangpad. 'Tijdens de vlucht moeten alle dieren in goedgekeurde draagbare kooien zitten, anders moeten we u verzoeken om het vliegtuig onmiddellijk te verlaten,' zei ze.

'Jeetje,' zei ik. 'Net noemde je me nog schat.'

De schilferige man schraapte zijn keel en zuchtte theatraal.

'Kunnen we misschien vandáág nog vertrekken?' vroeg iemand achter me. Ik voelde hoe mensen me van alle kanten aanstaarden.

Mijn linkerarm, de arm die vastzat aan de goedgekeurde draagbare kooi, zat klem achter mijn rug. Ik rukte eraan. Cannoli's rugzak knalde tegen mijn heup en botste tegen Sean Ryans belachelijk ruime businessclassstoel.

Hij griste de rugzak uit mijn handen en schoof hem onder de net zo ruime stoel voor hem.

De stewardess schonk hem een oogverblindende glimlach. 'O, meneer, ' zei ze. 'Ik wist niet dat dit schatje bij u hoorde. Doet u mij een plezier en houdt hem in zijn mandje tot we in de lucht zijn. Ik zal straks kijken of ik een koekje voor hem heb.'

Nu moest ik wel naar Sean Ryan kijken. Hij lachte naar me.

'Dame,' zei iemand achter me. 'Kunt u nu eindelijk doorlopen?'

Ik bukte me en krabde Cannoli achter haar oor. 'Verrader,' fluisterde ik.

Toen ik eenmaal in mijn stoel zat, kon ik niet veel meer doen – bovendien was er nauwelijks ruimte om iets te doen. Ik zat aan het gangpad. De vrouw naast me had haar arm op mijn armleuning gelegd en leek niet van plan die met mij te gaan delen. Ik leunde tegen haar aan en probeerde een paar centimeter in te pikken. Zonder succes.

Ik sloot mijn ogen en probeerde net te doen alsof het allemaal een nare droom was. Sean Ryan had zijn berichten niet afgeluisterd. Hij gebruikte alleen zijn mobieltje. Zijn vaste telefoon was kapot en hij was vergeten de voicemail uit te zetten. Ik had niets verkeerds gedaan. Oké, ik had wat berichtjes ingesproken. Was je strafbaar als je probeerde iemand te bereiken? En zoveel berichten had ik nou ook weer niet ingesproken. Als je door de piep wordt onderbroken terwijl je midden in een zin zit en opnieuw belt, telt dat niet als een nieuw bericht. En bovendien was híj degene die zich zou moeten schamen. Welke man belooft dat hij mee gaat naar een bruiloft en verdwijnt dan?

Ik opende mijn ogen en keek om me heen. Voor in de cabine zag ik de glimmende schedel van mijn vader. Hij hing schuin in zijn stoel, dicht tegen de persoon die op de stoel naast hem zat, aan. Die persoon had een dikke bos grijs haar. Het was wel erg toevallig dat ze naast elkaar zaten in het vliegtuig. Ik hoorde iemand uitbundig lachen – dat kon alleen maar mijn moeder zijn.

Ik sloot mijn ogen weer.

'Bella,' fluisterde iemand. Ik zat midden in een droom. Craig was een loodgieter en droeg een grote leren riem met gereedschap om zijn middel. Zijn broek hing laag op zijn heupen en je kon zijn bilnaad zien. Hij hing over mijn toiletpot met een ontstopper in zijn hand.

'Sophia vindt het geweldig als ik dit draag,' zei hij, toen ik wakker werd.

'Ze snurkt net als jij,' zei Sean Ryan. Even dacht ik dat hij het over Solipia had. Ik veegde met mijn hand langs mijn mond voor het geval ik kwijlde en het niet doorhad. Toen wreef ik in mijn ogen om tijd te winnen.

Eindelijk keek ik op. Sean Ryan stond naast mijn stoel met Cannoli in zijn armen. In een vliegtuig rondlopen met een loslopende hond, daar was lef voor nodig – hoewel hij wel zo slim was geweest om een deken van de luchtvaartmaatschappij over zijn schouders te draperen om haar onder te verbergen als dat nodig was.

'Krijgt iedereen in de businessclass zo'n dekentje?' vroeg ik.

Hij legde de deken recht en trok een goedverzorgde wenkbrauw op. 'Bespeur ik daar een vijandige houding tegenover businessclasspassagiers? Omdat zij toevallig veel *frequent flyer miles* hebben?'

Terwijl ik sliep, had de vrouw naast me haar elleboog over de armleuning geschoven, en nu hing haar arm half over mij heen. Ik rekte me uit en stootte hard tegen haar arm. 'Helemaal niet,' zei ik. Ik ben juist blij voor jou en je *miles*. En zodra ik weer gevoel heb in mijn tenen, klinkt mijn stem vast veel vriendelijker.'

'Wil je van plaats ruilen?' vroeg hij.

'Dat hoeft niet,' zei ik.

'Ik wil wel ruilen,' zei de vrouw naast me.

Sean Ryan en ik keken elkaar aan. Ik had hetzelfde blije gevoel dat ik had gehad toen we elkaar bijna kusten in de salon. Hij knikte in de richting van de achterkant van de cabine.

'Hou mijn stoel voor me vrij,' zei ik tegen de vrouw naast me.

Achter in het vliegtuig stonden stewardessen te praten, dus bleven wij in het gangpad staan, ter hoogte van de toiletten.

Er kwam een man naar ons toe lopen en ging achter ons staan. Sean Ryan gebaarde naar het toilet. 'Ga uw gang,' zei hij.

'Bedankt,' zei de man.

'Dus,' zei ik toen hij was verdwenen.

'Dus,' zei Sean Ryan.

We wachtten allebei.

'Je hebt me niet teruggebeld,' zei ik.

Hij legde een hand op mijn arm, en trok hem toen weer weg. 'Dat spijt me. Ik was de hele week op reis, naar een eiland voor de kust van Ecuador...'

'Alsjeblieft, zeg,' zei ik. 'Alsof ze in Ecuador geen telefoons hebben.'

Hij haalde zijn schouders op.

'En er brandde licht in je huis. Dat weet ik zeker.'

'Die gaan automatisch aan, dat heb ik zo ingesteld.' Hij zuchtte en blies lucht uit. Cannoli likte over zijn wang. 'Moet je horen, het zit zo. Ik heb een zakelijk probleem en daar wilde ik jou niet mee belasten.'

'O jee, je bent een drugsdealer.'

Hij nam Cannoli in zijn andere arm. 'Waar heb je het over?'

'Waar heb jíj het over?' Ik sloeg mijn armen over elkaar en keek hem aan.

Hij deed hetzelfde. Ik zag dat zijn lichtbruine irissen kleine gele vlekjes hadden. 'Oké,' zei hij. 'Ik had moeten bellen. Er is echt een zakelijk conflict. En ik lijk een neus te hebben voor mensen die toe zijn aan een reboundrelatie. Dit keer pas ik daarvoor.'

Ik was zo in de war van wat hij zei, dat ik niet meer wist of ik het nog wel wilde – en wat dat 'het' dan was. Maar hoe meer hij mij afwees, hoe overtuigder ik was dat hij ongelijk had. Ik deed een stap naar voren en probeerde iets briljants te zeggen. 'Maar...' Iets anders kon ik niet bedenken.

'Nou,' zei hij. 'Je slaat de spijker op zijn kop. Volgens mij zei je het in je vierde bericht – al kan het ook het vijfde zijn geweest.' Hij lachte.

'Leuk,' zei ik.

'Je had gelijk over die sterren. Alles draait om timing.'

Ik sloot mijn ogen.

'Ik ontken niet dat er iets tussen ons is, Bella. Je bent slim, mooi...'

Ik deed mijn ogen weer open. Ik begon deze man echt leuk te vinden.

'... en ooit zal iemand het geluk hebben om jou in zijn leven te hebben. Maar ik heb dit al eerder meegemaakt. Jij moet nog door allerlei stadia heen. Hete troostseks met je ex-man, bijvoorbeeld. Dat heb je vast nog niet gedaan.'

Mijn mond viel open van verbazing. De twee mensen die het dichtst bij ons aan weerszijden van het gangpad zaten, keerden zich om en keken. Ik deed mijn mond dicht. Er was niets wat ik kon zeggen zonder mezelf belachelijk te maken.

Cannoli probeerde zich los te wurmen uit Sean Ryans armen. Hij gaf haar aan mij, pakte de businessclassdeken van zijn schouders en sloeg hem om mijn schouders.

'Prima,' zei ik. 'Wij zijn kitvrienden. Is de linkerkant van je tafel morgen nog vrij?'

Sean Ryan kneep zijn ogen tot spleetjes. 'Heb je je kits bij je?'

'Ik ga nooit weg zonder mijn kits,' zei ik. Hij zei niets en ik besloot het erop te wagen. 'En omdat jij toch moet eten, kun je net zo goed meegaan naar de bruiloft van mijn neef.'

Sean Ryan masseerde met één hand zijn voorhoofd. 'Goed,' zei hij. 'Je mag mee naar de studiekeuzebeurs,' zei hij. 'Maar ik weet niet of het verstandig is.'

'Relax,' zei ik. 'We houden de hele dag minimaal een tafellengte afstand.'

'Maar de bruiloft niet,' zei hij. 'Ik kan niet met je naar de bruiloft van je neef.'

25

Sean Ryan had die avond een zakendiner. Althans, dat zei hij. Hij had aangeboden om me bij mijn hotel af te zetten, maar ik zei dat ik een andere afspraak had – wat natuurlijk een leugen was.

Toen we uit het vliegtuig kwamen, had hij Cannoli vastgehouden terwijl ik naar de wc ging, en lette ik op zijn bagage toen hij op het herentoilet was. Ik keek of ik ergens een strook gras zag waar Cannoli, die de kleinste blaas had van ons drieën, haar behoefte kon doen, maar het zat me niet mee.

‘Bedankt,’ zei hij, toen hij naar buiten kwam. Hij had zijn gezicht gewassen en zijn haar gekamd, en ik vroeg me af of dat voor mij was of voor degene met wie hij uit eten ging.

‘Geen dingen doen die wij ook niet zouden doen,’ hoorde ik de stem van mijn moeder achter me. Giechelend als een stel pubers liepen zij en mijn vader ons voorbij.

‘Ken jij die mensen?’ vroeg Sean Ryan. Met één hand pakte hij zijn bagage en met de andere Cannoli’s lege rugzak.

Ik schudde mijn hoofd. ‘Ik vrees van niet,’ zei ik. ‘Vroeger waren het mijn ouders.’

We keken ze na. Mijn vader had zijn arm om mijn moeders schouders geslagen. Sean Ryan schraapte zijn keel en keek de andere kant op. ‘Wat een mooi plaatje,’ zei hij. ‘Hoe lang zijn ze al getrouwd?’

‘Ze zijn niet getrouwd,’ zei ik. ‘Ze haten elkaar. En ze zouden bezorgd om mij moeten zijn. Wie weet wat voor gek jij bent.’

We liepen verder, achter de fluorescerende trainingspakken van mijn ouders ver voor ons aan. We namen de roltrap naar beneden en stapten op een tram. Het vliegveld van Atlanta leek een miljoen kilometer lang. Toen we eindelijk stilstonden en uitstapten, hadden we wat mij betreft in Texas kunnen zijn, maar stonden we ineens in de bagageruimte.

'Oké,' zei Sean Ryan, toen we onze bagage van de lopende band hadden gepakt. 'Ik pik je morgen om elf uur op bij je hotel.'

'Kom niet te laat,' zei ik. Ik stak mijn hand uit om die van hem te schudden.

Hij lachte.

'Lach niet,' zei ik. 'Het zijn jouw regels.'

Hij leunde voorover en tikte me op mijn wang, en ik deed mijn best om zijn Paul Mitchell Extra-Body Sculpting Foam niet te ruiken. Hij strekte zijn arm uit om Cannoli, die in mijn tas zat, te aaien. 'Pas goed op haar,' zei hij. Ik wist niet zeker tegen wie van ons hij het had.

Sean Ryan, Cannoli en ik volgden de bordjes richting de uitgang en het openbaar vervoer. Het bordje wees naar rechts, dus wij sloegen rechtsaf. In Atlanta was niets te merken van de naderende herfst, en het was er minstens tien graden warmer dan in Marshbury.

Ook buiten het vliegveld was nergens een strook gras of modder te zien. Zelfs de grond tussen de twee wegen was bestraat. Waar lieten reizigers in Atlanta hun hond uit? Hadden de stadshonden geleerd om hun behoeften op het trottoir te doen? We liepen verder. Het was nogal overweldigend. Achter de grote weg waar al het verkeer naar de snelweg langs moest, zou best een prachtig natuurgebied kunnen liggen – maar de kans overreden te worden was te groot.

Ten einde raad zette ik Cannoli op een grote asbak die op een vuilnisbak was gesoldeerd. 'Nog een geluk dat je geen Duitse herder bent,' zei ik.

Ze keek me ongelovig aan, haar kopje scheef. In de asbak

lagen sigarettenpeuken en de overblijfselen van een sigaar – voor een asbak was hij redelijk schoon.

'Kom op,' zei ik. 'Katten doen het ook. Denk maar dat het een kattenbak is.'

Eindelijk gaf haar minuscule chihuahua-blaasje het op. Ik keek de andere kant op – ook een hond heeft recht op privacy. Twee vrouwen keken onze kant op en fluisterden tegen elkaar, te beleefd om het recht in mijn gezicht te zeggen. We waren niet meer in Boston, dat was duidelijk.

We liepen naar de taxistandplaats. Mario had iets gezegd over gratis shuttlebusjes, maar omdat ik niet wist of die diervriendelijk waren, besloot ik ons te trakteren op een taxiritje.

'Welkom in Lannah,' zei de taxichaffeur.

'Wie is Lannah?' vroeg ik.

Hij lachte en vroeg: 'Waar wilt u naartoe, mevrouw?'

Ik zette Cannoli naast me op de achterbank en begon in mijn schoudertas te rommelen. 'Het was ergens op Peachtree.'

Hij keek me aan in de spiegel. Zijn huid had de kleur van mokka. Hij was een MAC NC 30 met wat sproetjes die de kleur van chocolade hadden. 'Daar heb ik niet genoeg aan, dametje. Alles in Lannah heet Peachtree.'

Ik begreep niet wat hij bedoelde, maar zijn stem klonk prachtig melodisch en ik genoot van zijn accent. Toen ik het adres van hotel Indigo had gevonden, las ik het hardop voor aan de taxichauffeur en reden we de weg op.

Ik schroefde de dop van een flesje water en dronk het half leeg en liet toen Cannoli drinken – haar blaas kon het nu wel weer aan. Ik keek uit het raam en hield Cannoli omhoog zodat zij ook naar buiten kon kijken.

Het meeste verkeer reed ons uit de stad tegemoet, maar er reden ook genoeg mensen onze kant op. De snelweg had vele rijstroken – hierbij vergeleken was Boston een provinciestadje.

'Is het hier altijd zo druk?' vroeg ik.

'Je wilt niet weten hoe druk het is met de Kippenplukkersconventie.'

Ik lachte, voor het geval dat het een grap was. Hij keek me aan in de achteruitkijkspiegel. 'Waar kom je vandaan, dametje?'

'Bahs-tin,' zei ik. Ik had de naam van mijn stad nog nooit met een accent uitgesproken. Het klonk nauwelijks nog als Boston. Als ik maar niet nog meer onzin ging uitkramen en dingen zou zeggen waar ik me normaliter voor schaamde.

'Oké,' zei hij. 'Ik ken een mop. Een stel uit Bahs-tin maakt een ritje door de achterbuurten van Georgia. Ze hebben echte folkart gezien en willen nu een hapje eten in een authentiek zuidelijk restaurantje.'

Hij knipte zijn richtingaanwijzer aan en reed de andere rijstrook op. 'Bij het eerste restaurant dat ze zien, stoppen ze. Op het menu staan grutten, zoete thee en op drie manieren bereide kip. De chique meneer uit Bahs-tin schikt zijn stropdas en zegt: 'Pardon, juffrouw, kunt u ons vertellen hoe u de kip voorbereidt?'

'De serveerster denkt lang na over zijn vraag en zegt dan: 'We doen hier niets bijzonders, meneer. We vertellen ze gewoon dat ze eraan gaan.'

'Hebt u die van de kippenplukkers?' vroeg ik, toen ik uitgelachen was.

'Ik heb ze elk jaar in mijn taxi,' zei hij. 'Iedereen in Lannah is dol op ze. Gouden kerels die weten wat goed eten is. En ze houden van de blote vrouwtjes.'

Van dat laatste werd ik een beetje zenuwachtig, dus ik hield de rest van de rit mijn mond, tot we bij het hotel waren. Eenmaal veilig aangekomen, gaf ik de chauffeur een extra grote fooi voor de mop.

Het hotel lag op Peachtree Street – niet te verwarren met West Peachtree, Peachtree Road of Peachtree Place. Ik zou een spoor van perzikpitten moeten strooien als ik Cannoli uitliet voor het geval we zouden verdwalen en de weg naar de juiste Peachtree niet meer konden vinden.

Zodra ik hotel Indigo zag, begreep ik waarom Andrew en Amy hun gasten hier wilden laten slapen, hoewel het hotel dichter bij het Fox Theater dan bij het Margaret Mitchell House lag. Hotel Indigo was het schattigste hotel dat je je maar kon voorstellen, precies het soort hotel dat Mario en Todd zouden uitkiezen. Een kleine, *funky* oase midden in het centrum van de stad, met boven de deur een hip en gastvrij indigoblauw bord met een schelp, en een patio met wat bistrotafeltjes, geflankeerd door een vrolijke bloementuin. Dit was vast niet het hotel waar de kippenplukkers sliepen.

In de lobby werden we opgewacht door meer indigoblauw, met frisse witte en zachtgroene accenten. 'O,' zei ik verrukt tegen Cannoli. 'Hier blijven we wonen.'

Cannoli deed net of ze me niet hoorde. Ze trok aan haar riem en probeerde me mee te trekken naar een hond van ongeveer haar afmetingen, die met zijn staart stond te kwispelen.

'Dat is Indie,' zei de man achter de balie. 'Indie is een jack russell en hij is hier de absolute ster.'

Als ik een vier kilo zware chihuahua/terriër-mix met een geverfde vacht was geweest, had ik Indie ook een lekker ding gevonden. Hij was zo'n vijf centimeter groter dan Cannoli en had een kaneelkleurig gezichtje met hier en daar een nootmuskaatkleurig randje. Zijn lijfje was bijna helemaal wit. Hij had een sterk bovenlijf en intelligente ogen. Ineens realiseerde ik me dat ik de hond aan het bekijken was alsof hij een man was – ik schrok me wild.

Pas nadat ik haar had beloofd dat Indie straks met ons mee mocht wandelen, kreeg ik Cannoli mee naar boven. Onze kamer lag op de derde verdieping en keek uit op Peachtree Street. De kamer was zachtbeige met zwart-witte, paarse en groene accenten. Eén muur had een abstracte muurschildering. Het witte, met kralen bezette hoofdeinde van het bed deed me zo aan het strand denken, dat ik me ogenblikkelijk thuis voelde. In de badkamer hing een schattige haiku – de woorden hadden zo'n impact, dat je bijna vergat hoe klein de ruimte was. Dat er in de badkamer Aveda-producten stonden, zei veel over het hotel. Ik kon het enorm waarderen.

Toen mijn kleren in de kast hingen en ik de rest van de bagage had opgeborgen, ging ik op bed liggen met mijn rug tegen het hoofdeinde en zapte langs alle kanalen.

Cannoli ging aan de andere kant van de kamer bij de deur zitten. Toen ik haar bleef negeren, begon ze aan de vloer te krabben en blafte ze een keer fel.

'Oké, oké,' zei ik. 'Je hebt het goed te pakken, zeg.'

Tien minuten later liep ik op mijn sportschoenen buiten, met in mijn ene hand de routebeschrijving naar Piedmont Park en in de andere de twee riemen waaraan Cannoli en Indie vastzaten. 'Volgens de routebeschrijving moeten we eerst tien blokken door Peachtree Street naar het noorden en dan nog vijf blokken door de tiende straat. Daar is het park. Ik hoop dat het de moeite is.'

Onderweg hadden we honger gekregen en toen we bij het park aankwamen, liepen we direct naar de Woody's, recht tegenover de ingang. Ik nam een hotdog, de honden deelden er een. Tot nu toe had ik het uitstekend naar mijn zin in Lannah.

Het hondenpark was makkelijk te vinden – we liepen gewoon achter alle andere honden aan. Het park voor grote honden lag in het grote park, en in het park voor grote honden was een parkje voor kleine honden. Ik vond het erg grappig. Daar zou eens iemand een liedje over moeten maken. Net als dat liedje over het menselijk lichaam, over de enkel die vastzit aan het scheenbeen, en het scheenbeen dat vastzit aan de knieschijf, en de knieschijf die vastzit aan het dijbeen enzovoort.

Cannoli en Indie waren uitgelaten. Ze speelden veel met elkaar en soms met Indie's andere vriendjes, van wie de meeste eigenaren Indie bij naam kenden. 'Logeer je in het hotel?' vroegen sommigen van hen me belangstellend.

Ik knikte en glimlachte. Tegen sommigen zei ik zelfs iets over Andrews bruiloft. Iedereen was zo vriendelijk, dat ik het eerst niet vertrouwde en dacht dat de mensen het niet echt meenden. Ze waren goed gekleed – een soort stadschique zakenlook. Ik fantaseerde over hoe het zou zijn om naar deze warme, vriendelijke stad te verhuizen, een stad waar mensen nog tegen vreemden praatten. Ik kon iets kopen vlak bij Piedmont Park, een appartement dat niet boven een haarsalon lag. Ver bij mijn familie vandaan.

Ik stelde me voor hoe ik elke vrijdagavond met een pizzadoos bij Andrew en Amy op de stoep zou staan, om in Atlanta een soort Marshbury South te creëren. En wie weet zou al snel blijken dat mijn familie met een elastisch bungeekoord aan mij vast zat – als ik eenmaal verhuisde, zouden, *boing*, ook Mario en Todd deze kant op komen, en daarna Angela en haar familie, en dan Tulia met haar gezin en dan Sohpia met mijn ex-man... En voor je het wist, woonden we weer allemaal bovenop elkaar. Misschien konden nep-Italiaanse Shaughnessy's alleen overleven als ze in een roedel leefden.

'Oké, tortelduifjes, het is genoeg,' zei ik ten slotte, hoewel ik voor elf uur morgenochtend nergens verwacht werd.

We liepen het park voor kleine honden uit, het park voor grote honden door en vonden een bank in het grote park. Ik schonk wat water uit de fles die ik bij Woody's had gekocht in een papieren beker en liet de honden om beurten drinken. Toen kropen ze tegen elkaar en lagen innig verstrengeld op de grond. Ze zagen er zo gelukkig uit, dat ik het niet over mijn hart kon krijgen om ze uit elkaar te halen.

Ik leunde achterover tegen de rugleuning van de bank. Van wat ik tot dusverre had gezien, leek Atlanta me bijna perfect – het enige wat ontbrak, was een oceaan. Ik zou de zilte geur van zeelucht missen, en het gevoel van zand tussen je tenen.

Een paar banken verderop stond een man te stretchen. Ik kon zijn gezicht niet zien, maar hij droeg een short en sportschoenen. Hij leek net klaar te zijn met hardlopen. Hij had een mooie lange rug en zijn hamstrings zagen er soepel uit. Ik moest steeds naar hem kijken, en keek dan vlug weer weg. Mijn blik werd naar hem toe gezogen, en ik had het gevoel dat ik hem kende. Was hij de man met wie ik samen zou zijn als ik de grote stap zou wagen en naar Atlanta zou verhuizen? Het was allemaal voorbestemd, en dit was het moment waarop de onweerstaanbare aantrekkingskracht die er tussen ons bestond, begon te werken.

Hij kon zich nu ieder moment omdraaien en 'hoi' zeggen. Of 'hé', zoals ze hier deden. Ik zou ook 'hé' zeggen. Dan zou hij naar me toe komen en een praatje over honden beginnen. Ik zou hem over Cannoli vertellen, en daarna zouden we verder praten over andere dingen. En dan zou hij vragen of ik al had gegeten.

De man was klaar met stretchen en draaide zich om.

Het was Craig.

26

'Verdorie, kan ik dan nooit eens ergens alleen zijn?'

Cannoli sprong op en begon te blaffen. Al snel viel Indie in, en blaften ze samen een gewaagd terriërduet.

'Wat heb ik misdaan?' vroeg Craig, en hij kwam op ons toe lopen. Ik wist niet of hij het tegen de honden had of tegen mij.

'Waar is je vriendin?' vroeg ik.

Hij schudde zijn hoofd. 'Op de kamer. We zijn vanochtend aangekomen en we hebben nu al ruzie.'

'O jee,' zei ik. 'Dat is niet best.'

Cannoli ontblootte haar tanden. Indie ontblootte zijn tanden. Ze keerden Craig de rug toe en gingen weer op het gras liggen.

Craig knikte naar de bank. 'Mag ik gaan zitten?'

'Doe wat je niet laten kunt,' zei ik.

'Meen je dat?'

'Hou je mond,' zei ik.

Hij ging zitten, en ik schoof van hem weg, naar de zijkant van de bank.

Craig leunde tegen de houten planken van de rugleuning en sloeg zijn benen over elkaar – de benen die ik al van een kilometer afstand had moeten herkennen, zelfs hier in het zuiden.

Ik kon me nauwelijks nog voorstellen wat ik ooit in hem had gezien. Zo'n twintig jaar geleden was hij op een dag in de salon gekomen voor een knipbeurt, op aanbeveling van een collega van hem, die een klant van me was. Ik voelde me meteen tot hem aangetrokken, op de manier waarop je je heel erg wel, of heel erg niet tot iemand aangetrokken kunt voelen. Hij was vriendelijk en knap en had trieste ogen en fijn, dunner wordend haar. Een kapster die blijkbaar geen verstand van zaken had, had zijn haar met een mes in laagjes gesneden – iets wat je nooit moet doen bij fijn haar. Ik gaf hem de illusie van een dikke bos haar terug door de nieuwe lagen bot te knippen. Hij rook lekker. Hij zou zo zijn kinderen gaan oppikken omdat die het weekend bij hem zouden zijn. Ze wilden naar het zeeaquarium gaan. Zijn ex-vrouw had een huis in Marshbury, hij een appartement in Boston South End. Hij leek eenzaam – en ik wás eenzaam, dat wist ik zeker. Hij vroeg of ik zondag iets met hem wilde drinken, nadat hij de kinderen bij hun moeder had afgezet. Dat wilde ik wel.

'Heb je al een loodgieter gebeld?' vroeg mijn ex-man.

In een flits had ik een flashback van mijn droom uit het vliegtuig, maar ik verdrong hem snel. 'Jep,' zei ik. 'Alles is geregeld. Ik heb jou niet meer nodig.'

'Mag ik je een vraag stellen?' vroeg hij.

Ik haalde mijn schouders op.

'Waarom ben je zo boos? Wat heb ik verkeerd gedaan?'

'Dat zijn er twee,' zei ik, hoewel ik wist hoe kinderachtig dat was.

'Kies er maar één.'

Ik nam een slok water en overwoog of ik Craig een slok zou aanbieden. Ik had geen zin om met zijn bacteriën in contact te komen, en tegelijkertijd wist ik dat ik daar de afgelopen tien jaar immuun voor was geworden.

Ik hield hem het flesje voor. Hij pakte het, nam een slok en gaf het terug. We bleven allebei recht voor ons uit kijken. 'Dank je wel,' zei hij.

'Hoor eens,' zei ik. 'We hebben niets verkeerds gedaan. Iedereen doet het. Er is zelfs een naam voor: hete troostseks met je ex.'

Craig bedekte zijn gezicht met zijn handen. Hij strekte zijn rug en stak zijn ellebogen de lucht in. 'Wat voor troost zit er in seks met je ex?'

Ik zei niets. Op het gras begonnen Cannoli en Indie te snurken, en hun lijfjes begonnen te schokken als ze iets spannends droomden.

Eindelijk strekte Craig zijn armen boven zijn hoofd. Toen zette hij zijn handen op zijn dijbenen en stretchte met zijn bovenlichaam over zijn knieën. 'Lizzie belde laatst,' zei hij. 'Ze is laaiend enthousiast over die kookkit die jij met haar gaat maken.'

'Zoveel stelt het niet voor. Het wordt vast een stapeltje recepten.' Ik draaide mijn hoofd om zodat ik hem kon zien. 'Ben je niet boos?'

Hij draaide zich om en keek me aan. 'Ben je gek? Natuurlijk niet. Jij was altijd al geweldig met Lizzie. En met Luke.'

'En Sophia?' Ik moest het vragen, ook al wist ik het antwoord.

Craig zuchtte. 'Ze wil kinderen met me.'

Ik keek naar mijn handen. Ze leken een eigen leven te leiden en helemaal uit zichzelf het etiket van het waterflesje los te peuteren. Er leek geen verbinding meer te bestaan tussen mijn handen en mijn hersens. 'En nu? Jij wilt vast liever een Porsche – echt iets voor een man in de midlifecrisis.'

'Ik had gehoopt dat ik nog een paar rustige jaren zou hebben voor ik eraan toe was om opa te worden. Het was mijn bedoeling dat het makkelijker zou worden.' Hij haalde zijn vingers door zijn haar en keek me met zijn trieste ogen aan. 'Ik moet steeds denken aan de dingen die jij en ik samen wilden doen als Lizzie op kamers zou gaan om te studeren.'

Ik wilde dat ik Sean Ryan had gevraagd of hete troostseks met je ex een eenmalig fenomeen was, of een terugkerend verschijnsel. Ik was blij dat Craig en ik ver uit elkaar zaten, elk op een uiteinde van de bank, en dat het nog redelijk licht was, al was het laat in de namiddag. Ik wilde niet weer met hem naar bed, dat wist ik bijna zeker. En tegelijkertijd vond ik de gedachte dat ik nooit meer naast hem wakker zou worden bijna ondraaglijk. Of het idee dat ik nooit samen met Craig, Lizzie en Luke aan een tafeltje in een knus restaurantje zou zitten om te vieren dat Luke was afgestudeerd, of dat hij zijn eerste baantje had gevonden, of dat Lizzie haar eerste eigen kookshow had gekregen.

Met zijn viertjes hadden we een wonderlijk, klein gezinnetje gevormd, een gezinnetje dat was ontstaan tijdens om-en-om-weekenden en vakanties. Ik prees me gelukkig dat ik deel had mogen uitmaken van dat groepje mensen. Helaas was er geen manier geweest om het doormidden te snijden en er een nog kleiner gezin van te maken. Elk derde weekend en elke derde vakantie, zoiets kon niet. Alles was voor Craig – of wat er van overbleef als de kinderen straks op zichzelf gingen wonen.

Ik stond op en gooide de lege waterfles en de flarden etiket in een vuilnisbak. Toen ik opkeek, zag ik dat Craig naar me keek op de manier waarop hij me lang geleden had geobserveerd als hij dacht dat ik het niet merkte.

Ik maakte de beide hondenriemen, die ik had vastgeknoopt tussen twee planken van de bank, los. De honden sprongen op, klaar om te gaan. Grommend ontblootte Cannoli haar tanden, en ze blafte naar Craig.

'Wat heeft die hond tegen mij? Ik heb haar toch niets gedaan?' vroeg Craig.

'Misschien heeft ze over je gehoord,' zei ik.

Samen liepen we terug door de tiende straat. Ik was blij dat Craig bij ons was – met hem erbij was de kans groter dat we de juiste Peachtree terug zouden vinden en veilig bij hotel Indigo zouden aankomen. Een vrouw begroette ons in het voorbijgaan met een welgemeend: 'Hé, hoe is het ermee?'

'Wie was dat?' vroeg Craig.

'Geen idee. Gewoon een vriendelijke vrouw. Wel eng, vind je niet?'

'Doodeng,' zei Craig.

Toen begonnen we allebei te lachen, een lachen dat overging in schaterlachen en toen uitmondde in een onbeheersbare lachbui. Zo'n schaamteloze lach vanuit je tenen, waar je na verloop van tijd pijn in je buik van krijgt. We gingen aan de kant van het trottoir staan, zodat andere mensen erlangs konden. Hun kopjes scheefhoudend, keken de honden ons verwonderd aan.

'Jemig,' zei ik.

Craig sloeg zijn armen om me heen en kuste me op mijn voorhoofd. 'Ik mis je,' zei hij.

'Dat geloof ik graag,' zei ik. 'Ik ben een erg misbaar mens. Eén van de meest misbare mensen die ik ken.'

'Dat is waar,' zei Craig.

'Niet kijken,' zei ik toen. 'Sophia komt er aan.'

Ik probeerde te bedenken of ik ooit eerder alleen in een hotelkamer had geslapen. Zonder andere mensen, bedoelde ik – Cannoli droeg als hond haar steentje meer dan bij. Pas in de lobby was het me gelukt haar los te rukken van Indie, en pas nadat ik had beloofd dat ze de volgende dag in het hotel zou mogen blijven en met hem kon spelen als ik naar de beurs en aansluitend naar Andrews bruiloft was. Misschien zou ik haar toch haar bruidsmeisjesjurk aandoen – voor Indie.

Ik had een slecht gevoel over de ontmoeting met Sophia, eerder die middag. Zodra ze ons had gezien, had ze zich omgedraaid en was heel snel de andere kant op gelopen. Craig was haar achterna gerend.

Gelukkig zou ik ze geen van beiden voor morgen nog hoeven te zien. Andrew en Amy wilden het oefendiner klein houden en hadden alleen hun ouders uitgenodigd én de mensen die daadwerkelijk een rol hadden tijdens de huwelijksvoltrekking. De omvang van mijn hele familie kon nogal overweldigend zijn. Waarschijnlijk wilden ze ons geleidelijk aan Amy's familie voorstellen.

En dus had ik de hele avond vrij – een uitstekende gelegenheid om te oefenen met wennen aan stilte en tijd alleen doorbrengen, iets wat ik maar beter kon leren waarderen. Het alleen wonen begon te wennen, al had ik het er in het begin erg moeilijk mee gehad. Als klein meisje had ik nooit een eigen slaapkamer gehad. Tijdens mijn opleiding – en daarna – had ik altijd met meerdere mensen in een huis gewoond. Daarna was ik gaan samenwonen met een jongen. Toen dat uitging, was ik teruggegaan naar huis, weer met een vriendin gaan samenwonen en ten slotte met Craig getrouwd.

Nu zat ik alleen in een hotelkamer en was er niemand om rekening mee te houden. Ik kon de tv aandoen – of niet. Ik kon de lakens afschoppen of ze laten liggen. Als ik wilde, kon ik de hele nacht blijven lezen. En ik kon gaan slapen wanneer ik daar zin in had.

Ik belde roomservice en bestelde een geroosterd paninibroodje en een glas zoete thee. Ik was benieuwd hoe dat smaakte. Het broodje was heerlijk en ik schrokte het op, terwijl Cannoli elegant haar blikje hondenvoer verorberde. De zoete thee was een heel ander verhaal.

'Hoe kunnen ze dit drinken?' vroeg ik aan Cannoli, terwijl ik de thee door de gootsteen in de badkamer spoelde. Ik deed water in de waterkoker en zette een gewone kop thee – zonder suiker, zonder wat dan ook.

Ik bekeek de jurk die ik morgen aan zou doen. Omdat hij nog gekreukt was, hing ik hem samen met Cannoli's jurk in de badkamer, zette de warme douche aan en sloot de deur.

Tien minuten later waren beide jurken kreukvrij. Er was absoluut niets wat ik die avond nog moest doen, dus deed ik de tv aan en zapte langs alle kanalen terwijl Cannoli een dutje deed. Toen ging ik naar de stoomcabine die eens de badkamer was, en smeerde Hot Nights van Lancôme op mijn lippen.

Later kuierden we over de gang naar de lobby. Er was geen teken van Indie, en daarom gingen we met zijn tweeën een stuk wandelen over een Peachtree en weer terug – twee single vrouwen die een nieuwe stad verkennen, een gezellig avondje samen, zonder mannen.

Omdat ik niet meer in de spiegel had gekeken voordat we nogal plotseling waren vertrokken, deed ik mijn lievelingstruc om te voorkomen dat er lippenstift op mijn tanden zou komen. Daarvoor stak ik mijn wijsvinger in mijn mond en trok hem er vervolgens uit. Soms leverde het vreemde blikken op, maar het was de perfecte oplossing voor het probleem van overtollige lippenstift, briljant in zijn eenvoud. Kon ik de rest van mijn leven maar met net zo'n soort truc opruimen.

We sloegen rechtsaf een andere Peachtree in. 'Ik weet niet hoe het met jou is, Thelma,' zei ik, 'maar ik verveel me stierlijk.'

We gingen naar de kamer, waar Cannoli water uit haar reiskom dronk en ging slapen. Misschien moest ik dat ook eens proberen. Toen ik mijn kits voor de volgende dag had ingepakt, ging mijn mobieltje, en ik rende door de kamer om hem te pakken.

'Hallo,' zei ik, zonder te kijken wie er belde.

'Met mij,' zei Mario.

'O, hoi. Hoe was het oefendiner?'

'Je gelooft het niet. Trek kleren aan en kom beneden een drankje drinken met Todd en mij. We zitten in de bar.'

Cannoli zat me aan te kijken, haar oortjes stonden recht overeind. 'Is daar beneden soms ook een schattige Jack Russell Terriër?' vroeg ik.

'Bella,' zei Mario langzaam. 'Overdrijf je niet een beetje in dat hele hondengedoe ?'

'Maak je geen zorgen,' zei ik. 'Ik vraag het voor een vriendin. Ik kom eraan.'

Mario en Todd zaten op de hoge indigoblauwe barkrukken aan de bar. 'Blauw staat jullie geweldig, jongens,' zei ik.

'Dank je,' zeiden ze tegelijk.

Todd pakte zijn wijnglas en schoof een kruk op, en ik nam plaats op de vrijgekomen barkruk tussen hen in. Ze leunden voorover en gaven me een kus. Cannoli rende de bar in met Indie op haar hielen.

'Bella,' zei Mario. 'Zeg alsjeblieft dat dat niet jouw hond is. Je had beloofd dat je haar niet zou meenemen.'

De barman legde een servetje voor me neer. 'Een glas chardonnay, alsjeblieft,' zei ik.

Hij schonk drie glazen wijn in en zette ze voor ons neer. 'Deze krijgen jullie van Indie,' zei hij.

'Bedankt,' zeiden we.

'Wie is Indie?' vroeg Todd.

De barman wees naar de hond. 'Dat kleine ventje met zijn vriendinnetje,' zei hij. 'Hij runt de toko.'

Ik draaide me om naar Mario. 'Neem je woorden terug.'

Hij stootte met zijn glas tegen dat van mij. 'Goed,' zei hij. 'Ik neem het terug. Voor een hond heeft ze goede connecties. Maar ze gaat niet mee naar de bruiloft, zet dat maar uit je hoofd.'

Ik nam een slok van mijn wijn. 'Ze heeft al een afspraak,' zei ik.

'Over afspraakjes gesproken,' zei Mario. 'Waar is jouw date?'

Ik hoopte nog steeds dat ik Sean Ryan op de beurs van gedachten zou kunnen laten veranderen, en dat hij mee zou gaan naar de bruiloft. 'Die heb ik vastgebonden aan het frame van mijn bed,' zei ik. 'Ik hou er niet van als hij 's avonds laat nog uitgaat.'

'Laat maar,' zei Mario. Hij leunde naar me toe en begon zachter te praten. 'Zal ik je een nieuwtje vertellen? Todd en ik zagen pap en mam uit dezelfde hotelkamer komen.'

'Nou en?' zei ik. 'Dat zegt niets.'

Mario draaide zich om naar Todd. 'Zei ik het niet?' zei hij. 'Dat zegt niets.'

'Natuurlijk wel,' zei Todd.

Mario en ik keken elkaar aan. 'Getverderrie,' zeiden we allebei.

Todd lachte. 'Hoe oud zijn jullie?'

Ik keek om me heen waar Cannoli was. Ze lag samen met Indie opgekruld onder mijn barkruk. 'Wat onze ouders betreft, blijven we voor altijd zeven en acht.' Ik nam nog een slok wijn. 'Ze hadden ons wel even kunnen waarschuwen.'

'Je weet wat mama zou zeggen,' zei Mario. '"Daarom noemen ze het een privéleven."'

'Op het vliegveld zei ze dat letterlijk tegen me.' Ik schudde mijn hoofd. 'Ik word er wel verdrietig van. Stel dat ze weer iets krijgen, dan is al onze ellende voor niets geweest. Steeds van het ene huis naar het andere, nooit weten waar je je lievelingstrui of je schoolboeken hebt laten liggen.'

'Mijn kamer bij mama was net een schoenendoos,' zei Mario.

'Jij had tenminste je eigen kamer,' zei ik. 'Angela en ik lagen als sardientjes in een blik in dat gammele oude bed.'

Toen zei Todd: 'Jullie zouden ook blij kunnen zijn dat ze elkaar weer hebben gevonden.'

Mario en ik rolden met onze ogen.

'Ander onderwerp,' zei Todd. 'Heeft Mario al verteld dat we uit eten zijn geweest met de Hairhouse-jongens?'

'Ja vast,' zei ik. 'En hebben jullie de vredespijp gerookt?'

'Wel zo'n beetje,' zei Mario. 'Het zijn aardige jongens. Ze zijn er helemaal niet op uit om ons te laten sluiten. En ze zweren bij hoog en bij laag dat zij geen klacht over onze septic tank hebben ingediend.'

De barman kwam naar ons toe en zette een schaaltje pinda's voor ons neer.

'Nou,' zei ik, toen hij weer weg was. 'Jullie hebben nog niet verteld hoe het oefendiner ging.'

'Niet slecht,' zei Mario. 'Behalve dan het gedeelte waar Tulia even de andere kant op keek en Myles Andrews ring doorslikte.'

27

'Heeft hij de ring doorgeslikt?' vroeg Sean Ryan.

'Jep,' zei ik. 'Zoiets kan alleen in mijn familie gebeuren. Iedereen had er grapjes over gemaakt waar hij bij was. En omdat Myles een perfect gevoel voor timing heeft, heeft hij gewacht tot het moment waarop hij Andrews ring aan Amy moest geven, en toen heeft hij hem in zijn mond gestopt en doorgeslikt. Daarna liep hij met kleine pasjes weg.'

'Wat deden de ouders?'

'Wat Mike deed, weet ik niet. Tulia zat vast haar nagels te lakken. Zij is een hopeloos geval, eigenlijk.'

Het Georgia International Convention Center lag vlak bij het vliegveld. In een andere Prius, een grijze dit keer, met Georgia-nummerborden, waren we over de 85 in zuidelijke richting gereden.

'Ik snap jou niet,' zei ik. 'Lijkt het je niet leuk om eens in je leven in een andere auto te rijden? Voor de variatie? Het is griezelig om dezelfde auto te huren die je thuis hebt.'

Sean Ryan lachte. 'Hoe weet je dat dit een huurauto is?'

'Hem voor een weekendje kopen is helemaal doodeng.'

Het GICC was enorm groot – en ultramodern. Het stond midden in een buurt die ik er nogal armoedig vond uitzien, maar het gebouw zelf leek me veilig, en er was ruimschoots parkeerruimte. We liepen naar de tentoonstellingshal, en in minder dan de helft van de tijd die het ons in Rhode Island had gekost, hadden we onze tafel ingericht.

'En toen?' vroeg Sean Ryan zodra hij terugkwam met twee koppen koffie. 'Wil je echt niets eten?'

'Nee, ik wacht even, dank je wel.' Hij gaf me mijn koffie en ik negeerde het vonkje dat oversprong toen onze vingers elkaar raakten. 'Mack en Maggie gingen met alle anderen uit eten en Tulia en Mike zijn met Myles naar het ziekenhuis gereden om een röntgenfoto van zijn maag te laten maken.'

Sean Ryan ging op zijn stoel zitten en nam een slok koffie. 'Moesten ze opereren?'

'Nee. De polikliniekarts zag de foto en vroeg hoe laat de bruiloft was. Toen zei hij: 'Volgens mij hebben we die ring voor die tijd terug.'

Sean Ryan lachte. 'Geweldig! En hoe vindt je andere neef het dat hij die ring moet dragen?'

'Andrew? Die vindt het hilarisch. Hij zei tegen Tulia dat ze tegen Myles moest zeggen dat hij zich niet bezwaard moet voelen en dat hij desnoods een ring van iemand anders kon lenen voor de ceremonie.'

'Goede instelling.'

'Ja, Andrew is een schat. Toen ik wegging, stonden ze ruzie te maken over wie het haar en de make-up van de bruid mocht doen.'

'Het lijkt me fantastisch, zo'n grote familie,' zei Sean Ryan.

'Meestal wel, ja.' Ik nam een slok koffie. 'Hoe is jouw familie?'

'Klein. Beide ouders overleden. Eén zus, één zwager, twee neefjes. Een soort *Leave It To Beaver*. Mijn ex en ik noemden ze altijd de Connecticut Cleavers, maar daaraan terugdenkend, denk ik dat we vooral jaloers waren.'

Ik nam nog een slok koffie. 'Hoezo?'

Sean Ryan haalde zijn schouders op. 'We hebben lang geprobeerd om samen kinderen te krijgen, maar dat lukte niet. Toen we de hele adoptieprocedure in gang hadden gezet, realiseerden we ons ineens dat we elkaar niet uit konden staan. Het hele kaartenhuis viel in elkaar.'

'Het spijt me voor je.' Ik sloeg mijn benen over elkaar, en zette toen mijn voeten weer naast elkaar. 'Wil je nog steeds kinderen?' Het was eruit voor ik er goed over had nagedacht.

Hij glimlachte. 'Wie weet. Waarschijnlijk wel, maar ik ben er de laatste tijd niet veel mee bezig.'

'Zie je ze vaak?' vroeg ik. 'De Cleavers, bedoel ik.'

'Niet zo vaak als toen ik getrouwd was. Met Thanksgiving kwamen we altijd bij elkaar, en nog een paar keer per jaar.'

Sean Ryan stond op en ging voor onze tafel staan. Hij maakte een doos open en begon zijn kits uit te pakken. Deze beurs was precies als die in Rhode Island, en ik had een onmiskenbaar déjà-vugevoel. De voorkanten van de tafels om ons heen waren behangen met slingers met de naam van de verschillende universiteiten, over de tafels lag een kleed. In tweed geklede mensen legden stapels informatiebrochures en aanmeldingsformulieren klaar en zetten waterflessen met de naam van hun universiteit op een rij. Er was een massagesalon, een kraam waar je je nagels kon laten doen, een kraam met ultra-cafeïnedrankjes en een veilige sumoring met felgele touwen.

Ik keek om me heen. 'Het is net een rondreizend circus. Na de show pakt iedereen zijn tent in, en trekken we verder naar de volgende beurs.'

'Het is *big business*,' zei Sean Ryan.

'Over *big business* gesproken,' zei ik. 'Heb je mijn nieuwe en verbeterde kit al gezien?'

Ik liet hem een kit zien en legde uit welke veranderingen ik had aangebracht en waarom. 'En nu,' zei ik, 'werkt de kit ook als ik er niet bij ben.'

Terwijl ik praatte, knikte Sean Ryan voortdurend. 'Briljant,' zei hij, toen ik uitgepraat was. 'Je hebt geanalyseerd wat er niet goed werkte en er net zo lang aan gesleuteld tot het dat wel deed. Er zijn maar weinig mensen die dat kunnen.'

Ik legde alles terug in de kit die ik had uitgepakt en ritste hem dicht. 'Ik hoop dat je me nooit hebt onderschat,' zei ik.

'Nog geen seconde,' zei hij. We keken elkaar aan, en vervolgens keek hij de andere kant op. Allebei pakten we onze koffie. 'Oké,' zei hij. 'Wat is je volgende stap?'

'Mijn website is in de lucht en ik heb hem aangemeld bij een aantal zoekmachines,' zei ik. 'Ik heb tien-procent-kortingsbonnen gemaakt om aan onze salongasten te geven en ik zou kunnen proberen om op een lokale tv-zender te komen, misschien op *Beantown*? Ik heb er ooit haar en make-up van gasten gedaan.'

'Wie heeft jullie toen geboekt?'

'Ene Karen. Karen nog wat.'

'Ik bel haar maandag,' zei Sean Ryan nonchalant.

'Weet jij hoe je een show moet boeken?' vroeg ik.

Hij grinnikte. 'Als ik wist hoe dat moest, was het niet half zo leuk. Ik laat wel weten hoe het is gegaan.'

Toen besloot ik vol in de aanval te gaan. Allereerst had ik munitie nodig. Ik draaide de dop van een potje bloedrode NARS-lipgloss met de naam Bewitched en smeerde er langzaam wat van op mijn lippen. Ik voelde dat Sean Ryan mijn bewegingen aandachtig volgde. Toen sloeg ik mijn ogen op en keek ik hem aan. Even knipperde ik verleidelijk met mijn wimpers – misschien was het het effect van het warme zuiden. 'Ik begrijp het niet,' zei ik. 'Al die moeite om mij in een tv-show te krijgen, en je wilt niet mee naar één klein ieniemienie-bruiloftje? Wie moet er dan op mij passen met al die okra?'

Sean Ryan sloeg zijn armen over elkaar. 'Dit hebben we al besproken, Bella. Ik wil je niet kwetsen, maar ik heb geen behoefte om met jou verder te gaan.'

De deuren gingen open, en de mensen stroomden binnen. Ik ging zo ver mogelijk aan de andere kant van de tafel staan en wendde me af, zodat ik Sean Ryan niet hoefde te zien, en ging aan het werk.

Al snel stond er een enorme rij voor onze tafel, zowel voor

hem als voor mij. En dat terwijl hij zijn studiekeuzebegeleidingskit gratis weggaf en ik er geld voor vroeg. Voor mensen die alleen een creditcard bij zich hadden, legde ik kits apart, terwijl zij een geldautomaat gingen zoeken.

Ik lachte. Ik vleide. Ik mengde persoonlijke foundation. Ik maakte aantekeningen over productsuggesties. Ik stopte alles in een Bella's Bag voor Basic Beauty en gaf ze die. Ik ging verder met de volgende klant. En al die tijd was ik woest. *Ik heb geen behoefte om met jou verder te gaan.* Ik had hem niet eens mee uit gevraagd. Ik wilde niet alleen naar de bruiloft, en daarom zocht ik iemand die met me mee wilde. Wat een arrogante zak.

Eindelijk had ik mijn laatste kit verkocht. Ik rekte me uit en keek naar het tafeltje naast ons. Ik glimlachte naar de saai uitziende man die voor een stapel aanmeldingsformulieren stond.

'Heb je het naar je zin?' vroeg hij.

Ik lachte alsof hij iets grappigs zei.

Hij reikte me een fles water met universiteitslogo aan. 'Alsjeblieft,' zei hij. 'Het is warm hier.'

Ik knipperde met mijn wimpers en zei met mijn beste zuidelijke accent: 'Wat attent van je.'

Achter mijn rug maakte Sean Ryan een gnuivend geluid.

Ik keek naar het etiket op de fles. 'Wauw, Emory. Geweldige school. Werk je er al lang?'

De man haalde diep adem en wilde me net zijn hele levensverhaal gaan vertellen, toen er een sumoworstelaar in een grote witte luier voorbijliep, op weg naar de sumoring. 'Dat lijkt me nou leuk,' zei ik. 'Ik heb altijd al eens willen sumoworstelen.'

'Kom op, laten we gaan,' zei de man.

'Waarom ook niet,' zei ik.

Sean Ryan stond op. 'Pardon,' zei hij. 'Het worstelboekje van deze dame is vol.'

De man haalde zijn schouders op.

Ik ging staan. 'Pardon,' zei ik. 'Wie denk jij wel niet dat je bent? Bepaal jij soms met wie ik worstel en met wie niet?'

Sean Ryan trok een wenkbrauw op. 'Ik heb al vaker geprobeerd om met jou te worstelen en volgens mij zei je toen dat je niet wilde.'

Ik zette mijn beide handen in mijn zij. 'Volgens mij zei jij dat je geen behoefte had *om met mij verder te gaan*.'

Sean Ryan rolde de katoenen slinger en het tafelkleed dat hij had meegenomen op en legde ze in een kartonnen doos, samen met de lijst e-mailadressen die hij had verzameld voor de follow-up. Toen pakte hij mijn schoudertas.

'Hé,' zei ik. 'Waar gaat dat heen met mijn tas?'

'Kom mee,' zei hij. 'Of ben je soms bang?'

'Ik ben helemaal niet bang,' zei ik.

Sean Ryan had de man in de luier vast betaald om ons voor te laten gaan – zodra we aankwamen, trok hij ons vrijwel meteen tussen de touwen door de sumoring in. En hier in het beleefde zuiden durfde niemand daar iets van te zeggen, iets wat in Boston absoluut ondenkbaar zou zijn.

Ik wilde Sean Ryan eens stevig aanpakken. Ik keek hem strak aan terwijl een vader en zoon zich uit de gigantische worstelpakken wurmden. Ik keek nog steeds naar hem toen ze hun helmen afzetten – kleine helmpjes in de vorm van traditionele sumokapsels, met bovenop een zwart vinyl knotje.

Sean Ryan hield de twee enorme vinylpakken omhoog. 'Rood of blauw?' vroeg hij.

'Doe maar wat,' zei ik.

Hij gaf me het blauwe pak.

'Rood,' zei ik.

De pakken waren helemaal massief. Ze hadden een onbestemde huidskleur – misschien een MAC NC 30 – en waren zo volgepompt met lucht en schuimrubber, dat ze bijna uit zichzelf konden blijven staan. De gekleurde worstelriemen zaten er aan vastgemaakt, en er zaten ook nekstukken op.

Terwijl we probeerden onze pakken aan te trekken, hielden we ons stevig vast aan de felgele touwen van de ring. De man met de luier hielp ons onze pakken over onze schouders te trekken. Zodra ik het touw losliet, tuimelde ik voorover.

'Wauw,' zei ik, en ik pakte het touw weer vast.

'Tuimelaars tuimelen, maar ze vallen nooit om, weet je nog?' zei Sean Ryan.

'Word toch volwassen,' zei ik.

De man met de luier wees naar de rode mat, die het grootste gedeelte van de worstelring bedekte. In het midden stond een grote blauwe stip. 'Op blauw staan. Bel gaat. Andere uit duwen. Op rood staan, andere wint.'

Wat aan de late kant herinnerde ik me dat ik georganiseerde sporten niet leuk vind. Maar voor ik de kans kreeg om iets te zeggen, zoiets als: *hoe krijg ik in godsnaam dit pak uit*, ging de bel. Sean Ryan zette af tegen de touwen en waggelde naar het midden. Ik hield me stevig vast. Sean Ryan flapperde met zijn armen alsof hij een gigantische kip was en riep iets wat ik niet kon verstaan. Ik liet los. En pakte het touw weer vast. De man met de luier kwam mijn kant op lopen.

'Wacht,' zei ik.

Dat deed hij niet. Hij gaf me een enorme duw, en waggelend vloog ik naar voren tot ik met mijn sumomaag tegen die van Sean Ryan botste. We stuiterden tegen elkaar en veerden een paar stappen achteruit. Sean Ryan hervond zijn evenwicht en wiebelde mijn kant op, hij kwam steeds dichterbij tot we weer contact maakten. Dit keer viel ik achterover op de mat, en hij belandde boven op me.

Onze opgevulde vinylmagen waren een gigantische wip. Zijn voeten staken omhoog, de lucht in, en zijn mond kwam naar beneden, heel dicht bij die van mij. We waren net twee gestrande walvissen – en het volgende moment lagen we te zoenen.

Hij kuste geweldig, zelfs in een vinyl sumopak. Hij smaakte naar koffie, en ik meende een vleug kokosnoot te ruiken, wat waarschijnlijk zijn Paul Mitchell Extra-Body Sculpting Foam was. Of misschien dronk er iemand in het publiek een Piña Colada.

We leunden tegelijk dezelfde kant op en begonnen te rollen. We buitelden over elkaar heen en kregen steeds meer vaart tot we tegen de touwen van de ring botsten.

'Holy Cannoli,' zei Sean Ryan, met zijn lippen nog steeds een paar centimeter van de mijne.

'Wonderlijk,' zei ik. 'Maar wel heet.'

De menigte begon te joelen en te klappen. 'O jee,' zei ik. 'Is dat voor ons?'

'Kom,' zei Sean Ryan. 'Wegwezen hier.'

Ik leunde achterover in de passagiersstoel van de Prius en bracht mijn haar in model. 'Verdorie,' zei ik. 'Je haar is zo verpest met zo'n helm, zeg.'

'Moet je horen,' zei Sean Ryan. 'Sorry dat ik je kuste.'

Ik stopte met modelleren. 'Je wordt bedankt.'

'Laat me even uitpraten, oké?'

Ik knikte.

'Er zijn twee dingen die ik je moet vertellen. Eén: ooit ben ik verliefd geweest op een getrouwde vrouw. Uiteindelijk ging ze terug naar haar man. Volgens mij wist ik al die tijd al dat ze dat zou doen, en toch heb ik er veel tijd en energie in gestoken om ons ervan te overtuigen dat dat niet zo was. Dat hoef ik niet nog eens mee te maken. Vrienden zijn, of samen wat aan je kit werken, dat vind ik prima. Maar meer niet.'

Ik zag de pijn in Sean Ryans lichtbruine ogen. Hoewel ik niet dacht dat ik ooit terug zou gaan naar Craig, moest ik toegeven dat ik tot een paar dagen geleden niet had gedacht dat ik ooit nog met hem zou slapen.

'Oké,' zei ik, en ik legde mijn hand op die van Sean Ryan. 'Wat is het leven soms ingewikkeld.'

Hij bracht mijn hand naar zijn mond en drukte er een kus op. We glimlachten. 'Dank je,' zei hij.

'Graag gedaan,' zei ik. 'Wat wilde je nog meer zeggen?'

Hij deed zijn ogen dicht. 'Je weet toch dat er types zijn die proberen beslag te leggen op jouw vaders salon aan de waterkant?'

Ik knikte.

Hij deed één oog open. 'Ik ben een van de investeerders.'

'Wát?'

'Met een groepje kopen we huizen aan de waterkant op om het terrein te ontwikkelen. Chique appartementencomplexen, zo groen als maar kan en toch kostenefficiënt...'

'Stap er dan uit,' zei ik.

'Dat kan ik niet. Ik heb verplichtingen tegenover de andere investeerders. Zaken zijn zaken. Ik mag jou dit niet eens vertellen.'

Plotseling dacht ik aan Sean Ryans prachtige huis aan de waterkant in North Marshbury. Ik vroeg me af hoeveel hij die arme oude man, die er zijn leven lang had gewoond, had betaald om te vertrekken. 'Mijn god,' zei ik. 'Je bent zo'n vastgoedhaai.'

'Er is niets mis met huizen kopen.'

'Breng me maar terug naar mijn hotel,' zei ik. 'Ik wil op tijd zijn voor de bruiloft van mijn neefje.'

Op de terugweg zeiden we geen woord. Sean Ryan parkeerde de Prius op het trottoir voor hotel Indigo. 'Wat ik doe, is echt niet slecht,' zei hij. 'Je vader kan er tonnen mee verdienen. We hebben hem gewoon de marktprijs geboden.'

'Ja, vast,' zei ik. 'Voordat je de gezondheidsinspectie had gebeld of erna?'

'Wat?'

'Je moest je schamen. Iemand die een nep-aangifte doet van een zogenaamd kapotte septic tank, is een dief. Erger dan dat. Weet je wat een nieuwe tank kost? En zelfs als geld geen probleem is, hoe zou jij het vinden als je mooie uitzicht werd verpest en je voortaan uit moest kijken op een met gras bedekte heuvel?'

Sean Ryan fronste zijn voorhoofd en vroeg: 'Waar heb je het over?'

Ik sloeg het autoportier met een klap dicht in zijn gezicht.

28

Zonder nog om te kijken liep ik bij de auto vandaan, en ik liep ziedend van woede het hotel in. Cannoli en Indie waren in de lobby. Ik deed ze hun riemen om en ging met ze wandelen in Peachtree Street. We liepen langs een kleine hondenboetiek, waar ik iets lekkers voor ze kocht. Ik was zo boos dat ik niet van de wandeling kon genieten. Terug in het hotel mocht Indie mee naar boven om met Cannoli te spelen, terwijl ik me klaarmaakte voor het feest.

Ik nam een lange, hete douche en schrobde mezelf af met het washandje tot ik moest stoppen omdat ik anders geen huid meer over zou hebben. Ter compensatie smeerde ik me helemaal in met de Replenishing Body Moisturizer van Aveda die ik in de badkamer had gevonden. Ik föhnde mijn haar, maakte me op en trok mijn belachelijk mooie, nieuwe jurk aan.

Ik was van plan geweest een knalrode lippenstift te dragen – Frankly Scarlett. Ik had me er al op verheugd iedereen te vertellen hoe hij heette als ze me zouden vertellen hoe geweldig de kleur me stond. In plaats daarvan schroefde ik nu een koperroze lippenstift met de toepasselijke naam Kiss My Lips open. Dat was het enige wat Sean Ryan zou mogen kussen.

Ik nam Cannoli mee naar de badkamer zodat Indie niet kon kijken, en hielp haar in haar maagdenpalmblauwe tafzijden bruidsmeisjesballonjurk. In elk geval beloofde dit een romantisch weekendje voor de honden te worden.

Ik was net te laat in de lobby, waar ik, als ik dat had gewild en op tijd was geweest, een lift naar de bruiloft had kunnen krijgen van een van mijn vele familieleden, maar nu leek het erop dat ik zelf naar de kerk zou moeten zien te komen. De eigenaars van hotel Indigo waren lyrisch over Cannoli's jurk – misschien omdat hij blauw was – en nodigden haar uit om de avond bij hen thuis door te brengen. Zij zouden haar thuis brengen voor we moesten uitchecken. Ik bedankte ze hartelijk en liep naar buiten om een taxi te roepen.

'Veel geluk,' riep een van hen me achterna. 'Ik hoop dat ze een dominee hebben gevonden die jullie kunnen verstaan.'

Wat ze daarmee bedoelden, begreep ik al snel. Een katholieke huwelijksinzegening met een complete mis duurt lang, maar aan een zuidelijke katholieke inzegening lijkt helemaal geen einde te komen. Toen Tulia me zag, draaide ze zich om in de kerkbank en stak haar duimen naar me op. Ik begreep daaruit dat het akkefietje met de ring was opgelost.

Maggie zag er schattig uit in haar zachtgele jurkje met een enorme satijnen strik. Ze genoot met volle teugen van het strooien met gele rozenblaadjes en liep met een grote grijns op haar gezicht achter de andere bloemenmeisjes aan.

Andrew stond tegenover Mario en Todd – hij zag er heel mooi uit. Ik probeerde me Julie voor de geest te halen en dacht na over wat het voor haar betekend zou hebben om haar zoon te zien trouwen, en bedacht toen hoe Andrew op Mario en Todd was gaan lijken. Zijn houding was precies die van Todd, en hij lachte net als Mario. Ik vroeg me af of Lizzie, Luke en ik ook zoveel tijd met elkaar hadden doorgebracht, dat mensen iets van mij in hen zouden herkennen.

Amy zag er schitterend uit in een tafzijden A-lijn jurk met een met kraaltjes bezet lijfje. De wijde lange rok hing tot op de grond en je kon hem optillen – het deed me denken aan punten schuim op een citroenmeringuetaart. Het was een ongewone kleur, geel met iets van goud erin, een kleur die ik nooit zou kunnen dragen maar die prachtig stond bij haar goudblonde haar,

haar blauwe ogen en haar warme huidskleur. Haar bruidsmeisjes droegen koperkleurige jurken en Mario, Todd en de mannen van de bruidegom hadden allemaal een koperkleurige tafzijden zakdoek in de borstzak van hun smoking.

Ik zuchtte. Hoewel de ceremoniemeesters mij naast Angela en haar familie hadden gezet, voelde ik me ineens opzichtig alleen. Dat Craig en Sophia in het bankje voor me zaten, maakte het er niet beter op. De dominee praatte maar door, en ik lette niet op hem – alsof ik dat ooit had gedaan sinds ik voor het eerst voet in een kerk had gezet. De families van Angela en Tulia gingen geregeld naar de kerk, maar de rest van de familie probeerde dat zoveel mogelijk te vermijden. De katholieke kerk leek net zo over ons te denken, dus wat dat betrof stonden we gelijk. Omdat Craig gescheiden was, had ik niet eens in de kerk mogen trouwen, al had ik dat nog zo graag gewild. Mijn vader was drie keer gescheiden, Mario was homoseksueel. We mochten van geluk spreken dat ze ons vandaag de toegang niet hadden geweigerd.

Mijn ouders zaten op de voorste rij, vlak voor Tulia en Mike. Hoewel de kans groot was dat ze elkaar maandag weer zouden haten, merkte ik dat ik mijn adem inhield als ik naar hen keek. Ze leunden heel licht tegen elkaar aan en hielden elkaars hand vast, of ze nu zaten of stonden. Weer vroeg ik me af hoe het zou zijn geweest als ze bij elkaar waren gebleven. Zou ik ooit iemand ontmoeten die ik na veertig jaar nog steeds aantrekkelijk vond?

Mack en Myles waren gekleed in een miniatuurversie van de pakken van de mannen van de bruidegom, en ze droegen elk een ring op een koperkleurig tafzijden kussen. Myles stond heen en weer te wiegen en naar zijn ring te kijken, toen hij ineens naar de mensen in de bankjes keek en grinnikte.

Mijn maag begon te rommelen en ik wilde dat ik ten minste toch een snack had gegeten, ook al had ik geen honger gehad. Eindelijk was het tijd voor het jawoord. Andrew sprak luid en duidelijk, en iedereen keek naar hem. Amy deed het geweldig, en ik vond het prachtig om te zien hoe gelukkig ze allebei waren en hoe ze lachten – dat had ik liever dan dat heel serieuze.

Andrew knikte naar Mack, die naar hen toe liep en zijn kussen ophield. Andrew bukte en trok de strik waarmee de ring vast zat, los en pakte hem van het kussen. Toen nam hij Amy's hand. 'Ik geef je deze ring,' zei hij, 'als symbool van mijn liefde en trouw aan jou. Door de ring om jouw vinger te doen, verbind ik me met hart en ziel met jou.'

Ik kreeg tranen in mijn ogen. Een deel van mij wilde niets liever dan geloven dat ze voor altijd samen zouden zijn. Maar een ander deel wilde opspringen en van de kerkbanken schreeuwen dat ze moesten oppassen. Nu waren ze verliefd, maar zou een trouwring kunnen voorkomen dat ze elkaars hart zouden breken?

Het was Amy's beurt. Ze knikte naar Myles.

Myles draaide zich om en schoot er als een raket vandoor, zo snel als zijn kleine beentjes hem konden dragen.

De hele kerk staarde hem geschrokken aan, en iedereen hield zijn adem in.

'Mack, Maggie, ik bedoel *Myles,*' riep Tulia.

Myles zette zijn voeten naast elkaar en begon tree voor tree de drie treden van de trap van het altaar af te springen.

Mensen begonnen te lachen en iedereen ging op zijn tenen staan en helde over in het gangpad om maar niets van het spektakel te missen.

Mijn vader leunde uit zijn bankje en ving hem op toen hij voorbijrende. Hij tilde het jochie boven zijn hoofd en iedereen begon te juichen. Toen plantte hij hem in de armen van mijn moeder en wilde het kussen uit zijn knuistjes trekken. Myles begon hartverscheurend te krijsen, maar toen mijn moeder hem iets in zijn oor fluisterde, liet hij los.

Mijn vader hield het koperkleurige kussentje op buikhoogte vast. Overdreven langzaam schreed hij stap voor stap, steeds de ene voet naast de andere zettend, naar het altaar. De drie traptreden besteeg hij op dezelfde manier.

Vlak voor Amy knielde hij, boog zijn glimmende kale hoofd en hield het kussentje op.

Iedereen applaudisseerde.

Mijn vader heeft de onhebbelijke eigenschap dat hij niet weet wanneer het genoeg is. Hij bleef naast het altaar staan tot de dominee Andrew en Amy tot man en vrouw verklaarde en zei dat Andrew de bruid mocht kussen.

Toen ze uitgekust waren, riep mijn vader: 'Wacht!'

Hij rechtte zijn schouders en rende de drie treden af, recht op mijn moeder af. Hij knielde naast haar bankje en pakte haar hand. Weer boog hij zijn glimmende kale hoofd.

'Mary Margaret O'Neill,' zei hij met een massieve stem die de kerk vulde. *'Ti amo. Mi vuoi sposare?'* Omdat het belangrijk voor hem was dat iedereen begreep wat hij zei, vertaalde hij meteen: 'Ik hou van je. Wil je met me trouwen?'

Mijn moeder hield Myles stevig vast met één hand en gebruikte de andere om mijn vader overeind te helpen. 'Zo is het genoeg, Larry,' zei ze. 'Dit is de dag van de kinderen.'

'Hoorden jullie dat?' brulde mijn vader. 'Ze zei geen nee!'

Het Margaret Mitchell House was een perfecte locatie voor een bruiloftsreceptie. De gasten vermaakten zich rondom het charmante binnenplaatsje met de verlaagde tuin, en waaierden uit naar overdekte zithoekjes en de knusse kamers binnen. Het mannelijke personeel droeg een smokingpantalon en een smetteloos wit overhemd en ging rond met schalen borrelhapjes.

Er kwam een ober naar ons toe, die ons een ronde schaal voorhield.

'Zit er okra in de hapjes?' vroeg ik.

'Er zit nergens okra in, mevrouw. Dit is Hanky Panky – een mix van rundvlees, saucijsjes, kaas en kruiden.'

'Ik neem er twee, wie weet wanneer ik je weer zie.'
De ober lachte vriendelijk en gaf me een servetje met *Amy en Andrew* er op. 'U, meneer?' vroeg hij.
'Nee, bedankt,' zei Mario. 'Jij ook een drankje, zus? Om je tong wat losser te maken.'
Ik had er nog eens over nagedacht, en eindelijk begreep ik wat de kalkoenen die vlak voor mij de weg waren overgestoken toen ik met Craig had geslapen, symboliseerden. Niet dat Craig een kalkoen was, maar dat *alle mannen kalkoenen zijn*. 'Oké,' zei ik. 'Doe mij maar een Wild Turkey. Of twee.'
Mario bestelde een glas wijn. Toen de ober wegliep om onze bestelling te halen, kwam er een andere ober met hapjes voorbij. Mario pakte een grote garnaal en doopte hem in de cocktailsaus.
'Nee, bedankt,' zei ik. 'Ik ben nog bezig met mijn Hanky Panky.'
'Nou, vertel op,' zei Mario. 'Waar is je date? Zit hij vastgeketend aan je bed?'
'Hij is ontsnapt,' zei ik. 'Eigenlijk wel zo goed. Het nieuwe was er al vanaf.'
'Het spijt me voor je dat het niets is geworden,' zei Mario.
Ik haalde mijn schouders op. Toen keken we naar onze ouders, die dicht tegen elkaar aan op een bankje in de tuin zaten. We hoorden mijn vader vol trots vertellen hoe hij de dag had gered en tot onze verbazing zagen we dat onze moeder instemmend knikte en glimlachte.
'Jemig, zeg. Alsof zij er niet zelf bij was. Ze zat verdorie naast hem,' zei ik vol afschuw.
Angela kwam bij ons staan. 'Niet te geloven,' zei ze. 'Wanneer is dit begonnen?' Ik hoorde dat haar adem stokte toen ze hen zag.
'Ik zag ze voor het eerst bij het hotel,' zei Mario. 'Todd en ik zagen ze samen uit dezelfde kamer komen en naar de ontbijtzaal lopen.'
'Niet dat dit een wedstrijdje is, maar ik had ze al eerder door,' zei ik. 'Ik zag ze op het vliegveld, al voordat we gingen boarden.'

‘Opschepper,’ zei Mario.
‘Tja,’ zei ik. ‘Ik ben gewoon goed.’
Angela plukte een garnaal van een schaal die voorbijkwam. ‘Hadden ze niet gewoon bij elkaar kunnen blijven? Wat een gedoe om niets.’

29

'Een drankje, *amore mio*?' vroeg Lucky Larry Shaughnessy, onze vader, aan Mary Margaret O'Neill, onze moeder. Hij had zijn stropdas losgemaakt, en in de hals van zijn overhemd was de dikke gouden ketting van zijn *cornicello* net zichtbaar.

'*When in Rome...*' zei mijn moeder. Ze glimlachten naar elkaar. 'Zolang het maar geen grappa is.'

Onze vader beende weg in zijn rood met wit gestreepte seersucker kostuum. Je kon moeilijk zeggen wat meer glom, zijn schedel of zijn ego.

Onze moeder keerde zich om en zag dat wij naar haar stonden te kijken. 'O jee,' zei ik. 'Ze komt naar ons toe.'

'Wat is het heerlijk om 's avonds in een tuin te zijn,' zei ze. Ze droeg een lange, soepelvallende jurk met zilverdraad, dat heel mooi stond bij haar haar en glansde als het licht erop viel. 'Wat een spectaculaire bruiloft.' Ze leunde naar voren en kuste Mario. 'Wat zul je trots zijn.'

Alledrie staarden we haar aan. 'Wat is er?' vroeg ze.

'Niets,' zeiden we.

Toen haalde ze haar schouders op. 'Hij belde ongeveer een maand geleden om te vragen of ik met hem naar de bruiloft wilde. En daar heb je behoorlijk wat *cogliones* voor nodig.'

'En dat betekent?' vroeg Angela.

'Kloten,' zei mijn moeder.

'Maar je haat hem,' zei Angela.

'Daar is onze hele jeugd op gebaseerd,' zei ik.

'Als jullie bij elkaar waren gebleven, was ik vast populairder geweest,' zei Angela.

'En wie weet was ik wel hetero geworden,' zei Mario. Iedereen moest lachen.

'Gaan jullie trouwen?' vroeg Angela.

Mijn moeder hield haar hoofd scheef en haalde haar schouders op. 'Ik kijk per dag hoe het gaat. Maar als ik nog zes maanden te leven had, weet ik zeker dat ik met jullie vader het meeste plezier zou hebben.'

'Wacht eerst de diagnose maar af,' zei ik.

Mario kuste mijn moeder op haar wang. 'Geniet maar van elk moment,' zei hij. 'Wat zei je in de kerk trouwens tegen Myles? Hij liet zijn kussentje zomaar los.'

Ze lachte. 'Ik begon te tellen. Dat werkt altijd. Bij jullie kwam ik nooit verder dan tot vijf.'

'Yeah! Team!' riep Angela. We sloegen onze armen om elkaars schouders en deden een groepsknuffel – al was het maar om Angela een plezier te doen, want zij kon er niets aan doen dat ze een voetbalmoeder was.

We lieten onze armen hangen en deden een stap achteruit, maar bleven in een kring staan.

Toen ik me omdraaide, zag ik Sean Ryan. Hij praatte met mijn vader.

Mijn hart begon te bonken en ik ademde zwaar. Ik herhaalde tegen mezelf dat alle mannen kalkoenen zijn – en bedacht toen iets veel belangrijkers, namelijk dat de ober nog niet terug was met mijn Wild Turkey.

'Het spijt me,' zei ik tegen mijn familie. 'Ik heb een borrel nodig.'

Omdat ik onze ober niet kon vinden, liep ik naar de bar en bestelde een nieuw drankje. Zonder ijs.

Ik was in de stemming voor een stevige borrel in een borrelglas, en tot mijn schrik zag ik dat de ober mijn whisky in een cognacglas schonk. Hij verpestte er het moment een beetje mee, vond ik. 'Alstublieft, dame.'

'Kloekkloekkloek,' zei ik, en ik nam een behoorlijke slok. Ik verslikte me en moest hoesten.

Uit het niets dook mijn ex-man op en klopte me op mijn rug.

'Bedankt,' zei ik. Ik zette mijn drankje op de bar en pakte mijn tasje. Misschien was Frankly Scarlett toch een goed idee.

'Wat drink je trouwens?' vroeg Craig. 'Jij houdt toch niet van sterkedrank?'

'Wild Turkey,' zei ik. 'Hoezo? Wat maakt jou dat uit?'

Craig lachte. Hij droeg een pak dat ik nog nooit had gezien. 'Rustig maar. Heb je al gegeten?'

'Dat is niet jouw probleem,' zei ik.

Ik had zijn Paul Mitchell Extra-Body Sculpting Foam al geroken voordat ik hem zag. 'Kan ik je even spreken?' vroeg Sean Ryan.

Craig stak zijn hand uit en stelde zich voor. 'Je komt me bekend voor,' zei hij.

'Sean,' zei Sean Ryan. 'Wij hebben elkaar in de salon gezien.'

Sophia kwam bij ons staan, en Craig introduceerde haar. Een paar minuten stonden we wat ongemakkelijk bij elkaar. Ik probeerde te bepalen wat ik erger vond; bij mijn ex-man en zijn huidige vriendin, die bovendien mijn halfzus was, staan, of alleen zijn met de man van wie ik had gedacht dat hij wellicht mijn toekomstige partner was, tot het moment dat hij zei dat hij niet met mij verder wilde, en die om redenen die ik niet kende toch op de bruiloft was verschenen. Het leven was verwarrend. Geen wonder dat ik een borrel nodig had. Ik pakte mijn glas en nam nog een slok. Dit keer ging het veel makkelijker.

Toen ik opkeek, stond Sophia heel raar naar me te kijken. Even vroeg ik me af of Craig had opgebiecht dat wij met elkaar naar bed waren geweest, maar toen bedacht ik dat ik als geen ander wist dat dat zijn stijl niet was. Plotseling begreep ik waar mijn halfzus op aanstuurde. Koude rillingen liepen over mijn rug toen ik de uitdrukking op haar gezicht zag: *jij kunt niets doen om te voorkomen dat ik ook deze vent ga versieren.* Ze schudde haar haar naar achter en lachte vervaarlijk. 'Wat een leuke man is jouw nieuwe vriendje,' zei ze.

Ik gaf Sean Ryan mijn glas. 'Pas even op mijn kalkoen, alsjeblieft,' zei ik. 'We zijn zo terug.'

Ik greep Sophia bij haar arm.

'Au,' zei ze.

Ik trok haar een kleine badkamer in en deed de deur op slot. 'Nu moet je even naar me luisteren,' zei ik. 'Jij bent mijn zus en je zet me voor schut. Ik schaam me voor je, en dat zou jij ook moeten doen.'

Ze leunde tegen de wasbak. 'Halfzus,' zei ze.

'Doet er niet toe,' zei ik. 'Je bent nog steeds mijn zus. Ik heb altijd van je gehouden, sinds de dag dat je bent geboren.'

Ze begon te huilen. Ik sloeg mijn armen om haar heen en hield haar vast terwijl zij stond te snikken. Het was net als toen ze een klein meisje was en op school was gepest, of hoe ze reageerde als haar verkering uit was.

'Waarom deed je het?' vroeg ik. 'Wanneer zei je tegen jezelf: "Dit is mijn zus en ik besluit bij deze dat ik met haar man naar bed wil."'

'Jij verwaarloosde hem. Je besteedde nauwelijks aandacht aan hem,' mompelde ze tegen mijn schouder. 'Ik dacht dat jij hem niet meer wilde.'

Ik duwde haar van me af. 'Wat een onzin,' zei ik. 'Je deed het omdat je altijd alles wilde wat ik had. Ik hou van je, maar dit is iets wat je zelf moet doen. Mij maakt het niet uit of je bij Craig blijft of niet. Maar in godsnaam, Sophia, verman je een beetje. Anders wil ik je niet meer in mijn leven.'

Ik liet haar achter in de badkamer en liep naar de bar. 'De gang door, laatste deur rechts,' zei ik tegen Craig.

'Maar–' zei hij.
'Ga nou maar,' zei ik.
'Maar–' zei hij weer.
'Craig,' zei ik, 'het gaat mij helemaal niets aan.'
Toen hij weg was, keek Sean Ryan me met opgetrokken wenkbrauwen aan.
'Gaat het goed met je?' vroeg hij.
'Beter dan ooit,' zei ik. Hij gaf me mijn Wild Turkey. 'Denk je dat ik deze kan ruilen voor een glas Chardonnay?' vroeg ik.
'Natuurlijk,' zei hij. 'Loop maar met me mee.'

In een afgelegen hoekje op het grasveld vonden we twee stoelen, half verstopt in een buxushaag en niet ver van de straat.
'Oké, vertel op,' zei ik.
Hij lachte. 'Wat weet je het toch charmant te brengen.'
'Moet je horen wie het zegt,' zei ik.
'Ik heb je vader gesproken,' zei hij.
Zelfs met de buitenverlichting aan zag ik zijn ogen nauwelijks, maar ik wist dat ze lichtbruin waren – met gouden spikkeltjes. 'Dat zag ik,' zei ik.
'Ik wist niets van dat telefoontje naar de gezondheidsinspecteur. Ik heb me teruggetrokken uit de groep en gezegd dat ze je vader met rust moeten laten. Dat ik hem anders vertel wie dat telefoontje heeft gepleegd.'
'Een knipbeurt in Marshbury kunnen ze wel vergeten,' zei ik. Ik kon niets anders bedenken. Nog steeds ontbrak er een stukje van de puzzel, maar ik wist niet precies welk stuk.
'Ik had het sowieso gedaan. Ook als het niet om jouw vader ging. Een kapotte septic tank rapporteren is vals spelen. Een oude tank heeft altijd mankementen, en nu moet je vader een nieuwe laten plaatsen. Dat gaat hem een behoorlijke duit kosten.'
Ik zei niets.
'En hij kan het betalen, maar stel nou dat dat niet zo was?

Door toestanden als deze raken mensen dagelijks hun huis kwijt. Zo doe ik geen zaken.'

Ik zweeg nog steeds.

'Er is weinig ruimte voor een nieuwe tank. Wat dat voor gevolgen heeft voor de esthetische aspecten van zijn pand, weet ik niet. Ik heb gezegd dat ik wat onderzoek zal doen. Tegenwoordig zijn er nieuwe, compacte septic tanks. Die moeten vaker worden leeggepompt, maar ze nemen minder ruimte in beslag.'

Ik kon mijn nieuwsgierigheid niet langer bedwingen. 'Wat zei hij?'

Sean Ryan lachte. 'Hij was zeer geïnteresseerd. En hij probeerde mij zo ver te krijgen dat ik het hele systeem zou betalen. Wat een figuur.' Hij pakte mijn hand. 'Dus. Zijn wij nu weer oké?'

Ik ging staan. 'Nee. Jij en mijn vader zijn oké. Wij zijn helemaal niet oké.'

'Wát?'

Ik sloeg de rest van mijn wijn achterover. 'Alles draait voor jou om zakendoen, hè? Als je maar weet dat ik zelfs geen gewone vriendschap wil hebben met iemand die zakendoen belangrijker vindt dan mij.'

Ik was al halverwege de straat, toen ik me iets realiseerde. Het was de bruiloft van míjn neefje, en niet ík zou moeten vertrekken, maar híj. Daar had ik voor moeten zorgen. Nu was het te laat – als ik terug zou gaan, zou het hele effect van mijn vertrek weg zijn. Ik vroeg me af hoe ver het zou zijn naar hotel Indigo. En of ik de goede kant op liep. In het donker was dat moeilijk te zeggen, zeker in deze onbekende stad. Ik deed mijn best om niet te huilen, maar ik voelde de tranen in mijn ogen prikken.

Sean Ryan kwam naast me rijden. Hij zette de grijze Prius op een verboden-te-parkeren-plek en liet het raam aan de passagierskant zakken. Ik liep door. Hij reed achter me aan.

‘Toe nou,’ zei hij. ‘Laat me je naar je hotel brengen. Het is hier niet veilig.’

‘Ik waag het erop,’ zei ik, en ik ging sneller lopen.

Ook hij meerderde vaart. ‘Alsjeblieft?’ vroeg hij. Hij leunde over de passagiersstoel en zei: ‘Ik heb statistieken over geweld in deze stad gezien.’

‘Hoe erg is het?’ vroeg ik. Een man die mijn kant op liep, zag er ineens heel gevaarlijk uit.

Sean Ryan week uit voor een illegaal geparkeerde vrachtauto, en ik verloor hem uit het oog.

Toen ik hem weer zag, zei hij: ‘Vergeleken met vroeger is er veel verbeterd, maar er moet nog veel gebeuren voor je ’s avonds veilig alleen over straat kunt.’

Ik stapte van het trottoir af, pakte het handvat van het portier en deed het portier open. ‘Oké,’ zei ik. ‘Maar ik wil niet dat je tegen me praat.’

Hij wachtte tot ik mijn autogordel om had en gleed tussen het voorbijrijdende verkeer.

‘Je hebt gelijk,’ zei Sean Ryan. ‘Ik had het eerst met jou moeten overleggen. Jij bent veel belangrijker dan welke zakendeal ook.’

Ik keek voor me uit. ‘Ik had het fijn gevonden als je dat had gezegd. Dan had ik kunnen zeggen dat ik niet terugga naar Craig. Nooit.’

We keken elkaar aan.

‘Ik denk toch dat het beter is als we gewoon vrienden zijn,’ zei Sean Ryan. ‘Wat werken aan je kit, zien hoe het gaat.’

‘Wat ben jij een controlfreak, zeg. Laat het toch gaan. Je kunt de klok niet stilzetten, het leven gaat altijd door, is altijd in beweging.’

‘Dank voor deze wijze inzichten,’ zei hij.

‘Graag gedaan,’ zei ik.

Hij strekte zijn arm en pakte mijn hand. Ik schoof naar hem

toe en kroop tegen hem aan – voor zover het krappe interieur van de Prius dat toeliet. Ik deed mijn ogen dicht en liet het magische van het moment tot me doordringen.

'Heb je nog meer wijze raad voor me?'

Ik dacht na. 'Ja,' zei ik. 'Dat je niet kunt voorkomen dat je gekwetst wordt. Hoe vind je die? En waag het niet om met een van mijn zussen naar bed te gaan. Of met mijn broer.'

Sean Ryan zette de richtingaanwijzer aan. Hij reed naar de kant van de weg en parkeerde de auto op de eerste de beste parkeerplaats. Er gaat niets boven een kus in een Prius.

30

'Lekker,' zei ik. 'Maar niet zo lekker als met een sumopak aan.'

'Ik kan proberen er een paar op de kop te tikken,' zei hij. 'Zal ik gaan kijken?'

'Jij gaat helemaal nergens heen,' zei ik.

We rolden over de volle breedte van zijn kingsize bed. Toen ik terugduwde, rolden we de andere kant op.

'Opschepper,' zeiden we tegelijk.

Ochtendseks met Sean Ryan was een aangename bezigheid. Maar het was al laat, en een van ons zou toch aanstalten moeten maken om op te staan. We lagen naar het plafond te staren. Ik was blij dat ik aan de rechterkant van het bed was beland. 'Ongelooflijk dat je me nooit hebt verteld dat je een appartement in Atlanta hebt. En een Prius.'

Hij kwam overeind. Steunend op zijn elleboog gaf mij me een kus op mijn schouder. 'Zodat jij alleen om die Prius met mij naar bed kon gaan?'

'Dat wilde ik al maanden, rokkenjager,' zei ik. 'Hoe heet het hier?'

'Peachtree Appartementen.'

'Natuurlijk. Hoe anders.'

Gisteravond had ik vooral Sean Ryan gekust, en ik had geen oog gehad voor de omgeving. Ik kon me vaag een ondergrondse parkeergarage herinneren, en een lobby die een museum voor moderne kunst leek. Het plafond van zijn appartement was mooi gestuukt, en de muur achter het bed was van bakstenen. Er stonden leren meubels, en aan de muur hing stijlvolle kunst – strak en eenvoudig, zonder toeters en bellen.

'Ben jij miljonair of zo?' vroeg ik.

Hij lachte. 'Nee, het is een investering. Ik heb het in 1995 voor een habbekrats gekocht, toen ze net appartementen hadden gemaakt. Hier zat de CDC, het centrale meldpunt voor ziektebeheersing. Toen heette het nog het Center for Infectious Diseases.'

'Ik hoop dat je met bleek hebt geschrobd voordat je hier ging wonen.'

'Na de CDC zat er een tak van het ministerie van landbouw. Je zou hier gekkekoeienziekte kunnen oplopen.'

'Echt?'

'Nee hoor, grapje. Ik heb het appartement aangehouden omdat het alles heeft wat mijn huis in Marshbury niet heeft. Zo is mijn leven mooi in balans.'

Ik trok de lakens over mijn schouders. Het dekbed lag ergens op de grond.

Sean Ryan ging rechtop zitten. 'Heb je zin om te ontbijten? Verderop in de straat zit een leuk tentje. The Flying Biscuit.'

Ik trok de lakens over mijn hoofd. 'Ik wil niet weg,' zei ik. 'Nooit meer.'

'Heb je daar een reden voor?'

Ik had er gisteravond al aan gedacht, toen ik in slaap was gevallen en weer wakker was geworden. 'Als we dit appartement verlaten, wordt het weer een rommeltje, let maar op.'

Sean Ryan kroop onder het laken en trok het over zijn hoofd. Hij stak zijn benen in de lucht en hield het laken omhoog, alsof het een tent was. Ik stak mijn benen in de lucht om de tent groter te maken.

'Laten we hier blijven,' zei ik, 'en net doen alsof we aan het kamperen zijn. Marshmallows roosteren, spookverhalen vertellen. Kijken hoe je wenkbrauwen aan elkaar groeien.'

Hij verplaatste een voet en wandelde ermee naar een voet van mij toe, tot hij hem aanraakte. 'In je preek van gisteravond zei je iets over een controlfreak zijn. Zal ik dat voor je herhalen?'

'Dat zei ik alleen om je in bed te krijgen,' zei ik.

'Ha. Ik wil de kampeerpret niet bederven, maar mijn benen beginnen te trillen.'

We lieten de tent in elkaar zakken en gingen overeind zitten. 'Er is airconditioning,' zei ik. 'Er is water. We hebben alles wat we nodig hebben.'

'Dan heb je mijn ijskast nog niet gezien. We zouden omkomen van de honger.'

'Oké,' zei ik. 'Ik ga wel mee. Maar zeg straks niet dat ik je niet gewaarschuwd heb.'

Ik ging als eerste onder de douche, en Sean Ryan zette koffie. Er is niets zo lekker als een kop koffie die je niet zelf hebt gezet. De koffie was krachtig en vol van smaak, en ik genoot ervan in zíjn ochtendjas, een vers laagje Afterglow op mijn lippen. Ik staarde uit het raam en probeerde niet na te denken.

Sean Ryan kwam uit de badkamer met een handdoek om zijn heupen. Mijn hart maakte een sprongetje.

'Hoi,' zei hij.

'Hoi,' zei ik. Ik kon voelen hoe de afstand tussen ons al groter werd. We dreven uit elkaar.

Hij schonk koffie in en leunde tegen het aanrecht. 'Blijf anders hier deze week, dan vliegen we vrijdag samen naar Boston. Ik heb genoeg *frequent flyer miles*. Ben jij flexibel met je klanten? Kan er iemand voor je invallen?'

Ik hoorde mijn mobieltje overgaan in mijn schoudertas, die op wonderlijke wijze bij de voordeur op de grond was beland. Ik stond op, pakte de telefoon en keek wie er belde. 'Het is Mario,' zei ik. 'Ik neem even op.'

'Esther Williams is overleden,' zei hij, bijna nog voordat ik hallo had gezegd.

'O, wat erg,' zei ik.

'Ze heeft een waslijst met laatste verzoeken achtergelaten en ze wil dat jij haar haar en haar make-up doet.'

'Mooi niet,' zei ik. 'Ik doe geen dode mensen, dat weet je.'

Sean Ryan volgde me naar zijn slaapkamer. 'Ik wil me nergens mee bemoeien,' zei hij. 'Maar zei je net dat je geen dode mensen doet?'

Ik was al bezig de jurk die ik gisteren had gedragen over mijn hoofd te trekken. 'Ik wist het gewoon,' zei ik. 'We hoefden er je appartement niet eens voor uit. Alles gaat mis. Mensen worden gekwetst. Mensen verbreken relaties. Er gaan mensen dood. Het is nauwelijks de moeite om... Ach, laat maar zitten.'

Sean Ryan sloeg een arm om me heen. Ik glipte eronder vandaan en bukte om mijn schoenen op te rapen.

'Denk je dat een ontbijt je goed zal doen?' vroeg hij.

Ik schudde mijn hoofd en zei: 'Breng me maar naar mijn hotel.'

Cannoli en ik namen de vroege avondvlucht naar Logan Airport, en ik bracht een slapeloze nacht door in mijn appartement. Toen ik de volgende ochtend bij het begrafeniscentrum kwam, stond Sophia me op te wachten op het parkeerterrein. We deden allebei onze auto op slot en liepen naar de achteringang. Er zat een grote knoop in mijn maag.

'Bedankt,' zei ik. 'Heeft Mario je gevraagd om te komen?'

'Nee,' zei ze. 'Ik wilde het zelf.'

Sophia belde aan en er verscheen een man, die de deur voor ons opendeed. 'Kom binnen, dames,' zei hij. 'Ze wacht op jullie in de balsemkamer.'

Ik wilde me omdraaien en zo hard mogelijk wegrennen, net als Myles bij de bruiloft, maar ik dwong mezelf te blijven ademen en door te lopen. Het O'Donohue Funeral Home bevond zich in een oud Victoriaans pand met prachtige houten vloeren en uitbundige wanddecoraties – alleen in de balsemkamer was alles koud en steriel. Er hingen roestvrijstalen planken aan de muur, er was een enorme roestvrijstalen wasbak en in het midden van de witte tegelvloer zat een afvoerputje.

Huiverend liepen we naar binnen. Esther Williams lag in haar kist. Ze had hem zelf uitgezocht. Het bewerkte hout was met avocadogroene verf beschilderd, en over de rand hing een sjerp van zachtroze crêpestof. De bekleding van het deksel was iets donkerder roze, en er was een roos op geborduurd. De roos keek nu nog de zaal in, maar als het deksel eenmaal dicht zou zijn, zou de roos zich vlak boven haar gezicht bevinden.

Ik had gehoopt dat ik mijn airbrushpistool zou kunnen gebruiken om haar maar zo min mogelijk te hoeven aanraken, maar nu was ik bang dat ik vlekken op de bekleding zou maken. Dus schoof ik de poten van mijn make-updoos uit en zette hem met trillende handen naast de kist.

Esther Williams droeg een sexy roze jurk, een jurk die ze duizenden keren had gedragen als ze in de salon kwam. Het was een strakke jurk met een diep decolleté, haar zogenaamde 'mannenjaagjurk'. Salon de Lucio zou nooit meer hetzelfde zijn zonder haar. Ik kon niet geloven dat ze dood was. Ze was een van de levendigste mensen die ik kende, sprankelend en vol levenslust. Ze bezat een schoonheid die van binnenuit kwam.

Waarschijnlijk stond ik al een poos te mijmeren, want ineens hoorde ik Sophia zeggen: 'Ik begin wel,' en ze pakte een driehoekig schuimrubber sponsje uit mijn make-updoos. Ze legde een vinger op een rond doosje MAC Studio Tech foundation compact. 'Wat denk je dat ze is, een MAC 25?'

Ik knikte. Sophia smeerde de foundation uit, heel zacht en liefdevol, en bedekte niet alleen het gezicht van Esther Williams, maar ook haar nek, haar decolleté en de bovenkant van haar handen.

'Hoe kun je dat zo goed doen?' vroeg ik.

'Niet zo moeilijk,' zei Sophia. 'Ik doe alsof ik het zelf ben. Ik probeer me voor te stellen hoe belangrijk ik het zou vinden om er goed uit te zien als ik zou weten dat er zoveel mensen naar me zouden kijken.'

Ik rommelde in mijn make-updoos tot ik mijn krultang vond. Onder een van de planken vond ik een stopcontact, waar ik de stekker in stak.

'Soms zetten ze de kist hoger neer,' zei Sophia, 'en zeggen ze dat je maar de helft van het gezicht hoeft te doen omdat je maar de helft ziet. Het haar net zo.'

'Wat vreselijk,' zei ik. 'Dat zou Esther verschrikkelijk vinden. We doen haar helemaal.'

'Dat doe ik altijd,' zei Sophia. 'Zo heeft pa het Mario en mij geleerd.'

'Ik ben altijd een angsthaas geweest,' zei ik. 'Ik was jaloers als jullie met hem mee mochten als hij een dode ging doen, maar niet zó jaloers dat ik mee durfde.' Ik haalde diep adem en zei: 'Oké, het gaat weer. Ik doe het verder wel.'

Met een grote kwast bracht ik de foundation en wat losse, opake poeder aan zodat de make-up tijdens de wake en de begrafenis goed zou blijven zitten. Toen gaf ik haar MAC poederrouge Angel, een kleur waarvan ik wist dat hij iedereen goed stond, zelfs dode mensen.

Bijna was het alsof ik Esther Williams hoorde zeggen: 'Goed. En geef me nu maar een paar ogen.' Ik trok een laatje in mijn make-updoos open en zette alles klaar wat ik nodig had om haar onvergetelijke ogen te geven. Almay Color cream eyeshadow in de kleur Mocha Shimmer, long-wear gel eyeliner van Bobbi Brown in Black Ink, en zelfklevende wimpers van NYC. En Great Lash mascara van Maybelline in Very Black.

Ik zette een tube Revlon Super Lustrous Lipstick in de kleur Gentlemen Prefer Pink op de plank voor de finishing touch. Als de kans bestond dat ze in haar volgende leven een man zou vinden, moest ze er klaar voor zijn. Ik haalde diep adem, pakte een schuimrubber wegwerpkwastje voor oogschaduw en doopte dat in de Mocha Shimmer, me met één hand vasthoudend aan de rand van de kist. Toen strekte ik mijn hand uit naar het ooglid van Esther Williams.

Toen ik het aanraakte, bewoog het.

Ik gilde. En schreeuwde.

'Wat gebeurt er?' vroeg Sophia kalm toen ik was gestopt.

'Het bewoog,' zei ik. 'Haar ooglid bewoog.'

'Geen paniek,' zei Sophia. 'Dat is was. Ze hebben vast een gedeelte van haar gezicht bijgewerkt.' Ze liep naar de kist en raakte het ooglid aan, en gleed met haar vinger over de onderlip. 'Kijk, dit is ook was. Misschien is ze gevallen toen ze een hartaanval kreeg. Of heeft ze overgegeven en duurde het een poos voordat iemand haar lichaam vond. Soms tast het zuur...'

Ik draaide me om en gaf over in de roestvrijstalen gootsteen. Toen ging ik naar buiten en wachtte tot Sophia klaar was.

Sophia gaf me mijn make-updoos. 'Gaat het?'

'Prima,' zei ik. Ik zat op de grond en leunde achterover tegen een esdoorn aan de rand van het parkeerterrein. Toen ik mijn voet verplaatste, hoorde ik het geritsel van de eerste dode bladeren van het seizoen. Het klonk dor en droog. 'Bedankt.'

'Je hoeft je geen zorgen te maken,' zei Sophia. 'Ze ziet er prachtig uit.'

'Dat geloof ik graag.'

Sophia lachte. 'Zal ik achter je aan rijden en met je meegaan naar huis?'

Ik schudde mijn hoofd. 'Ik kan zo weer rijden.'

Ze liet zich naast me op de grond zakken. Ik schoof iets op, zodat zij ook tegen de boom kon leunen.

'Craig verhuist naar zijn appartement in Boston,' zei Sophia. 'Het contract met de huurder loopt dit weekend af.'

Ik zei niets.

'Het was zijn idee, maar anders had ik het uitgemaakt. Ik vind het veel leuker om dingen met jou te doen.'

'Ja,' zei ik. 'Vooral vandaag.'

'Het spijt me,' zei Sophia. 'Het spijt me echt.'

Ik sloeg een arm om haar heen, en zij legde haar hoofd op mijn schouder. 'Heb je er spijt van dat je geen kinderen hebt?' vroeg ze.

'Ik weet niet. Ik heb er wel spijt van dat ik Craig die beslissing voor me heb laten nemen.'

Sophia zuchtte. 'Mario wil me naar New York sturen voor klussen bij een tv-kanaal. Todd en hij vinden de markt in Boston te klein, ze willen uitbreiden. Ze hadden het ook over Atlanta.'

'Ik ben blij voor je. Het is goed om je horizon te verbreden.' Ik liet mijn arm zakken, duwde mezelf overeind en ging staan. 'Lieve Sophia,' zei ik. 'Ik had niet gedacht dat ik dit ooit zou zeggen, maar ik vergeef je. Ik hou van je en ik vergeef je. Maar als je me ooit nog eens zoiets flikt...'

'Dat zal niet gebeuren,' zei Sophia. 'Dat beloof ik.' Ook zij kwam overeind. Ze sloeg haar armen om me heen.

Ik keek de andere kant op zodat ze mijn adem niet zou ruiken. Er reed een groene Prius het parkeerterrein op. Mijn hart begon te bonken, hoewel ik wist dat er meer dan één Prius was in Marshbury.

Sean Ryan kwam naast me rijden en liet het raam zakken.

'Zijn die ramen elektrisch?' zei ik. 'Wat een energieverspilling.'

Sophia zwaaide over haar schouder terwijl ze wegliep. 'Ik ben weg. Ik zie hem niet eens,' zei ze.

Sean Ryan parkeerde de auto en stapte uit. 'Zullen we die begroeting overdoen? En dan zeg jij: "Wat lief dat je naar huis bent gekomen omdat je je zorgen om me maakte."'

'Dank je wel,' zei ik.

'Toe nou,' zei hij. 'Ik kan niet beloven dat ik voor altijd blijf leven, maar de kans dat ik binnenkort kom te overlijden, is klein. Laten we proberen alles positief te bekijken.'

Ik had hetzelfde gedacht. Misschien moest je, als de juiste persoon in je leven kwam, in het diepe springen en ervan maken wat ervan te maken viel – voor je het wist, was alles weer anders.

'Helemaal mee eens,' zei ik.

'Dat is dan voor het eerst.'

Ik lachte. 'Het leven is kort. Straks liggen wij in onze kist en kunnen we alleen maar hopen dat ze ons gezicht goed opmaken.'

Sean Ryan trok een goedverzorgde wenkbrauw op. 'Is dat jouw idee van positief zijn?'

Ik probeerde met de wind mee te praten, maar hij deed een stap mijn kant op. Ik legde mijn hand over mijn mond. In een perfecte wereld zou ik nu de geur van zijn Paul Mitchell Extra-Body Sculpting Foam in mijn neus voelen kriebelen, en niet die van balsemolie. Mijn adem zou naar bloemetjes ruiken en ik zou NARS Eros op mijn lippen hebben, een kleur als frambozen die glanzen in het licht van de ondergaande zon.

'Jemig,' zei ik. 'Had ik maar een tandenborstel. Ik heb een vieze smaak in mijn mond.'

'Zal ik achter je aan rijden naar jouw huis en wachten tot jij je tanden hebt gepoetst?'

Ik keek naar hem. Hij keek naar mij. 'Oké,' zei ik.

31

Om het stuk papier met de tekst DOLDWAZE DAGEN – ZOMERUITVERKOOP eraf te kunnen halen, moest ik op mijn tenen staan. Ik wist dat Mario keek, en maakte daarom het grote raam van de salon schoon met Windex en een papieren tissue, en rolde toen het aanplakbiljet voor de HERFSTSPECIAL dat ik had ontworpen, uit. Ik plakte het op precies dezelfde plek.

Ik deed een stap achteruit om het resultaat te bewonderen, en haalde diep adem – de frisse herfstlucht deed me goed.

Mario kwam naar buiten en ging naast me staan. 'Hoe vind je het?' vroeg ik.

Hij keek nauwelijks naar het raam. 'Mooi,' zei hij. 'Ik heb nieuws. Volgens mij heb jij een grote vis binnengehaald.'

De hele week was het een gekkenhuis geweest. Sean Ryan had geregeld dat ik op tv kon komen, in het programma *Beantown*. Iemand van DailyCandy had me in de show gezien en had een Today's Candy e-mail over mijn kit rondgestuurd. Niet alleen naar al hun adressen in Boston, maar naar adressen in alle grote steden in Amerika. Mijn website werd druk bezocht, en Mario had me geholpen met het verwerken van alle bestellingen.

'Dat is fantastisch,' zei ik. 'Wie is het?'

'Er was een mailtje van iemand van Miley Cyrus. Of je met haar wilt praten. Ze wil weten of je een speciale foundation voor haar kunt maken en of je een nieuwe look voor haar kunt bedenken.'

'Dat kan ik,' zei ik. 'Maar wie is Miley Cyrus? Toch niet dat meisje van de *Hannah Banana* show?'

'*Hannah Montana*,' zei Mario. 'Daarom heb je mij nodig. Je

zou kunnen overwegen om zelf minder te gaan werken en wat klanten aan andere stylistes te geven.'

'Oké,' zei ik. 'Ik zal met Sophia praten.'

Tijdens de lunchpauze en elke vrije minuut tussen knipbeurten door werkte ik in het kamertje achter in de salon aan de bestellingen voor mijn kits. De dagen vlogen voorbij. Toen ik klaar was met mijn een-na-laatste klant, liepen Cannoli en ik met haar mee naar de balie. Ik keek in de agenda om te zien wie mijn laatste klant was. In grote rode letters stond er: ZLK.

Niemand was blij met ZLK. De letters ZLK naast de naam van jouw volgende klant betekende gedoe: ZLK stond voor Zeer Lastige Klant.

Ik keek in de wachtruimte. Silly Sirene de Bruid zwaaide naar me.

Mijn hart sloeg over en begon wild te bonzen. Ik keek naar Cannoli. Aan de wortelaanzet van haar vacht was een blonde uitgroei zichtbaar. Ik was te nonchalant geweest.

Cannoli keek naar Silly Sirene de Bruid, en ik hield mijn adem in. Toen draaide Cannoli zich om en liep rustig naar de kamer achter in de salon.

Silly Sirene de Bruid had nog steeds babyhaar en een vissenbek, maar vandaag had ze tenminste geen aanvallen. Ik besloot haar kalm en onbevangen tegemoet te treden en hoopte dat dit een toevallige samenloop van omstandigheden was.

'Dag,' zei ik. 'Knippen en föhnen?'

Ze had een grote leren tas bij zich, waar ze iets uit pakte. Even was ik bang dat ze een wapen tevoorschijn zou halen en zou proberen om Cannoli met geweld terug te krijgen, maar in plaats daarvan pakte ze een groot wit fotoalbum en reikte het mij aan. 'Misschien wil je de trouwfoto's zien?'

Omdat ik me geen raad wist met mijn houding, pakte ik het album aan. 'Natuurlijk,' zei ik, 'de bruiloft. Hoe is het met je?' Ik sloeg een paar bladzijden om. 'Wauw, wat ben je een mooie bruid.'

'Mijn haar zat die dag geweldig. En daarom mag jij vanaf nu mijn haar doen.'

Waarschijnlijk geloofde Cannoli haar oren net zo min als ik, want ze stak haar kopje om de salondeur en keek naar ons. Ik keek haar in de spiegel aan en probeerde haar met mijn ogen te dwingen om weer naar binnen te gaan.

Cannoli deed een stap naar voren.

Ik schudde mijn hoofd. Mijn hart bonkte in mijn keel.

'Ze ziet er goed uit als brunettte,' zei Silly Sirene de Bruid.

'Wat?' zei ik.

'Wij pasten niet bij elkaar. Ik heb nu een fantastische pekipoe.'

Ik deed mijn ogen dicht en haalde diep adem – alsof ik mezelf zuiverde. 'Fijn voor jullie,' zei ik.

Ik had Silly Sirene de Bruid nog maar net de deur uitgewerkt, toen mijn mobieltje ging. Ik keek naar de nummerherkenning. Het was Craig. 'Hoi,' zei ik.

'Hoi,' zei hij. 'Ik ben bij haar weg.'

'Mooi zo,' zei ik.

'Ik wil je graag zien. Gewoon, om te praten.'

'Nee, bedankt,' zei ik.

'Is het die man van de bruiloft?'

'Nee.'

'Wat dan?'

'Jij bent het zelf, Craig. Jij hebt het verknald. Ik wil niet achteromkijken, ik wil niet terug in de tijd. Ik ben er klaar mee. Ik wil meer.'

Hij zei niets. Ik tilde Cannoli op en nam haar mee naar de kamer achter in de salon. Ik zette haar neer en ging met één hand verder met mijn kits.

'Lizzie komt in de herfstvakantie thuis. Dat is over een paar weken,' zei hij. 'Het lijkt me leuk om dan allemaal bij elkaar te komen.'

'Ik weet dat ze thuiskomt,' zei ik. 'Ze heeft me gisteren gebeld.

Ze neemt een stel vriendinnen mee en ik ga ze een make-over geven.'

'Misschien kan ik–'

'Nee Craig,' zei ik. 'Jij bent niet uitgenodigd.'

'Paesano!' hoorde ik mijn vader buiten, voor de salon, brullen.

Cannoli begon te piepen en racete naar buiten. Met een druk op een toets liet ik mijn ex-man verdwijnen, en ik volgde mijn hond naar buiten – iets beheerster, dat wel.

Ik deed mijn best om Sean Ryan gewoon Sean te noemen. Het was niet eenvoudig, maar ooit zou het me vast lukken – waar een wil is, is een weg.

'Hé,' zei ik. Ik gaf hem een kus. Het kon me niet schelen dat iedereen naar ons keek.

Sean gaf mijn vader een fles grappa en drukte mij een bos zonnebloemen in mijn armen.

'Bewaken jullie het fort?' vroeg mijn vader. 'Ik moet ervandoor. Ik heb een afspraakje met je moeder.' Hij hield de fles grappa omhoog. De inhoud glinsterde in het late middaglicht. '*Holy Cannoli*, is dit een blijvertje of is dit een blijvertje?'

Ik verdronk in Seans ogen en antwoordde: 'Is de paus katholiek?'